MELODY BEATTIE

Melody Beattie est née à Saint-Paul dans le Minnesota. Psychothérapeute spécialisée dans le traitement de la dépendance, elle a écrit de nombreux essais, dont *Vaincre la codépendance* (1999), *Les leçons de l'amour* (1997) ou *Choisir, c'est vivre* (2003). Elle vit aujourd'hui à Malibu, en Californie.

Melody Beattie

Vaincre la codépendance

Codépendant : individu s'étant laissé affecter par le comportement d'autrui et se faisant une véritable obsession de contrôler le comportement des autres.

JC LATTÈS

Sommaire

Introduction. 11

Première partie : **Qu'est-ce que la codépendance, et qui en sont les victimes ?**

1. Histoire de Jessica. 23
2. Autres histoires. 31
3. La codépendance. 43
4. Caractéristiques de la codépendance. 55

Deuxième partie : **Les fondements du respect de soi**

5. Le détachement. 77
6. Ne pas se laisser malmener par tous les vents. . . . 89
7. Libérez-vous. 101
8. Supprimer la victime. 111
9. La non-dépendance. 127
10. Vivre sa vie. 145
11. Tomber amoureux de soi-même. 153
12. Apprenez l'art de l'acceptation. 165
13. Éprouvez vos propres sentiments. 181
14. La colère. 193
15. Oui, vous pouvez penser !. 207
16. Fixez vos propres objectifs. 215
17. La communication. 225
18. Entreprendre un programme en Douze Étapes. 237
19. Remarques et commentaires. 263
20. Réapprendre à vivre et à aimer. 287

Épilogue. 295
Bibliographie. 297

Ce livre a été originellement publié aux États-Unis
par Harper & Row sous le titre

Codependent no more

Traduit de l'américain
par Hélène Collon

Le papier de cet ouvrage est composé de fibres naturelles, renouvelables, recyclables et fabriquées à partir de bois provenant de forêts plantées et cultivées durablement pour la fabrication du papier.

ISBN : 978-2-266-21704-0

Il est difficile de trouver le bonheur en nous-même, et impossible de le trouver ailleurs.

Agnes Repplier *(The Treasure Chest)*

Pour avoir permis que ce livre voie le jour, je remercie :

Dieu, ma mère, David, mes enfants, Scott Egleston, Sharon George, Joanne Marcuson, et tous les codépendants qui ont appris de moi et de qui j'ai appris.

Ce livre est dédié à moi-même.

Introduction

Ma première rencontre avec les codépendants eut lieu dans les années soixante. C'était avant que des gens tourmentés par le comportement de leurs proches ne reçoivent le nom de *codépendants*, avant que les alcooliques ou toxicomanes ne se voient étiqueter *chimio-dépendants*. Si je ne savais pas ce qu'ils étaient, dans l'ensemble, je savais les reconnaître. Alcoolo-dépendante moi-même, je menais une vie orageuse et contribuais à engendrer d'autres codépendants.

Pour moi, les codépendants étaient un mal nécessaire. Hostiles, dominateurs, manipulateurs, sournois, culpabilisateurs, on avait du mal à communiquer avec eux. Ils étaient généralement déplaisants, parfois carrément odieux, et me contrariaient dans mon entêtement à m'enivrer. Ils me houspillaient, cachaient mes pilules, me faisaient la tête, vidaient mes bouteilles dans l'évier, essayaient de m'empêcher de me réapprovisionner en drogues, exigeaient de savoir pourquoi je leur faisais ça à eux, et me demandaient toujours ce qui n'allait pas chez moi. Mais ils étaient toujours là, prêts à voler à mon secours quand je me mettais dans des situations désastreuses.

Professionnellement parlant, c'est bien des années plus tard, en 1976, que je me suis trouvée confrontée à eux. A l'époque, dans le Minnesota, toxicomanes et alcooliques étaient devenus des *chimio-dépendants*, leurs amis et parents des *partenaires significatifs* et moi une alcoolique et toxicomane convalescente. En ce temps-là, je travaillais également comme conseillère dans le domaine de la dépendance chimique, ce vaste réseau d'établissements, de programmes et d'organismes divers qui guident les chimiodépendants sur la voie de la guérison. Parce que je suis une femme, et parce qu'à ce moment-là la plupart des partenaires significatifs étaient des femmes, parce que c'était moi qui avais le moins d'ancienneté et qu'aucun de mes collègues ne voulait s'en charger, le directeur du centre de traitement qui m'employait à Minneapolis me chargea de créer des groupes de soutien destinés aux épouses de toxicomanes inscrits au programme.

J'étais mal préparée pour cette tâche. Je continuais de trouver les codépendants hostiles, dominateurs, manipulateurs, sournois, culpabilisateurs; je pensais qu'on avait le plus grand mal à communiquer avec eux, et bien d'autres choses encore.

Au sein de mon groupe, j'ai vu des gens qui se sentaient responsables du monde entier, mais refusaient d'assumer la charge et la bonne marche de leur propre existence.

J'ai vu des gens qui donnaient sans compter, mais ne savaient pas recevoir. J'ai vu des gens donner, donner jusqu'à la colère, l'épuisement et la déplétion totale. J'ai vu des gens donner, puis abandonner. J'ai même vu une femme donner et souffrir au point de mourir de « vieillesse », de mort naturelle, à l'âge de trente-trois ans. Une mère de cinq enfants mariée à un alcoolique incarcéré pour la troisième fois.

J'ai travaillé avec des femmes qui n'avaient pas leurs pareilles pour prendre soin de leur entourage; pourtant, ces femmes doutaient de leur propre capacité à prendre soin d'elles-mêmes.

J'ai vu des gens qui n'étaient plus que des coquilles vides, des gens qui se ruaient aveuglément d'une activité à l'autre. Des gens qui n'avaient de cesse de plaire, des martyrs, des stoïques, des tyrans, des plantes qui s'étiolaient et d'autres qui s'accrochaient, et, pour citer la pièce de H. Sackler, *The Great White Hope*, des « visages contractés respirant le malheur ».

La plupart des codépendants avaient l'obsession de l'autre. Ils pouvaient, avec un luxe de précision, énumérer inlassablement les faits et méfaits du toxicomane : ce qu'il pensait, ressentait, faisait et disait ; ou, au contraire, ce qu'il ne pensait pas, ne ressentait pas, etc. Les codépendants savaient ce que l'alcoolique ou le toxicomane devait ou ne devait pas faire. Et ils se demandaient sans relâche pourquoi il ne s'y conformait pas.

Pourtant, ces gens capables de lire aussi clairement en l'autre ne savaient pas se voir eux-mêmes. Ils ne connaissaient pas leurs propres sentiments. Ils ne savaient pas très bien ce qu'ils pensaient, ni ce qu'il fallait faire pour résoudre leurs problèmes – en supposant qu'il y ait quelque chose à faire, et qu'ils aient des problèmes autres que la fréquentation de leur alcoolique.

Un drôle de groupe, ces codépendants. Ils souffraient, ils se plaignaient, ils essayaient de contrôler tout et tout le monde, à l'exclusion d'eux-mêmes. Mis à part quelques rares pionniers isolés de la thérapie familiale, la plupart des soignants (y compris moi-même) ne savaient que faire d'eux. Le secteur de la dépendance chimique était alors en pleine expansion, mais on se consacrait surtout aux toxicomanes. En thérapie familiale, la documentation et les formations étaient rares. De quoi le codépendant avait-il besoin ? Que voulait-il ? Peut-être n'était-il qu'un prolongement de l'alcoolique, un simple passant occasionnel au centre de traitement ? Pourquoi refusait-il de coopérer, au lieu de créer sans cesse des problèmes ? L'alcoolique, au moins, avait des excuses ; qu'il soit déséquilibré, c'était normal : c'était un ivrogne. Mais les partenaires significatifs, eux, ne buvaient pas. Aucune excuse !

Je n'ai pas tardé à souscrire à deux croyances populaires : d'abord, ces détraqués de codépendants (ou partenaires significatifs) étaient encore plus malades que les alcooliques. Ensuite, pas étonnant que l'alcoolique boive, avec un mari ou une femme pareils...

A cette époque, je ne buvais plus depuis un certain temps. Je commençais à me comprendre moi-même, mais toujours pas la codépendance. J'essayais, mais en vain. J'ai dû attendre pour cela de me retrouver, bien des années plus tard, impliquée jusqu'au cou dans la vie chaotique d'un petit nombre d'alcooliques, au point de ne plus vivre ma propre vie. J'ai alors cessé de penser, de ressentir des émotions positives. Seuls me restaient la rage, l'amertume, la haine, la peur, l'abattement, l'impuissance, le désespoir et la culpabilité. A certains moments, je n'avais plus envie de vivre. Plus d'énergie. Je passais le plus clair de mon temps à me faire du souci pour les gens, et à me demander comment les contrôler. Ma vie en eût-elle dépendu (et c'était le cas), j'étais incapable de dire non – sauf s'il s'agissait de s'amuser. Mes relations avec mes parents et amis s'étaient considérablement dégradées. J'avais le sentiment aigu d'être une victime. Je m'étais perdue, et je ne savais absolument pas comment c'était arrivé. J'avais l'impression de devenir folle. Et je pointais un doigt vengeur sur mon entourage en disant : c'est de leur faute à *eux*.

C'est triste à dire mais, à part moi-même, personne ne savait à quel point j'étais mal. Mes problèmes, c'était mon secret. Contrairement aux alcooliques et autres désaxés qui peuplaient ma vie, je ne passais pas mon temps à flanquer la pagaille partout en comptant sur les autres pour réparer les dégâts. En fait, à côté des alcooliques je faisais plutôt bonne figure. J'étais quelqu'un de responsable, de fiable. Parfois, je me demandais si j'avais réellement un problème. Je savais bien que je me sentais mal, très mal, mais je n'arrivais pas à comprendre pourquoi tout allait de travers.

Après une période de désespoir et d'égarement, j'ai commencé à comprendre. Comme un grand nombre de gens habitués à porter un jugement impitoyable sur les autres, je me suis rendu compte que j'avais suivi le même chemin qu'eux, un chemin long et difficile. Maintenant je les comprenais, ces cinglés de codépendants. J'étais devenue une des leurs.

Petit à petit, je suis sortie de mes profondeurs abyssales et j'ai refait surface. En chemin, je me suis découvert un intérêt passionné pour le problème de la codépendance. Ces gens suscitaient ma curiosité de thérapeute (même si je ne travaillais plus à plein temps, je me considérais toujours comme telle) et d'écrivain. En tant que « flamboyante codépendante en marche » (expression que je tiens d'un membre des Al-Anon) ayant grand besoin d'aide, j'étais aussi personnellement concernée. Qu'arrive-t-il aux gens comme moi ? Comment cela arrive-t-il et pourquoi ? Plus important, de quoi les codépendants ont-ils besoin pour se sentir mieux ? Et pour ne pas rechuter ?

Je me suis entretenue avec des conseillers, des thérapeutes, des codépendants. J'ai compulsé les quelques livres disponibles sur ce sujet et les problèmes associés. J'ai relu mes classiques (les ouvrages de référence ayant franchi avec succès l'épreuve du temps) en cherchant des concepts qui s'appliquent au phénomène. J'ai fréquenté les réunions des Al-Anon, un groupe de soutien fondé sur les Douze Étapes des Alcooliques anonymes, mais centré sur la personne subissant dans son entourage la présence d'un alcoolique.

Enfin, j'ai trouvé ce que je cherchais. Je me suis mise à percevoir, à comprendre, et à changer. J'ai remis de l'ordre dans ma vie. Très vite, je me suis retrouvée animatrice d'un autre groupe de codépendants dans un autre centre de Minneapolis. Seulement, cette fois, j'avais une vague idée de ce que je faisais.

Comme par le passé, je trouvais les codépendants hostiles, dominateurs, manipulateurs, sournois, etc. Je continuais de percevoir chez eux les mêmes curieux travers. Mais ma vision était devenue plus pénétrante.

Oui, ces gens étaient hostiles : ils avaient tellement souffert que l'hostilité était leur seule défense contre la perspective d'un nouvel écrasement. Ils étaient enragés mais, avec ce qu'ils avaient enduré, n'importe qui le serait devenu.

S'ils étaient dominateurs, c'était qu'ils ne dominaient plus rien, que ce soit en eux ou autour d'eux. Dans leur vie et dans celle de leurs proches, la digue menaçait constamment de se rompre et de submerger tout et tout le monde sous un flot de conséquences catastrophiques. Et ils se croyaient les seuls à s'en apercevoir, à s'en soucier.

J'ai vu des gens manipulateurs : pour eux, il n'y avait pas d'autre moyen d'arriver à un quelconque résultat. J'ai travaillé avec des gens sournois : dans les structures où ils vivaient, l'honnêteté n'avait pas sa place.

J'ai travaillé avec des gens qui avaient l'impression de devenir fous : ils avaient cru tant de mensonges qu'ils ne savaient plus les distinguer de la réalité.

J'ai vu des gens absorbés dans les problèmes des autres au point de ne plus avoir le temps d'identifier ni de résoudre les leurs. Ces êtres s'étaient investis si profondément dans les autres, et parfois avec un tel potentiel destructeur, qu'ils ne savaient plus s'occuper d'eux-mêmes. Les codépendants se sentaient responsables de tout parce que leurs proches, eux, ne se sentaient plus responsables de rien ; alors ils prenaient le relais.

J'ai vu des gens blessés, égarés, qui avaient besoin d'être rassurés, compris, informés. Des victimes de l'alcoolisme qui, sans boire eux-mêmes, se retrouvaient frappés de plein fouet. Des victimes qui se débattaient désespérément pour regagner un tant soit peu de pouvoir sur leurs bourreaux. Je leur ai appris des choses, ils m'en ont appris aussi.

Je n'ai pas tardé à me faire une autre opinion de la codépendance. Les codépendants ne sont ni plus fous, ni plus malades que les alcooliques. Mais ils souffrent autant, sinon plus. Ils n'ont pas l'apanage de la souffrance, mais ils l'ont supportée sans l'anesthésie que procurent l'alcool, les drogues ou les autres ivresses que recherchent les victimes de troubles compulsifs. Et quand on aime une personne en détresse, on souffre parfois beaucoup.

« Le partenaire chimio-dépendant anesthésie ses sentiments, tandis que le non-toxicomane, lui, est plié en deux de douleur, une douleur que seuls la colère et les fantasmes occasionnels peuvent soulager », dit Janet Geringer Woitiz [1].

Si les codépendants ont cette sobriété, c'est parce que leur calvaire, ils l'ont enduré sobres.

Pas étonnant que les codépendants soient déséquilibrés, avec des fréquentations pareilles...

Les codépendants ont eu du mal à bénéficier de l'information et de l'aide matérielle qu'ils nécessitaient et méritaient. Il est déjà difficile de convaincre les alcooliques ou autres personnes en détresse de se faire aider. Mais faire comprendre aux codépendants (qui, par comparaison, semblent mais ne se *sentent* pas normaux) qu'ils ont un problème, voilà qui est bien plus ardu.

Pendant que le malade sévissait sur scène, les codépendants souffraient en coulisses. Quand ils guérissaient, c'était également en retrait. Jusqu'à une date récente, beaucoup de thérapeutes (moi comme les autres) ignoraient totalement quoi faire pour les sortir de là. Parfois on rejetait la faute sur eux, parfois on les laissait de côté ; parfois aussi on comptait sur eux pour se remettre miraculeusement – attitude archaïque qui n'a jamais rien donné avec les alcooliques et n'a pas plus d'efficacité avec les codépendants. On n'envisageait presque jamais l'hypothèse qu'il leur soit impossible de s'en sortir seuls. On ne mettait que rarement à leur disposition des programmes visant à les soulager de leurs problèmes et de leur souffrance. Pourtant, de par leur nature même, l'alcoolisme et les autres troubles compulsifs font de tous ces êtres des victimes, des gens qui ont besoin d'aide, meme s'ils ne boivent pas, ne prennent pas de drogues, ne jouent pas aux jeux d'argent, ne s'empiffrent pas ni ne se laissent aller à aucune forme de compulsion.

Voilà pourquoi j'ai écrit ce livre. Il est l'aboutissement de mes recherches, de mes expériences tant personnelles que professionnelles, et de la passion que j'éprouve pour ce sujet. Il traduit une position subjective, et parfois tendancieuse.

Je ne prétends pas être experte en la matière, et ce livre n'est pas un exposé théorique destiné aux experts. Que la personne qui trouble votre vie soit un alcoolique, un joueur invétéré, un obsédé de la nourriture, du travail ou du sexe, un criminel, un adolescent en révolte, un parent névrosé, un autre codépendant ou toute combinaison possible de ces troubles, ce livre s'adresse à vous, codépendant.

Vous n'y trouverez pas de solution pour aider votre proche, quelle que soit la nature de son problème ; mais si vous, vous faites des progrès, il n'en aura que plus de chances de s'en sortir aussi[2]. Pour ce qui est d'aider les alcooliques, les bons ouvrages ne manquent pas. Celui-ci traite du plus important et sans doute du plus négligé de vos devoirs : prendre soin de vous-même. Il se préoccupe de ce que vous pouvez faire pour améliorer votre condition.

J'ai tenté d'y rassembler les idées les plus abouties et les plus précieuses sur la codépendance. J'y cite des gens que je considère comme des experts, afin d'exposer leur point de vue. J'y rapporte des études de cas dans le but de montrer comment les gens composent avec certains types de problèmes. J'ai modifié les noms et les détails pour protéger l'intimité des personnes, mais tous ces cas sont authentiques : ce ne sont pas des amalgames. Les notes documentaires ont pour objet de proposer références et lectures complémentaires, ainsi que de préciser mes sources. Cela dit, je tiens presque tout ce que je sais des nombreuses personnes avec qui je partage une certaine conception du problème. Les idées se transmettent, circulent, leur origine est devenue floue. Je me suis efforcée de les attribuer à qui de droit mais, dans ce domaine, ce n'est pas toujours possible.

Bien que cet ouvrage soit une sorte de guide, n'oubliez pas qu'il ne s'agit en aucun cas d'un livre de recettes de santé mentale. Chaque individu, chaque situation est unique. Essayez, lors du processus de guérison, de puiser dans votre expérience personnelle. Cela implique parfois d'avoir recours à des professionnels, de fréquenter des groupes de soutien tels que les Al-Anon, et de rechercher l'appui d'une Puissance supérieure.

Un de mes amis, Scott Egleston, professionnel de la santé mentale, m'a rapporté une fable en relation avec la thérapie. Il la tient de quelqu'un qui la tient de quelqu'un... La voici :

Il était une fois une femme qui s'installa dans une grotte, dans la montagne, pour recevoir l'enseignement d'un gourou. Elle voulait, disait-elle, apprendre tout ce qu'il y avait à savoir. Le gourou lui procura des piles de livres et la laissa étudier seule. Tous les matins, il revenait à la grotte pour évaluer ses progrès. Il tenait à la main une lourde canne de bois. Tous les matins, il lui posait la même question : « As-tu appris tout ce qu'il y a à savoir ? » Et tous les matins la femme lui faisait la même réponse : « Non, pas encore. » Là-dessus, le gourou lui assenait un coup de canne sur la tête.

Ce scénario se poursuivit pendant plusieurs mois. Un jour, le gourou entra dans la grotte, posa sa question habituelle, reçut la même réponse et leva sa canne pour frapper la femme. Mais cette dernière l'intercepta à mi-course.

Soulagée d'avoir mis fin à son châtiment quotidien mais craignant des représailles, la femme regarda le gourou et eut la grande surprise de le voir sourire. « Félicitations, lui dit-il. Tu viens de réussir l'examen. Maintenant, tu sais tout ce que tu as *besoin* de savoir.

– Comment cela ? demanda la femme.

— Tu as appris que tu ne sauras jamais tout ce qu'il y a à savoir. Et tu as appris à faire cesser la souffrance. »

Voilà ce dont il est question ici : mettre fin à la souffrance, et reprendre le contrôle de sa vie.

Beaucoup de gens ont appris à le faire. Vous le pouvez aussi.

---

1. Janet Geringer Woitiz. « Co-Dependency : The Insidious Invader of Intimacy », in *Co-Dependency, An Emerging Issue*, Hollywood (Fl.) : Health Communications, Inc., 1984, p. 59.

2. Toby Rice Drews. *Getting Them Sober*, volume I, South Plainfield (NJ) : Bridge Publishing, Inc., 1980, p. xv. Disponible par l'intermédiaire de Hazelden Educational Materials.

PREMIÈRE PARTIE

QU'EST-CE QUE LA CODÉPENDANCE, ET QUI EN SONT LES VICTIMES ?

1

Histoire de Jessica

Le soleil brillait, il faisait beau le jour où je l'ai rencontré. Et puis la folie a commencé.

— Georgianne, épouse d'alcoolique.

Voici l'histoire de Jessica. Je lui laisse la parole.

***

Assise dans la cuisine, je buvais mon café en pensant à tout ce qu'il me restait encore à faire dans la maison. La vaisselle, la poussière, la lessive. La liste n'en finissait pas, mais je n'arrivais pas à me décider. Rien que d'y penser, je me sentais dépassée. Quant à m'y mettre, ça me paraissait impossible. Comme pour ma vie en général, me disais-je.

La fatigue, sentiment familier, s'est emparée de moi. Je me suis dirigée vers la chambre à coucher. La sieste, autrefois un luxe, était devenue une nécessité. Dormir, c'est tout ce que je savais faire. Où était passé mon entrain ? Dans le temps, j'avais de l'énergie. Maintenant, il me fallait faire un effort pour me coiffer et me maquiller — d'ailleurs, très souvent je n'y arrivais pas.

Je me suis étendue sur le lit et j'ai plongé dans un profond sommeil. Au réveil, mes premières pensées, mes premières impressions ont été pénibles. Ça non plus ce n'était pas nouveau. Je n'aurais su dire ce qui me faisait le plus de mal : la certitude déchirante que mon mariage touchait à sa fin (les mensonges, l'alcool, les déceptions et les problèmes d'argent l'avaient tué), la violente colère que je ressentais à l'égard de mon mari (source de tous ces maux), le désespoir qui m'envahissait (parce que Dieu, en qui j'avais eu confiance, m'avait trahie en permettant que toutes ces choses arrivent), ou bien le mélange de peur, d'impuissance et de désespérance qui imprégnait toutes mes émotions.

Maudit soit-il, ai-je songé. Pourquoi a-t-il fallu qu'il se mette à boire ? Pourquoi n'a-t-il pas pu s'arrêter plus tôt ? Pourquoi m'avoir menti ainsi ? Pourquoi ne pas m'avoir aimée comme je l'aimais ? Pourquoi ne pas avoir cessé de boire et de mentir quand je tenais encore à lui ?

Je n'ai jamais eu l'intention d'épouser un alcoolique. Mon père lui-même l'était. J'avais mis tant de soin à choisir celui qui serait mon mari ! Eh bien, je me suis drôlement trompée. Le problème est apparu dès notre lune de miel. Un après-midi, Frank a quitté l'hôtel, pour ne rentrer qu'à six heures et demie le lendemain matin. Pourquoi n'ai-je pas compris à ce moment-là ? Rétrospectivement, les signes étaient évidents. Quelle idiote ! « Mais non, Frank n'est pas alcoolique. Pas lui », me défendais-je inlassablement. J'ai cru à ses mensonges, et j'ai cru aux miens. Pourquoi ne l'ai-je pas quitté, tout simplement ? Pourquoi n'ai-je pas demandé le divorce ? La culpabilité, la crainte, le manque d'initiative, l'indécision. D'ailleurs, j'ai essayé. Mais, chaque fois que nous étions séparés, je me morfondais, je ne pensais qu'à lui, je me faisais du souci pour l'argent. Quelle idiote.

J'ai jeté un coup d'œil à la pendule. Trois heures moins le quart. Les enfants allaient bientôt rentrer de l'école. Puis il arriverait, comptant sur son dîner. Le ménage n'était pas fait. Rien ne se faisait jamais. Et c'est de sa faute, me dis-je. DE SA FAUTE !

Brusquement, j'ai changé de registre. Mon mari était-il

réellement à son travail ? Peut-être avait-il invité une femme à déjeuner ? Peut-être avait-il une aventure, peut-être était-il sorti en avance pour aller boire. Ou bien il était au travail, à se créer encore une fois des ennuis. Combien de temps conserverait-il cet emploi, d'ailleurs ? Une semaine, un mois ? Puis il démissionnerait, ou il se ferait renvoyer, comme d'habitude.

La sonnerie du téléphone est venue suspendre mes angoisses. C'était une voisine, une amie. Nous avons parlé, je lui ai raconté ma journée.

« Demain, je vais aux Al-Anon, me dit-elle. Tu veux venir ? »

J'en avais entendu parler. Un groupe pour époux d'alcooliques. Il m'est venu des visions de « petites bonnes femmes » se réfugiant dans des groupes pour monter en épingle le problème de leur mari, lui pardonner et chercher de petits moyens de l'aider.

« On verra, ai-je menti. J'ai beaucoup de choses à faire », ai-je ajouté, mais cette fois sans mentir.

Je bouillais d'indignation ; c'est à peine si j'ai entendu la fin de la conversation. Ça non, je ne voulais pas aller aux Al-Anon ! Moi qui n'avais jamais cessé de l'aider ! Comme si je n'en avais pas déjà fait assez ! L'idée de devoir me décarcasser encore et continuer indéfiniment à tenter de remplir ce puits sans fond de besoins non satisfaits qu'on appelle le mariage me mettait hors de moi. J'en avais assez de porter ce fardeau, de me sentir responsable de la réussite ou de l'échec de nos rapports. C'est son problème à lui, tempêtais-je en silence. Qu'il la trouve, lui, la solution. Je ne veux plus rien avoir affaire là-dedans. Qu'on ne me demande plus rien. Faites en sorte qu'il aille mieux, et je me sentirai moins mal.

J'ai raccroché et je me suis traînée dans la cuisine, histoire de préparer le dîner. De toute façon, me disais-je, ce n'est pas moi qui ai besoin d'aide. Pas moi qui bois, qui me drogue, qui me fais renvoyer de partout, qui mens aux gens que j'aime et qui les trompe. Ma famille, je l'ai portée à bout de bras. J'ai payé les factures, fait tourner le ménage avec parfois juste assez d'argent pour joindre les deux bouts, j'ai toujours été là dans les moments de crise (et Dieu sait que des crises, il y en a souvent quand on a un mari alcoolique), j'ai traversé toute seule la plupart des épreuves, et je me suis rendue malade plus souvent qu'à mon tour. Non, ai-je décidé alors, l'irresponsable ce n'est pas moi. Bien au contraire, j'ai toujours été responsable de tout et de tout le monde. S'il y avait un problème, ce n'était pas de mon côté qu'on devait le chercher. Il fallait simplement que je m'y mette, que je m'attaque à mes corvées quotidiennes. Et, pour ça, je n'avais nul besoin de réunions. Ça ne ferait que me culpabiliser si je sortais maintenant, avec tout ce qu'il me restait à faire dans la maison. Et j'avais mon content de culpabilité. Demain, en me levant, je me mettrais au travail. Demain ça irait mieux. Demain...

Quand les enfants sont rentrés, je me suis surprise à les houspiller. Ça ne les a pas étonnés, ni moi non plus d'ailleurs. Mon mari, lui, était de bonne humeur, le brave type. La garce, c'était moi. J'ai bien essayé d'être gentille, mais c'était dur. La colère couvait. Je supportais tellement de choses, et depuis tellement longtemps! Je n'étais plus ni désireuse, ni même capable d'en tolérer davantage. J'étais constamment sur la défensive, et j'avais en quelque sorte l'impression de lutter pour sauver ma peau. Plus tard, j'ai compris que ce n'était pas seulement une impression.

Le temps que mon mari rentre, j'avais tout de même réussi à préparer le dîner, mais sans y prêter le moindre intérêt. Nous avons mangé, presque sans nous parler.

« La journée a été bonne », a dit Frank.

Et moi je pensais : *Qu'est-ce que ça veut dire ? Qu'est-ce que tu en as fait, de cette journée ? Si ça se trouve, tu n'es même pas allé travailler. Et puis, de toute façon, qu'est-ce que tu veux que ça me fasse ?*

« Tant mieux, ai-je répondu.

— Et pour toi ? » m'a-t-il demandé.

Qu'est-ce que tu crois ? le maudissais-je en silence. *Après tout ce que tu m'as fait, comment veux-tu que se passent mes journées ?* Je lui ai lancé un regard assassin, je me suis forcée à sourire et je lui ai répondu :

« Pour moi aussi. C'est gentil de me le demander. »

Frank a regardé ailleurs. Il avait entendu ce que je ne disais pas, ce qu'il y avait derrière les mots. Il savait très bien qu'il valait mieux ne pas pousser plus loin; moi aussi. Nous étions toujours à deux doigts de la scène de ménage, de nous jeter à la tête les blessures du passé, de nous hurler des menaces de divorce. Autrefois, c'étaient les disputes qui nous faisaient vivre. Nous nous en sommes lassés. Alors cette fois-ci, ça s'est passé en silence.

Un silence lourd d'hostilité que les enfants ont fini par rompre. Notre fils a déclaré son intention d'aller s'amuser sur un terrain de jeu assez éloigné. J'ai dit qu'il n'en était pas question, qu'il ne pouvait pas y aller sans son père ou moi. Il s'est mis à geindre qu'il y tenait absolument, qu'il irait de toute façon et que je ne le laissais jamais rien faire. Je lui ai crié qu'il n'irait pas, un point c'est tout. Il m'a répondu sur le même ton, des supplications à n'en plus finir, s'il te plaît maman, il faut que j'y aille, tous les autres y vont. Comme toujours, j'ai cédé. D'accord, vas-y, mais fais attention. J'avais l'impression d'avoir perdu la bataille. Comme d'habitude, d'ailleurs, que ce soit avec mes gosses ou avec mon mari. Personne ne m'écoutait jamais ; personne ne me prenait jamais au sérieux.

Moi-même, je ne me prenais pas au sérieux.

Après dîner, j'ai fait la vaisselle pendant que mon mari regardait la télévision. Comme d'habitude, je bosse pendant que tu t'amuses. Moi je me fais du souci, et toi tu te détends. Je m'investis et pas toi. Tu te sens bien, j'ai mal. Maudis sois-tu ! J'ai traversé plusieurs fois le salon en faisant exprès de lui cacher l'écran et en lui jetant en douce des regards haineux. Il a fait semblant de ne pas me voir. Quand j'en ai eu assez de ce manège, j'ai commencé à aller et venir dans le salon en poussant des soupirs, puis j'ai annoncé que je sortais ratisser la pelouse. Normalement c'est l'homme qui s'en charge, ai-je bien pris soin de préciser, mais apparemment, il faut que ce soit moi qui le fasse. Il a dit qu'il s'en occuperait plus tard. Je lui ai dit que, dans son cas, plus tard voulait dire jamais, et que moi je ne pouvais pas attendre, la pelouse ne me plaisait pas, et puis de toute façon j'avais l'habitude de tout faire ici, alors pourquoi pas ça. D'accord, a-t-il dit, j'oublie tout le temps. Je me suis précipitée dehors et je me suis mise à arpenter le jardin.

Fatiguée comme je l'étais, l'heure de se coucher est arrivée trop vite. Dormir avec mon mari était devenu aussi pénible que de le côtoyer pendant la journée. Soit on restait muets et on se recroquevillait chacun de son côté du lit en s'éloignant le plus possible l'un de l'autre, soit il me faisait des avances – comme si tout allait bien. Dans les deux cas, la tension régnait. Quand nous nous tournions le dos, j'avais la tête pleine de pensées confuses et désespérées. S'il essayait de me toucher, je me figeais sur place. Comment pouvait-il espérer que je fasse l'amour avec lui ? Comment osait-il me toucher, faire comme si de rien n'était ? En général, je le repoussais sèchement : « Non, je suis trop crevée. » De temps en temps, j'acceptais. Il arrivait que j'en aie envie. Mais, le plus souvent, c'était parce que je me croyais obligée de satisfaire ses besoins sexuels ; sinon, je me sentais coupable. Dans un cas comme dans l'autre, je restais insatisfaite, aussi bien sur le plan psychologique qu'affectif. Mais je me disais que ça m'était égal. Que ça n'avait pas d'importance. Pas vraiment. Il y avait bien longtemps que je refoulais complètement mes désirs sexuels. Bien longtemps que je réprimais mon besoin de donner et de recevoir de l'amour. J'avais anesthésié en moi le siège des sentiments et de l'affection. Il le fallait bien, si je voulais survivre.

J'avais tant attendu de ce mariage ! J'avais eu tant de rêves pour nous deux ! Aucun ne s'est réalisé. Je me sentais flouée, trahie. Mon foyer, ma famille – le lieu et les êtres qui auraient dû être chaleureux, nourriciers, réconfortants, un havre d'amour – étaient devenus un piège. Un piège dont je ne trouvais pas l'issue. Peut-être que ça va s'arranger, me répétais-je sans cesse. Après tout, c'est de sa faute s'il y a des problèmes. C'est un alcoolique. Mais, quand il ira mieux, notre mariage se raccommodera.

Seulement, là, je commençais à me poser des questions. Il y avait six mois qu'il ne buvait plus et qu'il fréquentait les Alcooliques anonymes. Il était sur la bonne voie. Mais moi non. Suffisait-il vraiment qu'il soit guéri pour que j'aille mieux ? Jusqu'ici, le fait qu'il soit sobre ne semblait rien changer à ce que j'éprouvais, à savoir qu'à l'âge de trente-deux ans je me sentais desséchée, usée, sur le point de tomber en morceaux. Où était donc passé notre amour ? Qu'est-ce qui m'était arrivé ?

Au bout d'un mois, j'ai commencé à entrevoir ce qui n'allait pas tarder à m'apparaître comme étant la vérité. Seul changement : je me sentais encore plus mal. Ma vie s'était arrêtée ; je ne voulais plus qu'elle reparte. J'avais perdu tout espoir de voir les choses s'améliorer ; je ne savais même pas ce qui clochait. Je n'avais plus d'autre but que de m'occuper des autres, et même dans ce domaine je ne m'en sortais pas très bien. J'étais prisonnière du passé et terrifiée par l'avenir. Dieu semblait m'avoir abandonnée. Je me sentais tout le temps coupable, je me demandais si je n'étais pas en train de devenir folle. Il m'était arrivé quelque chose d'épouvantable que je ne savais pas expliquer. Une chose qui s'était insidieusement emparée de moi pour dévaster toute ma vie. Je ne sais comment, j'avais été touchée par son alcoolisme à *lui*, et les dégâts qui avaient suivi étaient devenus mes *propres* problèmes. La question de savoir qui était en tort n'avait plus d'importance.

J'avais perdu pied.

***

C'est à ce moment-là de sa vie que j'ai rencontré Jessica. Elle était sur le point de saisir trois notions fondamentales :

1. Elle n'était pas folle, mais codépendante. L'alcoolisme et les autres troubles compulsifs sont véritablement des maladies de famille. L'ensemble des voies que prend la contagion chez les membres de la famille porte le nom de *codépendance*.

2. Une fois que ceux-ci sont affectés – une fois que la « chose » s'est installée en eux –, la codépendance acquiert une vie propre. Comme quand on attrape une pneumonie ou qu'on adopte une manie destructrice. Une fois qu'on l'a, on ne s'en débarrasse pas comme ça.

3. Si vous voulez vous en débarrasser, il faut que ce soit *vous* qui fassiez quelque chose. Qu'importe le coupable. Votre codépendance, c'est votre problème à vous ; la résolution de vos problèmes vous incombe à *vous*.

***

Si vous êtes codépendant, il faut trouver par vous-même votre propre salut, votre propre processus de guérison. Et pour entreprendre ce dernier, il est utile de comprendre la codépendance, ainsi que certaines attitudes, certains sentiments et comportements qui lui sont fréquemment associés. Il importe également de modifier quelques-unes de ces attitudes, et de comprendre ce qui risque d'arriver à mesure que ces changements se produisent.

Le présent ouvrage se propose de mettre en lumière cette prise de conscience et d'encourager ces changements. Je suis heureuse de vous annoncer que l'histoire de Jessica finit bien, ou plutôt qu'elle repart sur de nouvelles bases. Jessica s'en est tirée. Elle a entrepris de vivre sa vie. J'espère que vous en ferez autant.

2

Autres histoires

Quand je me dis codépendante, je n'entends pas par là un petit peu, *mais* complètement. *Je n'épouse pas des hommes qui s'arrêtent pour boire quelques bières en rentrant du travail, mais des hommes qui refusent de se mettre au travail.*

– Ellen, membre des Al-Anon.

Peut-être, au chapitre précédent, vous êtes-vous identifié à Jessica. Son histoire est un cas extrême de codépendance, mais c'est le genre de récit qu'il m'arrive fréquemment d'entendre. Toutefois, l'expérience de Jessica n'est pas le seul cas de figure. Il existe autant de variantes que de codépendants pour les raconter.

En voici quelques-unes.

***

Gérald, bel homme d'une quarantaine d'années ne manquant pas d'allure, se considère comme « ayant réussi dans son métier, mais échoué dans ses relations avec les femmes ». Au lycée, puis à l'université, Gérald fréquentait beaucoup les femmes. Il avait du succès et, de l'avis général, c'était un beau parti. Pourtant, une fois qu'il eut obtenu son diplôme, il confondit sa famille en épousant Rita. Celle-ci le traitait comme jamais aucune femme ne l'avait traité. Elle lui démontrait de la froideur et de l'hostilité, ainsi qu'à ses amis, ne partageait que rarement ses centres d'intérêt et, dans l'ensemble, ne paraissait guère se soucier de lui. Treize ans plus tard, leur mariage se solda par un divorce. Gérald avait découvert ce qu'il soupçonnait depuis des années : Rita fréquentait d'autres hommes depuis le début, et abusait (depuis quelque temps déjà) de l'alcool et d'autres drogues.

Gérald fut atterré. Puis, après deux mois de désespoir, il tomba follement amoureux d'une autre femme, du genre à boire dès le matin et continuer jusqu'à tomber. Après avoir passé plusieurs mois à s'inquiéter pour elle, à s'efforcer de l'aider, à chercher à comprendre ce qui, en lui, la poussait à boire, à essayer de l'en empêcher et, finalement, à lui en vouloir de continuer à boire, il mit fin à cette liaison. Il rencontra bientôt une autre femme, en tomba amoureux et s'installa chez elle. En l'espace de quelques mois, Gérald s'aperçut qu'elle aussi était chimio-dépendante.

Il passa bientôt le plus clair de son temps à se faire du souci pour sa compagne. Il se renseignait sur son compte, fouillait dans son sac pour voir s'il ne contenait pas des pilules ou quelque autre signe de dépendance, il l'interrogeait sur son emploi du temps. Puis, passant d'un extrême à l'autre, il niait purement et simplement qu'elle eût un problème. Pendant ces périodes-là, il s'affairait, il faisait de son mieux pour profiter des moments qu'il passait avec elle (même s'il avoue avoir ressenti un certain malaise) et se disait : « Cela vient de moi. C'est chez *moi* que quelque chose ne va pas. »

A l'occasion d'une des nombreuses crises jalonnant sa dernière liaison, et alors qu'il se trouvait momentanément forcé de renoncer à cette attitude de dénégation, il alla demander conseil à un spécialiste des cas de dépendance chimique.

« Je sais bien que je devrais mettre fin à cette liaison, lui déclara Gérald, mais je ne suis tout simplement pas prêt à lâcher prise. Elle et moi pouvons parler de toutes sortes de choses. Nous sommes si proches ! Et puis, je l'aime. Alors pourquoi ? Pourquoi est-ce que je me retrouve toujours dans la même situation ?

»Montrez-moi une pièce remplie de femmes et à tous les coups je tomberai amoureux de celle qui a le plus de problèmes – celle qui me traitera de la pire façon. Pour être franc, elles représentent une sorte de défi, confie-t-il. Si une femme me traite trop bien, elle ne m'intéresse plus. »

Gérald se considérait comme un buveur « mondain » à qui l'alcool n'avait jamais posé de problème. Il informa par ailleurs le spécialiste qu'il n'avait jamais pris de drogues. Son frère, alors âgé d'une cinquantaine d'années, était alcoolique depuis l'adolescence. Gérald nia que l'un ou l'autre de ses parents, tous deux décédés, eussent jamais été alcooliques, mais reconnut de mauvaise grâce que son père ait pu de temps en temps « boire un coup de trop ».

Le thérapeute suggéra que l'alcoolisme et, d'une manière générale, la consommation excessive d'alcool sévissant dans sa famille continuaient peut-être d'exercer une certaine influence sur lui et sur ses relations amoureuses.

« Comment leurs problèmes à eux pourraient-ils bien m'affecter ? demanda Gérald. Papa est mort depuis des années, et je ne vois que très rarement mon frère. »

Après quelques séances, Gérald se donna lui-même l'étiquette de « codépendant », tout en admettant ne pas très bien savoir ce que cela signifiait, ni ce qu'il fallait faire. Quand la colère que faisaient naître en lui les problèmes immédiats de sa vie amoureuse se fut apaisée, il cessa de consulter le spécialiste. Il décréta que les problèmes de drogue de sa compagne n'étaient pas si graves que ça, et se persuada que ses difficultés avec les femmes étaient simplement dues à la malchance. Il avait bon espoir qu'un jour la chance tournerait.

Le problème de Gérald est-il vraiment dû à la malchance ? Ou bien s'agit-il en fait de codépendance ?

*
* *

Mariée depuis onze ans, Patty en avait environ trente-cinq lorsqu'elle vint demander l'aide d'un thérapeute consultant. Elle avait trois enfants, dont le plus jeune atteint de paralysie cérébrale. Patty avait pour seul but dans la vie d'être une bonne épouse et une bonne mère. Elle déclara au thérapeute qu'elle aimait profondément ses enfants, qu'elle ne regrettait aucunement d'avoir choisi de rester à la maison pour les élever, mais qu'elle haïssait son quotidien. Avant son mariage, elle avait de nombreux amis et de multiples activités; elle exerçait le métier d'infirmière et s'intéressait au monde qui l'entourait. Néanmoins, pendant les années qui suivirent la naissance de ses enfants, et plus particulièrement celle de son cadet handicapé, elle avait perdu le goût de vivre. Les amis s'étaient fait rares, elle avait pris plus de quarante kilos, elle ne savait pas décrire ses sentiments et, quand elle y arrivait, elle en ressentait de la culpabilité. Elle expliqua qu'elle avait bien essayé de rester active en aidant ses amis et en œuvrant bénévolement pour diverses organisations, mais que ses efforts se soldaient généralement par une sensation de non-aboutissement et de ressentiment. Elle avait songé à reprendre son travail, mais y avait renoncé car, comme elle le dit : « Tout ce que je sais faire, c'est prodiguer des soins; or, j'en ai assez de soigner les gens.

»Ma famille, mes amis, me considèrent comme très forte. Cette bonne vieille Patty, on peut toujours compter sur elle. Elle est toujours là. Elle domine la situation. Toujours prête à donner un coup de main. Mais en réalité, dit Patty, je suis en train de me désagréger. Silencieusement, mais sûrement. Il y a des années que je suis déprimée. Je n'arrive pas à m'en sortir. Je pleure pour un oui ou pour un non. Je manque totalement d'énergie. Je n'arrête pas de houspiller mes enfants. Le sexe ne m'intéresse plus, du moins avec mon mari. Je me sens tout le temps coupable, à n'importe quel propos. Même le fait de venir vous consulter m'emplit de culpabilité, déclare-t-elle au thérapeute. Je devrais être capable de résoudre mes propres problèmes, de me tirer de là toute seule. C'est ridicule de vous faire perdre ainsi votre temps et de gaspiller l'argent de mon mari avec mes problèmes, que j'ai sans doute imaginés d'un bout à l'autre, et que je gonfle exagérément.

»Mais il fallait que je fasse quelque chose, confesse Patty. Depuis quelque temps, j'ai des idées de suicide. Naturellement, s'empresse-t-elle d'ajouter, je n'irais jamais jusqu'à me tuer. Il y a trop de gens qui ont besoin de moi. Qui dépendent de moi. Ce serait les laisser tomber lâchement. Seulement, je me fais du souci. J'ai peur. »

Patty parla au thérapeute de ses enfants et de la paralysie du petit dernier. Patty lui dit également qu'avant leur mariage son époux avait eu des problèmes d'alcoolisme. Par la suite, il avait réduit sa consommation d'alcool et conservé son emploi ; jamais il n'avait laissé sa famille dans le besoin. Mais, en réponse aux questions du thérapeute, Patty déclara qu'il n'avait jamais assisté à aucune réunion, que ce soit chez les Alcooliques anonymes ou au sein de tout autre groupe. Au lieu de cela, il se mettait au régime sec pendant des mois après avoir été saisi, le temps d'un week-end, d'une véritable frénésie alcoolique. Lorsqu'il buvait, son comportement devenait aberrant. Lorsqu'il s'abstentait, il était coléreux et hostile.

« Je ne sais pas ce qui lui a pris. Ce n'est plus l'homme que j'ai épousé. Ce qui m'effraie encore plus, c'est que je ne sais pas ce qui me prend, moi. Je ne sais plus qui je suis, dit Patty. J'ai du mal à cerner le problème. Moi-même je ne le comprends pas. Je ne vois aucune difficulté majeure que je puisse isoler en disant : " Voilà ce qui ne va pas. " Seulement, j'ai l'impression de m'être perdue moi-même. Parfois, je me demande si je ne suis pas en train de devenir folle. Qu'est-ce qui ne va pas chez moi ? demande Patty.

– Peut-être votre mari est-il alcoolique, et peut-être vos problèmes viennent-ils de l'alcoolisme familial, suggère le thérapeute.

– Ce n'est pas possible, répond Patty. Mon mari ne boit pas si souvent que ça. »

Le spécialiste explora quelque peu le passé de Patty. Elle parlait avec tendresse de ses parents et de ses deux frères aînés. Un milieu familial privilégié dont elle était encore proche.

Il creusa un peu plus. Patty mentionna alors que son père avait fréquenté les Alcooliques anonymes dès l'adolescence.

« Papa a arrêté de boire quand j'étais au lycée. J'ai énormément d'affection pour lui, j'en suis très fière. Mais tant qu'il a bu, la famille a connu des années complètement délirantes. »

Non seulement Patty avait épousé un homme qui présentait tous les signes de l'alcoolisme, mais elle était de plus devenue ce qu'on appelle une « ex-enfant d'alcoolique ». La famille tout entière avait souffert des conséquences de l'alcoolisme en milieu familial. Son père avait cessé de boire, sa mère était allée trouver les Al-Anon, et la vie de famille s'était améliorée. Mais Patty avait elle aussi été traumatisée. Pouvait-on s'attendre à ce qu'elle surmonte comme par miracle les différents aspects de ce traumatisme simplement parce que l'alcoolisme proprement dit avait disparu ?

Au lieu de lui prescrire une deuxième série de séances, le thérapeute mit Patty en contact avec un groupe travaillant sur le respect de soi, et avec un cours d'autoaffirmation. Il lui recommanda également de fréquenter les réunions des Al-Anon ou celles des Ex-Enfants d'Alcooliques, deux groupes d'autosoutien appliquant les Douze Étapes des Alcooliques anonymes.

Patty suivit ses conseils. Elle n'y trouva pas la cure miracle, mais découvrit au fil des mois qu'elle avait moins de mal à prendre des décisions, qu'elle éprouvait véritablement des sentiments et savait maintenant les exprimer, qu'elle disait ce qu'elle pensait, prêtait attention à ses propres besoins et se sentait moins coupable. Elle devenait plus tolérante envers elle-même et envers ses tâches quotidiennes. Elle sortait graduellement de sa dépression. Elle pleurait moins, riait plus souvent. Elle retrouvait son énergie et son envie de vivre. Par ailleurs, et sans qu'elle l'y ait poussé, son mari rejoignit les Alcooliques anonymes. Il commença à se montrer moins hostile et leurs rapports s'améliorèrent. L'important ici est que Patty ait pris sa vie en main. Que sa vie se soit mise à fonctionner.

Et si vous lui demandez quel est (ou était) son problème, Patty vous répondra : « La codépendance. »

* * *

Les malades qui viennent chercher secours auprès des établissements spécialisés dans la santé mentale et la dépendance chimique ne sont pas les seules personnes à souffrir de la codépendance. Randell, alcoolique repenti depuis des années, devenu conseiller en dépendance chimique, se trouva lui aussi confronté à ce genre de problème. C'était également un ex-enfant d'alcoolique : son père et ses trois frères buvaient. Il était intelligent, sensible, et aimait son travail au point de ne plus s'accorder de loisirs. Ses temps libres, il les passait à s'inquiéter de manière obsessionnelle pour les autres. Il s'efforçait de réparer les dégâts causés par les alcooliques, tout en leur en voulant de se sentir contraint de réparer. Parfois encore, il allait mal simplement parce que des gens, pas nécessairement des alcooliques, avaient un comportement particulier. Il tempêtait, se désolait, se sentait coupable et utilisé par les autres. Jamais, cependant, il ne se sentait proche d'eux. La vie ne lui apportait que peu de joies.

Pendant des années, Randell a cru que son devoir était d'aider les gens et de prendre activement part à leurs problèmes. Il voyait dans son attitude comme de la bonté, de l'investissement personnel, de l'amour, et parfois de l'indignation vertueuse. Maintenant qu'il s'est fait aider pour résoudre son problème, il sait qu'il s'agit de codépendance.

Il arrive que le comportement codépendant soit inextricablement lié au fait d'être bonne épouse, bonne mère, bon mari, bon frère ou bon chrétien. Actuellement âgée d'une quarantaine d'années, Marlyss est une femme séduisante — quand elle prend soin d'elle-même. Cela dit, la plupart du temps elle se consacre à ses cinq enfants et à son mari, alcoolique repenti. Elle a voué sa vie à faire leur bonheur, mais l'échec est là. Dans l'ensemble, elle ressent de la colère et trouve qu'on n'apprécie pas suffisamment ses efforts ; sa famille, elle, éprouve de la colère à son égard. Elle fait l'amour avec son mari chaque fois qu'il en exprime le désir, qu'elle en ait envie ou non. Elle dépense une trop grande part du budget familial en jouets et vêtements pour les enfants — ils obtiennent d'elle tout ce qu'ils veulent. Elle leur sert de chauffeur, elle leur lit des histoires, leur fait la cuisine, nettoie derrière eux, leur prodigue des câlins et les dorlote à souhait, mais, de son petit monde, elle ne reçoit rien en échange. La plupart du temps, ils ne lui disent même pas merci. La domination qu'exercent sur elle sa famille et ses besoins lui reste en travers de la gorge. Elle a choisi d'être une nounou, une garde-malade, et souvent elle s'en veut.

« Oui mais, quand je ne fais pas ce qu'on attend de moi, je me sens coupable, déclare-t-elle. Coupable quand je ne corresponds pas aux critères que je me suis donnés, à l'idée que je me fais d'une bonne épouse et d'une bonne mère, coupable quand je ne satisfais pas aux exigences que les autres formulent à mon égard. Je me sens coupable, quoi. En fait, ajoute-t-elle, je planifie mes journées et je me fixe des priorités en fonction de ma culpabilité. »

Le fait de se consacrer perpétuellement aux autres, de mal le vivre et de ne rien attendre en retour signifie-t-il que Marlyss est bonne épouse et bonne mère ? Ou bien est-ce que Marlyss est codépendante ?

***

L'alcoolisme (ou la chimio-dépendance) n'est pas le seul problème familial qui puisse provoquer l'apparition de la codépendance. Alissa, mère de deux adolescents, travaillait à mi-temps dans un établissement psychiatrique lorsqu'elle alla consulter un conseiller familial. Il y avait longtemps qu'elle recherchait de l'aide, et ce n'était pas la première fois, loin de là, qu'elle s'adressait à ce type de personne. La raison en était que son aîné, âgé de quatorze ans, posait constamment des problèmes. Il fuguait, faisait le mur le soir, séchait les cours, méprisait d'autres règles de la vie de famille et, d'une manière générale, n'en faisait qu'à sa tête.

« Cet enfant me rend folle », déclara Alissa au spécialiste.

Et elle était sincère. Elle se rongeait les sangs. Certains matins, elle se sentait si déprimée, si perturbée qu'elle n'arrivait pas à se lever. Elle avait tout essayé pour aider son enfant : elle l'avait mis trois fois en traitement, lui avait trouvé deux familles d'accueil, et avait traîné toute sa famille de thérapeute en thérapeute. Alissa avait aussi appliqué d'autres méthodes : elle s'était répandue en menaces, pleurs, imprécations et suppliques. Elle avait durci sa politique et appelé la police, puis adopté la douceur et la clémence. Elle avait même tenté de faire comme s'il n'avait rien commis de répréhensible. Elle l'avait mis à la porte. Et traversé la moitié de l'État pour le récupérer après une fugue. Bien que ses efforts n'aient en rien contribué à aider son enfant, Alissa cherchait de manière obsessionnelle la démarche qui lui « ferait voir ses aberrations de comportement » et l'aiderait à changer.

« Pourquoi me fait-il ça à moi ? demanda-t-elle au spécialiste. Il me mène par le bout du nez et me rend la vie impossible ! »

Le thérapeute convint que le problème du fils d'Alissa était douloureux, troublant, et qu'il fallait faire quelque chose. Mais il ajouta en outre que ce problème ne devait pas nécessairement la « mener par le bout du nez et lui rendre la vie impossible ».

« Vous n'avez pas réussi à maîtriser votre fils, mais vous pouvez faire en sorte de vous maîtriser vous-même, lui dit-il. Vous pouvez regarder en face votre propre codépendance. »

***

Sheryl se définit aussi comme codépendante. Peu après avoir épousé l'homme de ses rêves, elle s'est retrouvée en plein cauchemar. Son mari était un obsédé sexuel. Il souffrait d'un besoin irrésistible, incontrôlable, de pornographie et d'aventures féminines. Comme dit Sheryl : « Et Dieu sait quoi encore. » Elle découvrit la chose une semaine après son mariage, en le surprenant au lit avec une autre femme.

La première réaction de Sheryl fut la panique. Puis elle entra dans une rage folle. Enfin elle s'inquiéta – pour son mari et ses problèmes. Ses amies lui conseillèrent de le quitter, mais elle choisit de rester liée à lui par les liens du mariage. Il avait besoin d'aide. Il avait besoin d'elle. Peut-être allait-il changer. Par ailleurs, elle n'était pas près de renoncer à son rêve d'avenir radieux pour eux deux.

Le mari alla trouver les Obsédés anonymes, groupe d'autosoutien comparable aux Alcooliques anonymes et comme lui fondé sur les Douze Étapes. Sheryl refusa de se joindre aux Co-SA (l'équivalent des Al-Anon), qui accueillent les parents proches d'obsédés. Elle n'avait aucune envie de raconter son problème en public ; elle ne voulait même pas en discuter en privé.

Au bout de quelques mois, ce mannequin de mode connu commença à accepter de moins en moins de contrats, à décliner les invitations de ses amis et à rester le plus possible chez elle. Elle voulait être là pour répondre au téléphone au cas où des femmes appelleraient son mari. Elle voulait être là pour le voir sortir et rentrer, constater son allure générale, son comportement, sa façon de s'exprimer. Il fallait qu'elle sache exactement ce qu'il faisait et avec qui. Souvent elle appelait son « parrain » chez les O.A. pour se plaindre, dénoncer les agissements de son époux et s'enquérir de ses progrès. Pas question, disait-elle, d'être à nouveau flouée, trompée.

Petit à petit, elle perdit contact avec ses amis et ses diverses activités. Elle était trop inquiète pour travailler, trop honteuse pour s'ouvrir à ses amis. Son mari eut plusieurs autres aventures ; ses amis reprochaient à Sheryl de rester avec lui et de se lamenter constamment en répétant qu'il était dur d'être sa femme.

« Je ne pouvais plus le supporter. Je n'avais que du mépris pour lui. Et pourtant, je ne pouvais pas me décider à le quitter, raconta plus tard Sheryl. J'ai touché le fond. Je courais en rond dans la maison en poussant des hurlements. Et puis tout à coup, pour la première fois, j'ai pris conscience de *moi*. J'étais devenue folle. J'avais perdu la raison, perdu pied – et lui il restait là à me regarder, bien tranquillement. Alors je me suis rendu compte qu'il fallait que je fasse quelque chose, que moi aussi j'avais besoin d'aide. »

Peu après Sheryl rejoignit les Co-SA, et ce fut pendant ces séances qu'elle finit par reconnaître sa déroute comme de la codépendance. Elle est maintenant séparée de son mari, et en instance de divorce. Elle a également une meilleure opinion d'elle-même.

***

Les exemples qui précèdent sont spectaculaires, mais la codépendance n'atteint pas forcément une telle intensité. Elle ne nécessite pas non plus la fréquentation de personnes profondément perturbées. Kristen, mariée, deux enfants, n'a connaissance d'aucun problème d'alcoolisme ou de troubles compulsifs, que ce soit dans son entourage immédiat ou sa famille en général. Et, pourtant, elle se définit comme codépendante. Son problème à elle, dit-elle, est que les humeurs des autres prennent le pas sur ses propres émotions, tandis qu'à son tour elle tente de contrôler leurs sentiments.

« Si mon mari est heureux, et je me rends responsable de cet état de fait, alors je suis heureuse. S'il est fâché, je me rends responsable. Je me sens angoissée, mal à l'aise, fâchée aussi, et ce jusqu'à ce qu'il aille mieux. Je m'efforce de *faire en sorte* qu'il aille mieux. Si je n'y arrive pas, je me sens coupable. Et lui, il m'en veut d'essayer.

»Et ce n'est pas seulement avec lui que je me comporte en codépendante, ajoute-t-elle. Tout le monde y passe : mes parents, mes enfants, les invités qui viennent à la maison. Je ne sais pas pourquoi, mais j'ai tendance à me perdre dans les autres. A m'empêtrer en eux.

»J'aimerais bien me débarrasser de ce truc, cette codépendance, avant que ça ne s'aggrave. Je ne suis pas malheureuse, mais je souhaite apprendre à me détendre et à profiter enfin de moi-même et des autres. »

Un pasteur a un jour résumé la situation en ces termes : « Il y a des gens qui sont *vraiment* codépendants et d'autres qui ne le sont qu'*un petit peu.* »

***

Si j'ai sélectionné ces cas, c'est parce qu'ils sont intéressants et représentatifs. Ils mettent également en lumière un fait capital : nul cas particulier ne saurait résumer le codépendant type et son vécu. La codépendance est un phénomène complexe. Les individus sont complexes. Chaque personne est unique, chaque situation différente des autres. Certains vivent des choses extrêmement douloureuses et débilitantes dans le cadre de la codépendance. D'autres, au contraire, n'en seront que légèrement affectés. Parfois elle est la réponse à l'alcoolisme d'un proche, et parfois non. Tout codépendant fait sa propre expérience, née de son style de vie, de son histoire propre et de sa personnalité.

Pourtant, il existe un point commun à toutes les illustrations de la codépendance. Elle englobe nos réactions à notre entourage, nos rapports aux autres, que ceux-ci soient alcooliques, obsédés du jeu, du sexe ou de la nourriture, ou bien encore normaux. La codépendance a à voir avec l'effet qu'ont sur nous ces êtres et, parallèlement, avec la façon dont, à notre tour, nous essayons de les influencer.

Comme disent les membres des Al-Anon, « Il faut définir, et non comparer. »

EXERCICES PRATIQUES

1. Vous êtes-vous identifié à l'une des personnes citées dans ce chapitre ? Vous êtes-vous retrouvé dans ces exemples ? Cela vous a-t-il rappelé certaines relations avec des proches ? Pourquoi ?

2. Il vous serait sans doute utile de vous procurer un grand cahier et d'y noter les réponses que vous donnerez à ces questions en fin de chapitre. Vous pouvez également noter toutes les idées ou impressions qui vous viendront à la lecture de ce livre.

3

La codépendance

Les rapports humains sont comparables à une valse; une énergie visible circule à toute allure entre les partenaires. Dans certains cas, c'est la valse lente et ténébreuse de la mort.

– Colette Dowling[1].

Jusqu'à présent, j'ai employé les mots « codépendant » et « codépendance » comme s'il s'agissait de termes parfaitement clairs. Toutefois, leur définition reste un peu vague.

On entend par « dépendance chimique » la dépendance (physique et/ou psychique) envers l'alcool ou d'autres drogues. La boulimie et la passion du jeu sont également des expressions évoquant des images précises. Mais la codépendance ?

On est tenté de dire : être codépendant, c'est être partenaire de la dépendance d'autrui. Cette définition se rapproche de la vérité, mais n'en demeure pas moins obscure. Elle n'évoque rien de précis. Le mot fait partie du jargon des centres de traitement, un argot de métier probablement incompréhensible pour le profane, et que même certains professionnels considèrent comme étant du charabia.

Le jargon peut ou non véhiculer des significations particulières. Il peut signifier des choses différentes selon les individus. Il arrive encore qu'on pressente la signification d'un terme donné sans pour autant être capable de le définir clairement, pour la bonne raison qu'il n'a jamais été clairement défini.

Voilà quelques-uns des problèmes qu'il m'a été donné de rencontrer lors de mes recherches sur la codépendance, et mes tentatives de définition du syndrome et de ses victimes. Nombreux sont ceux qui n'ont jamais entendu ces termes. D'autres les considèrent comme familiers, mais sont incapables d'en donner une définition. Souvent celle-ci varie selon les personnes. Ou alors, certains les définissent en employant encore le jargon. De plus, je ne les trouve pas dans le dictionnaire, ce qui ne simplifie pas les choses. Mon ordinateur ne cesse de me signaler qu'ils comportent une faute d'orthographe, et s'efforce de me convaincre qu'ils n'existent pas.

Et pourtant « codépendance » signifie quelque chose de bien précis, un phénomène auquel moi-même et des millions d'autres gens accordons une importance toute particulière. Débarrassons-nous donc du jargon, et examinons le sens de ces mots.

Qu'est-ce que la codépendance ?

J'ai lu et entendu un grand nombre de définitions du terme.

Dans un essai extrait de l'ouvrage *Co-Dependency, An Emerging Issue*, Robert Subby définit la codépendance comme étant « un état affectif, psychologique et comportemental apparaissant à la suite du contact et de la pratique prolongés d'une série de règles répressives – règles qui empêchent le sujet d'exprimer ouvertement ses sentiments et d'aborder de manière directe les problèmes personnels et interpersonnels[2] ».

Earnie Larsen, autre spécialiste de la codépendance et pionnier de la recherche en ce domaine, en donne la définition suivante : « Comportements ou défauts de caractère acquis ayant pour conséquence inévitable de réduire la faculté d'amorcer une relation amoureuse ou d'y prendre activement part. »

Voyons maintenant quelques définitions moins professionnelles.

« La codépendance, dit telle femme, ça veut dire que je suis une nounou. »

« Dire que je suis codépendante signifie que je suis mariée à un alcoolique, répond une autre. Et aussi que j'ai besoin des Al-Anon. »

« La codépendance, ça veut dire que je fais une fixation sur les alcooliques. »

« Ça veut dire que je cherche constamment quelqu'un à phagocyter. »

« La codépendance ? Ça veut dire que je sais très bien que tous les hommes qui m'attirent, tous ceux dont je tombe amoureuse, tous ceux que j'épouse seront chimiodépendants ou victimes d'un quelconque trouble également grave. »

« Être codépendant, c'est savoir que toutes vos relations amoureuses soit se dérouleront de la même façon (douloureuse), soit finiront de la même façon (désastreuse), soit les deux. »

Il y a presque autant de définitions de la codépendance que d'expériences qui l'illustrent. En désespoir de cause (ou dans un accès de lucidité ?), certains thérapeutes ont proclamé : « La codépendance est *tout* et nous sommes *tous* codépendants. » Qui est donc le mieux placé pour en parler ? Qui détient la bonne définition ? Un bref historique de la codépendance peut nous aider à trouver la réponse.

***

Bref historique

C'est à la fin des années soixante-dix que le mot « codépendance » a fait son apparition dans le langage thérapeutique. J'ignore qui l'a inventé. Bien que plusieurs personnes en revendiquent la paternité, il est apparu simultanément dans divers centres de traitement du Minnesota, si l'on en croit l'équipe de Sondra Smalley, psychologue diplômée et chef de file de la recherche sur la codépendance. Le phénomène a donc pu être découvert là, dans cet État champion du traitement de la dépendance chimique et des programmes en Douze Étapes traitant les troubles compulsifs.

Dans un article tiré de l'ouvrage suscité, *Co-Dependency, An Emerging Issue*, Robert Subby et John Friel écrivent : « A l'origine, le mot servait à caractériser un ou plusieurs individus vivant une vie perturbée par leur relation à une personne chimio-dépendante. On disait que le conjoint, l'enfant ou l'amant codépendants d'un individu chimio-dépendant avaient mis au point une structure d'adaptation considérée comme malsaine en réaction à la consommation excessive d'alcool ou de drogue de la part d'autrui. »

L'appellation était peut-être nouvelle, mais pas le mal. Depuis longtemps, les thérapeutes soupçonnaient l'existence d'un phénomène très particulier survenant chez l'individu proche d'un chimio-dépendant. On avait mené quelques recherches dans ce domaine et mis en évidence l'apparition d'un état physique, mental, affectif et spirituel comparable à l'alcoolisme chez beaucoup de gens ne dépendant ni de l'alcool ni d'une quelconque drogue, mais qui se trouvaient en contact étroit avec un alcoolique. On assista alors à une floraison de termes (qualificatifs jargonnesques qui deviendraient ultérieurement synonymes de « codépendant ») censés décrire le phénomène : coalcoolique, nonalcoolique, para-alcoolique.

Naturellement, les codépendants ressentaient les effets de leur codépendance bien avant l'invention du terme. Dans les années quarante, après la naissance des Alcooliques anonymes, des groupes d'entraide se sont formés (principalement à l'initiative d'épouses d'alcooliques), sur la base du concept d'autosoutien; ces groupes cherchaient à soigner les divers traumatismes induits par l'alcoolisme du conjoint[4]. Si ces femmes ignoraient qu'on les baptiserait ultérieurement « codépendantes », elles se savaient en revanche directement victimes de l'alcoolisme de leur mari. Par ailleurs, elles enviaient aux alcooliques le programme en

Douze Étapes qui leur permettait de s'en sortir. Elles voulaient le leur; elles ont donc emprunté celui des A.A., révisé les Douze Traditions, inventé le nom « Al-Anon »... et ça a marché! Depuis, des millions de gens ont tiré profit de cette organisation[5].

Le concept fondamental en vigueur à l'époque (et au moment de l'apparition du terme « codépendance ») était que les codépendants – coalcooliques ou para-alcooliques – *étaient des gens devenus incapables de gérer leur vie par suite de la fréquentation assidue d'un ou d'une alcoolique*[6].

Toutefois, la définition de la codépendance a été quelque peu étendue depuis. Les membres de la profession ont commencé à mieux comprendre les interactions entre l'individu chimio-dépendant et sa famille. On a identifié progressivement d'autres troubles, tels que la tendance à manger trop ou trop peu, l'obsession du jeu et certains comportements sexuels. Ces troubles obsessionnels survenaient parallèlement à ce trouble obsessionnel, ou *pathologique,* qu'est l'alcoolisme. On observait très souvent dans l'entourage immédiat des victimes des modèles de réaction et d'adaptation comparables aux schémas d'adaptation présentés par les personnes vivant en contact étroit avec des alcooliques. Dans ces familles-là aussi il s'était produit quelque chose de très particulier.

A mesure que les professionnels progressaient dans la compréhension de la codépendance, il leur apparut que des groupes de plus en plus nombreux étaient touchés : les ex-enfants d'alcooliques, les proches de malades chroniques ou de personnes atteintes de troubles affectifs ou mentaux, les parents d'enfants souffrant de troubles du comportement; les personnes fréquentant des irresponsables, les membres de la profession – infirmières et assistantes sociales, entre autres catégories chargées d'« aider » les autres. Même les alcooliques et toxicomanes en voie de guérison reconnaissaient désormais leur codépendance, et découvraient qu'elle était déjà en eux bien longtemps avant qu'ils ne deviennent chimio-dépendants[7]. Les codépendants surgissaient de toutes parts.

Lorsqu'un codépendant mettait fin à sa relation avec une personne perturbée, il en cherchait fréquemment une autre et reproduisait alors ses comportements de codépendance.

Ceux-ci (encore appelés « mécanismes d'adaptation ») paraissaient perdurer toute la vie du codépendant – tant qu'il n'y apportait pas de changement.

Pouvait-on sans danger partir du principe que la codépendance était déclenchée par la fréquentation d'individus atteints de maladies graves, de troubles du comportement ou de troubles destructeurs de nature compulsive ? La présence d'un alcoolique au sein de la famille contribuait à l'apparition de la codépendance, mais celle-ci semblait se manifester également dans d'autres circonstances.

L'un des dénominateurs (très) communs était le fait de se trouver en relation (personnelle ou professionnelle) avec des individus perturbés, en demande ou dépendants. Mais il y en avait un autre, encore plus courant : les règles non écrites, cette loi du silence qui s'édicte à l'intérieur de la cellule familiale et régit le déroulement des rapports humains[8]. Ces règles proscrivent beaucoup de choses : la discussion des problèmes existants, la libre expression des sentiments, la communication sincère et sans détour, les perspectives réalistes telles que la conscience d'appartenir au genre humain dans toute sa vulnérabilité et son imperfection, l'égoïsme, la confiance en soi et en l'autre, le jeu et les distractions, le pilotage du canoë familial, à l'équilibre si précaire, sur le torrent de l'évolution et du changement – tout sain et bénéfique que puisse s'avérer ce torrent. Ces règles sont en vigueur dans les systèmes familiaux soumis à l'alcoolisme, mais peuvent aussi apparaître dans d'autres familles.

Revenons maintenant à une question déjà posée : Quelle définition de la codépendance doit-on considérer comme correcte ? Ma foi, elles le sont toutes. Les unes décrivent la cause, d'autres les effets, l'état général, les symptômes particuliers, les motifs récurrents, ou bien encore la souffrance qui s'y attache. La codépendance correspond, ou en est venue à correspondre, à toutes les définitions énumérées plus haut.

Je n'essaie pas par là de vous embrouiller. Si la codépendance répond à des critères de définition aussi flous c'est parce que c'est en soi un état gris et flou. Vouloir la définir parfaitement en une ou deux phrases est une tâche complexe qui nécessite de surmonter maintes difficultés et d'en appeler à la théorie.

Pourquoi se préoccuper à ce point des définitions ? Parce que je m'apprête à tenter le diable : définir la codépendance en une seule et unique phrase. Et je souhaite vous donner une vue d'ensemble avant d'aborder les détails. J'espère que cette approche vous aidera à reconnaître la codépendance en vous si tel est le cas. Il est important de définir le problème, car cela contribue à dégager une solution. Et, ici, la solution est vitale. Ce qu'elle entraîne, c'est le mieux-être. La guérison.

Voici donc ma définition du codépendant :

L'individu codépendant est celui qui s'est laissé affecter par le comportement d'un autre individu, et qui se fait une obsession de contrôler le comportement de cette autre personne.

L'*autre personne* en question peut être un enfant, un adulte, un amant, un conjoint, un frère, une sœur, un grand-parent, un parent, un patient ou un(e) meilleur(e) ami(e). Ce peut être un alcoolique, un drogué, une personne souffrant d'une maladie somatique ou mentale, un être normal qui a ses moments de tristesse, ou l'un des individus dont j'ai parlé plus haut.

Mais le fondement de la définition et de la guérison ce n'est pas l'*autre personne* – quelle que soit notre conviction à cet égard. Non, le fond du problème est en nous, dans la façon dont nous nous sommes laissé affecter par le comportement de l'autre et dans les voies qu'empruntent nos tentatives de prise de contrôle sur eux : la démarche obsédante, dominatrice, obsessionnelle visant à « aider », jouer sans cesse les nounous, les gardes-malades, cette piètre opinion de soi qui frise la haine, le refoulement, le débordement de colère et de culpabilité, la dépendance spéciale envers des gens spéciaux, l'attirance pour une étrange préoccupation de l'autre et la tolérance dont on fait preuve envers cette inclination, qui aboutit à l'abandon de soi, à une quasi-impossibilité de communiquer, à des problèmes vis-à-vis de l'intimité et de ce tourbillon incessant qui nous emporte vers les cinq stades du processus de deuil.

La codépendance est-elle une maladie ? Certains professionnels disent qu'il ne s'agit pas d'un phénomène pathologique mais d'une réaction normale à une manifestation anormale[9].

D'autres affirment le contraire, qu'il s'agit bien d'une maladie chronique et évolutive. Ceux-là avancent que les codépendants veulent et doivent s'entourer de malades pour parvenir au bonheur par des chemins malsains. Ils disent que, par exemple, la femme d'alcoolique avait besoin d'épouser un alcoolique et l'a choisi parce que, inconsciemment, elle savait qu'il l'était. Et que, de plus, il lui fallait un homme qui boive et qui la batte pour se sentir comblée.

Cette dernière interprétation est peut-être trop dure. Je suis pour ma part convaincue que les codépendants n'ont pas besoin d'une telle violence dans leur vie. Les autres se sont montrés bien assez durs avec nous. Eux-mêmes ont été bien assez durs avec les autres. Mes amis, nous avons suffisamment souffert. Nous avons été victimes de nos maladies et de nos proches. Chacun de nous doit décider du rôle qu'il a joué dans le processus l'ayant conduit à se sentir victime.

Je ne saurais dire si la codépendance est ou non une maladie. Je ne suis pas une experte. Mais, pour vous dire ce que je *crois*, je dois terminer le bref historique de la codépendance entrepris au début de ce chapitre.

Bien que les premiers groupes des Al-Anon aient vu le jour dans les années quarante, je suis certaine qu'on pourrait remonter jusqu'au commencement des temps et des rapports humains : on y trouverait déjà des traces du comportement codépendant. Il y a toujours eu des gens à problèmes, et d'autres gens pour prendre soin de leurs amis et parents en difficulté. Il est probable que certains êtres s'empêtrent dans les problèmes des autres depuis que les relations entre individus existent.

La codépendance a sans doute suivi l'homme pas à pas tandis qu'il se frayait un chemin à travers l'Antiquité et jusqu'à cette « époque globalement misérable qu'est le vingtième siècle », pour reprendre les termes de Morley Safer, le présentateur de *Sixty Minutes*. De tout temps des hommes ont présenté le comportement que nous appelons maintenant « codépendance ». Ils se sont rendus malades d'inquiétude pour les autres. Ils ont essayé de les aider en faisant exactement le contraire de ce qu'il fallait. Ils ont dit oui alors qu'ils voulaient dire non. Ils se sont efforcés d'amener les autres à leurs vues. Ils se sont donné un mal fou pour ne pas blesser les autres et, ce faisant, se sont blessés eux-mêmes. Ils ont craint de se fier à leurs sentiments. Ils ont cru aux mensonges qu'on leur disait, et par la suite se sont sentis trahis. Ils ont cherché à se venger et à punir les autres. Ils ont ressenti une telle rage que cela leur a donné envie de tuer. Ils se sont battus pour défendre leurs droits quand d'autres prétendaient qu'ils n'en avaient aucun. Ils ont vécu dans la toile grossière parce qu'ils ne pensaient pas mériter la soie.

Nul doute que les codépendants ont également commis de bonnes actions. Ce sont par nature des êtres bienveillants, préoccupés par les besoins du monde entier et prêts à y subvenir. Thomas Wright dit dans un article extrait de *Co-Dependency, An Emerging Issue* : « J'ai des raisons de croire que les codépendants ont, à travers l'histoire, toujours dénoncé les injustices sociales, et qu'ils se sont battus pour défendre les droits de l'opprimé. Les codépendants désirent apporter leur aide. Je crois qu'ils y sont arrivés. Mais ils sont probablement morts convaincus de ne pas en avoir fait assez, et profondément culpabilisés.

» Il est naturel de vouloir protéger et aider les gens qu'on aime. Naturel de subir le contrecoup des problèmes de son entourage, et de réagir en conséquence. A mesure que le problème acquiert de la gravité, et voyant qu'il ne trouve pas de solution, on subit de plus en plus, et on réagit de plus en plus violemment. »

C'est le mot *réagir* qui est important ici. Quelle que soit l'approche qu'on adopte face à la codépendance, quels que soient la définition qu'on en donne et le cadre de référence qu'on choisit pour formuler un diagnostic et proposer un traitement, la codépendance est fondamentalement un processus de *réaction*. Les codépendants sont des gens qui réagissent, trop ou trop peu, mais qui n'*agissent* que rarement. Ils réagissent aux problèmes, aux souffrances, aux conditions de vie et au comportement des autres. Nombre de réactions de type codépendantes sont des réactions au stress et à l'insécurité qu'engendre une enfance ou une vie adulte passées dans un contexte d'alcoolisme ou de problème équivalent. Il est normal de réagir au stress. Il n'est pas forcément anormal, mais en revanche héroïque et salvateur, d'apprendre à ne *pas* réagir, mais à agir selon des principes plus sains. Néanmoins, la plupart d'entre nous ne peuvent y arriver sans aide.

Pourquoi certains professionnels considèrent-ils la codépendance comme pathologique ? Peut-être parce que c'est à une maladie telle que l'alcoolisme que réagissent beaucoup de codépendants.

Sans doute parce que la codépendance est un phénomène évolutif. A mesure que le problème d'un proche s'aggrave, on se mettra à réagir de plus en plus intensément. Ce qui n'était tout d'abord qu'un souci peut entraîner l'isolement, la dépression, la maladie physique ou affective, ou des fantasmes de suicide. Une chose en amène une autre, et tout va de plus en plus mal. La codépendance n'est peut-être pas une maladie, mais elle peut tout de même vous rendre malade. De plus, elle peut contribuer à ce que votre entourage le reste.

Autre raison pour laquelle on considère la codépendance comme une maladie : les comportements codépendants – comme beaucoup de comportements autodestructeurs – deviennent des habitudes. On reproduit des habitudes sans y penser, et elles finissent par acquérir une vie propre[10].

Quel que soit le problème de l'autre, la codépendance implique un système routinier de pensée, d'émotion et de comportement envers soi-même et les autres, système qui peut nous causer de la souffrance. Les comportements ou habitudes de codépendance sont par nature autodestructeurs. Souvent on réagit à des personnes qui se détruisent elles-mêmes en apprenant à se détruire soi-même. Ces habitudes peuvent nous installer dans des rapports destructeurs, des rapports qui ne fonctionnent pas. Ces comportements peuvent saboter des rapports qui auraient pu être fructueux, nous interdire de trouver la paix et le bonheur avec la personne qui compte le plus dans notre vie : nous-même. Ils appartiennent à la seule personne que nous puissions tous contrôler, la seule que nous puissions changer : nous-même. Ils sont notre problème. Nous les étudierons au chapitre suivant.

EXERCICES PRATIQUES

1. Quelle définition donneriez-vous de la codépendance ?

2. Avez-vous conscience d'une personne ayant profondément influencé votre vie, une personne qui vous cause du souci et que vous souhaiteriez faire changer ? De qui s'agit-il ? Décrivez abondamment cette personne et la relation que vous entretenez avec elle. Ensuite, relisez-vous. Quelles sont vos impressions ?

---

1. D'après Joan Wexler et John Steidll (professeurs en carrières sociales, secteur psychiatrique, à l'Université de Yale), cités par Colette Dowling dans *Le Complexe de Cendrillon.*

2. Robert Subby. « Inside the Chemically Dependent Marriage : Denial and Manipulation », in *Co-Dependency, An Emerging Issue,* Hollywood (Fl.) : Health Communications, Inc., 1977. Disponible par l'intermédiaire de Hazelden Educational Materials.

3. Robert Subby et John Friel. « Co-Dependency – A Paradoxical Dependency », in *Co-Dependency, An Emerging Issue,* p. 31.

4. Pour les groupes de thérapie familiale des Al-Anon : *Al-Anon Faces Alcoholism,* New York, Al-Anon Family Group Headquarters, Inc., 1977. Disponible par l'intermédiaire de Hazelden Educational Materials.

5. Les Al-Anon protègent l'anonymat de leurs membres et ne tiennent aucun fichier officiel. Néanmoins, le bureau Intergroupes de Minneapolis confirme le caractère vraisemblable de cette estimation.

6. Terence T. Gorski et Merlen Miller. « Co-Alcoholic Relapse : Family Factors and Warning Signs », in *Co-Dependency, An Emerging Issue,* p. 78.

7. Ernie Larsen, Robert Subby. « Inside the Chemically Dependent Marriage : Denial and Manipulation », in *Co-Dependency, An Emerging Issue,* cf. note 2.

8. Subby et Friel. « Co-Dependency – A Paradoxical Dependency », cf. note 2.

9. Charles L. Whitfield, « Co-dependency : An Emerging Problem Among Professionals », in *Co-Dependency, An Emerging Issue,* p. 53, cf. note 2 ; Joseph L. Kellermann, *The Family and Alcoholism, A Move from Pathology to Process,* Center City (MN) : Hazelden Educational Materials, 1984.

10. Wayne W. Dyer. *Your Erroneous Zones,* New York : Funk and Wagnalls, 1976. Disponible par l'intermédiaire de Hazelden Educational Materials ; Theodore I. Rubin avec Eleanor Rubin. *Compassion and Self-Hate – An Alternative to Despair,* New York : David McKay Company, Inc., 1975.

4

Caractéristiques de la codépendance

Dieu, donne-moi la sérénité
D'accepter ce que je ne puis changer
Le courage de changer ce que je peux changer,
Et la sagesse de faire la différence.

– Prière de la Sérénité.

Si, en discutant, deux codépendants se trouvent en désaccord sur la définition de la codépendance, il est probable que chacun comprendra intuitivement ce que l'autre veut dire. Ils auront des choses à partager – ce qu'ils font, pensent, ressentent et disent –, ces choses qui sont les caractéristiques de la codépendance. C'est sur ces points précis – les symptômes, les problèmes, les mécanismes d'adaptation ou les réactions – que la plupart des définitions et programmes de traitement se recoupent. Ce sont aussi eux qui conditionnent la guérison, eux que nous devons identifier, accepter, eux avec qui il nous faut vivre et composer, eux que nous devons combattre et, souvent, modifier.

Toutefois, avant de dresser la liste des comportements typiques de la codépendance, je tiens à préciser un point important : présenter ces symptômes ne signifie pas qu'on soit mauvais, déficient, inférieur. Certains d'entre nous ont appris ces comportements dès l'enfance. D'autres les ont acquis plus tard. Parfois, ils nous viennent de notre interprétation de la religion. Il y a des femmes à qui l'on a fait comprendre que ces comportements constituaient des attributs féminins souhaitables. Quelles que soient les circonstances, nous avons bien appris la leçon.

Si nous avons fini par agir de la sorte, c'est par nécessité, pour nous protéger et satisfaire nos besoins. Si nous avons accompli ces actes, éprouvé ces sentiments et eu ces pensées, c'était à la seule fin de survivre – affectivement, mentalement, et parfois physiquement. Nous avons fait de notre mieux pour comprendre nos univers complexes et pour nous y adapter. Il n'est pas toujours facile de vivre avec des gens normaux, des gens sains. En revanche, il est particulièrement ardu de partager la vie d'êtres malades, perturbés, dérangés. Et épouvantable d'être obligé de vivre avec un alcoolique délirant. Beaucoup d'entre nous se sont efforcés de composer avec des conditions de vie monstrueuses, et ces efforts ont été admirables, héroïques. Nous avons fait tout notre possible.

Cependant, ces stratagèmes autoprotecteurs ont pu prendre trop d'ampleur par rapport à leur vocation salutaire. Parfois, les initiatives que nous prenons pour nous protéger se retournent contre nous et nous font du mal. Elles deviennent autodestructrices. Nombre de codépendants réussissent tout juste à survivre, et la plupart ne voient aucun de leurs besoins satisfaits. Pour citer le thérapeute Scott Egleston, la codépendance est un moyen de satisfaire ses besoins qui n'entraîne pas la satisfaction des besoins. Avec les meilleures raisons du monde, nous avons fait ce que nous pouvions faire de pire.

Peut-on changer ? Acquérir un comportement plus sain ? J'ignore si la santé mentale, spirituelle et affective s'enseigne, mais on peut être inspiré, encouragé. On peut apprendre à faire les choses différemment. On peut changer.

Je suis sûre que la plupart des gens désirent vivre sainement et le mieux possible. Mais, souvent, on ignore qu'il n'y a pas de mal à s'y prendre autrement. On ne comprend même pas ce qu'on a fait de travers. On s'est tellement échiné à réagir aux problèmes d'autrui qu'on n'a pas eu le temps d'isoler ses propres problèmes, et encore moins de les résoudre.

De nombreux professionnels estiment que la première étape sur la voie du changement est la prise de conscience. La deuxième est alors l'acceptation [1]. Forts de ce savoir, examinons ensemble les caractéristiques de la codépendance. Elles se sont dégagées de la totalité de mon corpus de référence, ainsi que de mon expérience personnelle et professionnelle.

L'INVESTISSEMENT PERSONNEL

Souvent les codépendants :

- se croient et se sentent responsables des autres – de leurs sentiments, pensées, actes, choix, désirs, besoins, de leur bien-être ou de leur mal-être, et finalement de leur destin ;
- ressentent de l'anxiété, de la pitié et de la culpabilité quand les autres ont un problème ;
- se sentent obligés – presque contraints et forcés – d'aider l'autre à résoudre son problème, par exemple en lui prodiguant des conseils non sollicités, en lui offrant toute une série de suggestions et en cherchant à « réparer » ses sentiments ;
- se fâchent quand leur sollicitude reste sans effet ;
- vont au-devant des besoins des autres ;
- se demandent pourquoi les autres n'en font pas autant pour eux ;
- se surprennent à dire oui quand ils voudraient dire non, à faire des choses qu'ils n'ont pas réellement envie de faire, endossent plus que ce qui leur incombe et prennent en charge des tâches dont les autres seraient parfaitement capables de s'acquitter seuls ;

- ignorent ce qu'ils veulent, ce dont ils ont besoin, ou bien se disent que ce qu'ils veulent et souhaitent n'a pas d'importance ;
- s'efforcent de plaire aux autres au lieu de se plaire à eux-mêmes ;
- trouvent plus facile de ressentir et d'exprimer de la colère en regard d'injustices faites aux autres plutôt que de s'indigner des injustices dont ils ont eux-mêmes été victimes ;
- se sentent plus en sécurité quand ils donnent ;
- se sentent en danger et éprouvent de la culpabilité quand ils reçoivent ;
- sont tristes parce qu'ils ont passé leur vie à donner aux autres sans que personne leur donne jamais rien ;
- se sentent attirés par les gens en demande ;
- ont l'impression que les gens en demande sont attirés par eux ;
- se sentent désœuvrés, vides et dévalorisés s'il n'y a pas dans leur vie une crise, un problème à résoudre ou quelqu'un à aider ;
- laissent tout en plan pour écouter ou aider les autres ;
- s'engagent à outrance ;
- se sentent harcelés, écrasés ;
- croient du fond du cœur que les autres sont, d'une manière ou d'une autre, responsables d'eux ;
- reprochent aux autres le pétrin où sont les codépendants ;
- disent que c'est à cause des autres si les codépendants ressentent ce qu'ils ressentent ;
- sont sûrs que les autres les rendent fous ;
- se sentent fâchés, victimisés, mal considérés et exploités ;
- trouvent que les autres gens s'impatientent ou s'irritent des caractéristiques suscitées.

LA MAUVAISE OPINION DE SOI

Les codépendants ont tendance à :

- venir de familles perturbées, refoulées ou dysfonctionnelles ;
- nier que leur famille ait été perturbée, refoulée, ou dysfonctionnelle ;
- toujours s'accuser de tout ;
- toujours tout se reprocher, y compris leurs pensées, leurs sentiments, leur apparence, leurs actes et leur comportement ;
- se mettre en colère, adopter une attitude défensive, vertueuse et indignée en entendant accuser et critiquer les codépendants – chose que les codépendants font eux-mêmes fréquemment ;
- refuser louanges et compliments ;
- souffrir de l'absence de louanges et compliments (carence en « caresses ») ;
- se sentir différents du reste du monde ;
- se dévaloriser ;
- se sentir coupables de dépenser de l'argent pour eux-mêmes ou de se livrer à des activités superflues ou distrayantes ;
- craindre d'être rejetés par les autres ;
- prendre mal ce qu'on leur dit ;
- avoir été victimes de violences sexuelles, physiques ou affectives, de négligence, d'un abandon ou de la présence d'un alcoolique ;
- se considérer comme des victimes ;
- se dire qu'ils font tout de travers ;
- avoir peur de commettre des erreurs ;

- se demander pourquoi il leur est si difficile de prendre des décisions ;
- avoir envers eux-mêmes des exigences de perfection dans tout ce qu'ils entreprennent ;
- se demander pourquoi ils ne se donnent jamais satisfaction ;
- être velléitaires, émailler leur discours d'expression du type « je devrais » ou « il faudrait que » ;
- porter un lourd fardeau de culpabilité ;
- avoir honte d'être ce qu'ils sont ;
- penser que leur vie ne vaut pas la peine d'être vécue ;
- s'efforcer à la place d'aider les autres à vivre leur vie ;
- retirer de ces efforts l'impression artificielle de ne rien valoir du tout ;
- retirer une forte impression de ne rien valoir – gêne, sentiment d'échec, etc. –, des échecs et problèmes des autres ;
- souhaiter qu'il leur arrive quelque chose de bien ;
- croire que rien de bien ne peut leur arriver ;
- croire qu'ils ne le méritent pas, non plus que le bonheur ;
- désirer que les autres leur prodiguent amour et amitié ;
- croire que c'est impossible ;
- essayer de prouver qu'ils sont aussi bien que les autres ;
- se rabattre sur la démarche consistant à se rendre indispensables.

LE REFOULEMENT

Beaucoup de codépendants :

- repoussent leurs pensées et sentiments en dehors de leur champ de conscience à cause de la peur et de la culpabilité ;

- finissent par craindre de s'autoriser à être ce qu'ils sont;
- paraissent rigides et donnent l'impression de se contenir.

LES OBSESSIONS

Les codépendants ont tendance à :

- ressentir une insupportable anxiété face aux problèmes et aux gens;
- se faire du souci pour des vétilles;
- penser beaucoup aux autres et en parler beaucoup;
- avoir des insomnies en cas de problème ou quand ils se posent des questions sur le comportement des autres;
- ne jamais trouver les réponses;
- s'enquérir des autres;
- essayer de les prendre en flagrant délit de mauvaise conduite;
- se sentir incapable de ne pas parler des autres et de leurs problèmes, de ne pas y penser et de ne pas s'en faire pour eux;
- laisser tomber leurs activités régulières parce qu'ils se font trop de souci pour telle ou telle chose, telle ou telle personne;
- diriger toute leur énergie vers les autres et vers les problèmes;
- se demander pourquoi ils n'ont jamais aucune énergie;
- se demander pourquoi ils n'arrivent jamais à rien.

L'ATTITUDE DOMINATRICE

Beaucoup de codépendants :

- ont vécu des choses et côtoyé des personnes incontrôlées qui leur ont fait du mal et les ont laissés déçus ;
- finissent par craindre de laisser les autres être ce qu'ils sont et les événements survenir de manière naturelle ;
- n'ont pas conscience de leur propre peur de perdre pied, et ne font rien pour l'atténuer ;
- se croient mieux placés pour savoir la tournure que devraient prendre les choses et le comportement que devraient adopter les gens ;
- s'efforcent de contrôler les événements et les gens par le biais du désarroi, de la culpabilité, de la coercition, de la menace, de la multiplication des conseils, de la manipulation ou la domination ;
- finissent par voir leurs efforts échouer, ou par provoquer la colère des autres ;
- se sentent frustrés et enragent ;
- ont l'impression de se laisser mener par le bout du nez par les événements et les gens.

L'ATTITUDE DE DÉNÉGATION

Les codépendants ont tendance à :

- ne pas tenir compte des problèmes ou faire comme s'ils n'existaient pas ;
- faire comme si les choses n'allaient pas si mal en fin de compte ;
- se dire que ça ira mieux demain ;
- s'affairer en permanence pour ne pas avoir le loisir de réfléchir ;

- s'embrouiller;
- faire de la dépression ou tomber malades;
- aller consulter des médecins et se faire prescrire des tranquillisants;
- devenir des intoxiqués du travail;
- ne pas pouvoir s'empêcher de dépenser de l'argent;
- manger à l'excès;
- faire comme si cela non plus n'existait pas;
- regarder les problèmes s'aggraver;
- croire les mensonges des autres;
- se mentir à eux-mêmes;
- se demander pourquoi ils ont l'impression de devenir fous.

LA DÉPENDANCE

Beaucoup de codépendants :

- ne se sentent ni heureux, ni satisfaits, ni en paix avec eux-mêmes;
- cherchent le bonheur à l'extérieur d'eux-mêmes;
- s'accrochent à toutes les choses, tous les gens qui, pour eux, peuvent apporter le bonheur;
- se sentent terriblement menacés par la perte de tout objet, tout être dont ils pensent qu'il peut leur apporter le bonheur;
- n'ont reçu ni amour, ni approbation de la part de leurs parents;
- ne s'aiment pas eux-mêmes;
- croient que les autres ne les aiment pas ou ne peuvent pas les aimer;
- recherchent désespérément l'amour et l'approbation;

- recherchent souvent l'amour auprès de personnes incapables d'en donner;
- se disent que les autres ne sont jamais là pour eux;
- croient qu'aimer égale souffrir;
- ont l'impression d'avoir plus besoin des autres qu'envie de se trouver en leur compagnie;
- s'efforcent de prouver qu'ils sont assez valables pour qu'on les aime;
- ne prennent pas le temps de voir si d'autres personnes leur témoignent de la bonté;
- s'inquiètent de savoir si les autres les aiment d'amour ou d'amitié;
- ne prennent pas le temps de se demander s'ils aiment les autres d'amour ou d'amitié;
- organisent toute leur vie autour des autres;
- cherchent tous leurs sentiments positifs dans leurs rapports à autrui;
- perdent tout intérêt pour leur propre existence quand ils sont amoureux;
- redoutent d'être quittés;
- ne se croient pas capables de subvenir à leurs propres besoins;
- perpétuent des rapports qui ne fonctionnent pas;
- supportent les mauvais traitements pour ne pas perdre l'amour des autres;
- se sentent pris au piège dans leurs rapports;
- mettent fin à leurs rapports néfastes et en entreprennent aussitôt d'autres qui ne fonctionnent pas non plus;
- se demandent s'ils trouveront jamais l'amour.

LES PROBLÈMES DE COMMUNICATION

Fréquemment les codépendants :

- font des reproches ;
- émettent des menaces ;
- emploient des méthodes coercitives ;
- supplient ;
- soudoient ;
- donnent des conseils ;
- ne disent pas ce qu'ils pensent ;
- disent autre chose que ce qu'ils veulent dire ;
- ne savent pas ce qu'ils veulent dire ;
- ne se prennent pas au sérieux ;
- croient que les autres ne prennent pas les codépendants au sérieux ;
- se prennent trop au sérieux ;
- ont une manière indirecte de demander ce qu'ils veulent, ce dont ils ont besoin – par exemple en poussant des soupirs ;
- ont du mal à aller droit au but ;
- ne savent pas très bien où est le but ;
- pèsent soigneusement leurs mots afin d'obtenir l'effet désiré ;
- essaient de dire ce qui, à leur avis, fera plaisir aux gens ;
- essaient de dire ce qui, à leur avis, provoquera les gens ;
- essaient de dire ce qui, espèrent-ils, amènera les gens à faire ce qu'ils veulent les voir faire ;
- raient le mot *non* de leur vocabulaire ;
- parlent trop ;

- parlent des autres ;
- évitent de parler d'eux-mêmes, de leurs problèmes, de leurs sentiments, et évitent de dire ce qu'ils pensent ;
- disent que tout est de leur faute ;
- disent que rien n'est de leur faute ;
- croient que leurs avis n'ont aucune importance ;
- attendent de connaître l'opinion des autres pour exprimer la leur ;
- mentent pour protéger et couvrir ceux qu'ils aiment ;
- mentent pour se protéger ;
- ont beaucoup de mal à faire respecter leurs droits ;
- ont beaucoup de mal à exprimer honnêtement, ouvertement et pertinemment leurs émotions ;
- pensent que, dans l'ensemble, ce qu'ils ont à dire n'a pas d'importance ;
- se mettent à tenir des discours cyniques, autodépréciateurs ou hostiles ;
- s'excusent de déranger les gens.

L'INCONSISTANCE DES LIMITES

Fréquemment, les codépendants :

- disent qu'ils ne sauraient tolérer certaines attitudes chez les autres ;
- se font de plus en plus tolérants, jusqu'à tolérer et faire eux-mêmes des choses qu'ils disaient s'interdire ;
- laissent les autres leur faire du mal ;
- se laissent inlassablement blesser par les autres ;
- se demandent pourquoi ils ont si mal ;
- se plaignent, accusent les uns et les autres, et s'efforcent de les contrôler sans jamais songer à s'en aller ;

- finissent par se mettre en colère ;
- deviennent parfaitement intolérants.

LE MANQUE DE CONFIANCE

Les codépendants :

- n'ont pas confiance en eux ;
- ne se fient pas à leurs sentiments ;
- ne se fient pas à leurs décisions ;
- ne font pas confiance aux autres ;
- essaient de faire confiance à des gens qui n'en sont pas dignes ;
- pensent que Dieu les a abandonnés ;
- perdent la foi et leur confiance en Dieu.

LA COLÈRE

Souvent les codépendants :

- ont peur, ont mal, enragent ;
- vivent aux côtés de gens qui ont peur, qui ont mal, qui enragent ;
- ont peur de leur propre rage ;
- craignent la colère des autres ;
- redoutent que les gens ne les quittent si la colère entre en scène ;
- pensent que ce sont les autres qui les font enrager ;
- ont peur de faire enrager les autres ;
- se sentent dominés par la colère des autres ;
- refoulent leur propre colère ;

- pleurent beaucoup, dépriment, mangent trop, tombent malades, se livrent à des méchancetés dans le but de se venger, agissent avec hostilité ou présentent de violents accès de mauvaise humeur ;
- punissent les autres parce qu'ils font enrager les codépendants ;
- se sont entendu dire qu'ils devraient avoir honte d'enrager ainsi ;
- se trouvent coupables et honteux d'éprouver une telle colère ;
- éprouvent de plus en plus de colère, de rancune et d'amertume ;
- se sentent plus en sécurité face à leur colère que face à une blessure d'amour-propre ;
- se demandent s'ils réussiront jamais à ne *pas* être en colère.

LES PROBLÈMES SEXUELS

Les codépendants ont parfois tendance à :

- se préoccuper davantage des autres que d'eux-mêmes au lit ;
- faire l'amour alors qu'ils n'en ont pas envie ;
- faire l'amour alors qu'ils préféreraient être étreints, entourés, aimés ;
- tenter de faire l'amour quand ils sont en colère ou blessés ;
- refuser d'y trouver du plaisir parce qu'ils sont trop en colère contre leur partenaire ;
- avoir peur de perdre le contrôle ;
- avoir beaucoup de mal à exprimer leurs envies au lit ;
- se tenir affectivement à distance de leur partenaire ;
- éprouver de la répulsion sur le plan sexuel à l'égard de leur partenaire ;
- ne jamais en parler ;

- se forcer quand même à faire l'amour ;
- ramener les rapports sexuels à des actes mécaniques ;
- se demander pourquoi ils n'y trouvent pas de plaisir ;
- perdre tout intérêt pour le sexe ;
- s'inventer des raisons de s'abstenir ;
- souhaiter que leur partenaire meure, s'en aille, ou pressente ce qu'ils éprouvent ;
- fantasmer fortement sur les autres ;
- envisager une aventure extra-conjugale ou passer à l'acte.

AUTRES

Les codépendants ont tendance à :

- se montrer extrêmement responsables ;
- se montrer extrêmement irresponsables ;
- devenir des martyrs, sacrifier leur bonheur et celui des autres à des causes qui n'exigent aucun sacrifice de leur part ;
- trouver difficile de se sentir proche des gens ;
- trouver difficile de s'amuser et d'agir avec spontanéité ;
- afficher une réaction globale passive à la codépendance : pleurs, souffrance, désarroi ;
- afficher une réaction globale agressive à la codépendance : violence, colère, volonté de dominer ;
- combiner réactions passives et réactions agressives ;
- hésiter quand ils sont confrontés à une décision ou une émotion ;
- rire alors qu'ils ont envie de pleurer ;
- rester fidèles à leurs obsessions ainsi qu'aux gens, même quand cela leur fait mal ;
- avoir honte de leurs problèmes familiaux, personnels ou relationnels ;

- ne pas très bien savoir en quoi consiste le problème ;
- dissimuler, mentir et protéger leur problème ;
- ne pas se faire aider parce qu'ils se disent que ce n'est pas si grave, ou qu'eux-mêmes ne sont pas si importants que ça ;
- se demander pourquoi le problème demeure.

L'ESCALADE

Aux stades tardifs de la codépendance, souvent les codépendants :

- sont pris de léthargie ;
- se sentent déprimés ;
- se replient sur eux-mêmes et s'isolent ;
- constatent la disparition totale de leurs activités quotidiennes et de toute forme de structure dans leur vie ;
- traitent mal leurs enfants ou les négligent, de même que leurs autres responsabilités ;
- se sentent complètement désemparés ;
- finissent par mettre au point un plan d'évasion pour échapper à une relation dans laquelle ils se sentent pris au piège ;
- ont des idées de suicide ;
- deviennent violents ;
- tombent gravement malades, que ce soit sur le plan affectif, mental ou physique ;
- connaissent des troubles de l'alimentation (mangent gloutonnement ou insuffisamment) ;
- développent une intoxication à l'alcool ou à d'autres drogues.

La liste est longue, mais pas exhaustive. Comme les autres gens, les codépendants font, éprouvent et pensent toutes sortes de choses. Il n'existe pas de combinaison de caractéristiques garantissant formellement que le sujet concerné est ou n'est pas codépendant. Chaque individu est différent des autres ; chacun a sa propre façon de faire. Je me suis simplement efforcée de donner une vue d'ensemble. L'interprétation, la conclusion, sont de votre ressort. Le plus important est de repérer avant tout les comportements ou les domaines qui vous posent des problèmes, puis de décider des mesures que vous êtes disposé à prendre.

A la fin du chapitre 3, je vous ai demandé de définir la codépendance. Comme dit Earnie Larsen, si vous avez défini votre problème comme étant le fait de « vivre avec un alcoolique », vous croyez peut-être que la solution est de ne *pas* vivre avec un alcoolique. C'est sans doute en partie vrai. Mais nos véritables problèmes de codépendants, ce sont nos propres caractéristiques — nos comportements codépendants.

Qui est codépendant ?

Moi.

On estime à 80 millions le nombre d'individus chimiodépendants ou côtoyant un chimio-dépendant[2]. Ils sont probablement codépendants.

Ceux qui aiment une ou plusieurs personnes perturbées, se font du souci pour elles ou travaillent à leurs côtés, ont des chances d'être codépendants.

Ceux qui s'occupent des gens affligés de troubles de l'alimentation ont toutes les chances de l'être. Dans son livre *Maigrir, une affaire de famille*, J. Hollis dit qu'un individu touché par une forme ou une autre de ces troubles peut donner du fil à retordre à quinze ou vingt codépendants[3]. Beaucoup sont eux-mêmes codépendants. « J'ai découvert à l'occasion d'une étude statistique informelle que 40 % des épouses d'alcooliques étaient obèses », déclare-t-elle[4].

C'est peut-être pour vous que vous lisez ce livre ; peut-être êtes-vous codépendant. Ou alors, c'est pour aider quelqu'un ; dans ce cas, vous l'êtes presque certainement. Si votre préoccupation tourne à l'obsession, si de simple témoin compatissant vous êtes devenu un ou une garde-malade ; si vous prenez soin des autres sans prendre soin de vous-même... alors la codépendance vous crée sans doute des ennuis. Chacun doit chercher seul à savoir si sa codépendance est problématique. Chacun doit décider seul de ce qu'il va falloir changer, et du moment où doit intervenir ce changement.

La codépendance a de multiples visages. C'est une dépendance à l'égard des autres – de leurs humeurs, de leurs comportements, de leur maladie ou de leur bien-être, de leur amour. C'est une dépendance paradoxale[5]. On a l'impression que les codépendants sont ceux dont on dépend mais, en réalité, c'est l'inverse : ce sont eux qui dépendent. Ils ont l'air forts, mais en fait ils se sentent impuissants. On les juge dominateurs, mais sont eux-mêmes dominés, parfois par une maladie telle que l'alcoolisme.

Voilà les points qui conditionnent la guérison. C'est la résolution de ces problèmes qui rend passionnant le processus de guérison. Souvent celle-ci est longue, éreintante quand les problèmes se situent au niveau de la pensée, de l'affectivité et de la spiritualité d'un individu. Mais ce n'est pas le cas ici. Hormis les émotions tout à fait normales, humaines, que nous ressentirions de toute façon, ainsi que le léger malaise qui survient épisodiquement quand on commence à se comporter différemment, le processus de guérison de la codépendance est excitant, libérateur. Il nous permet d'être ce que nous sommes. Il permet aux autres d'être ce qu'ils sont. Il nous aide à nous approprier ce don du ciel qu'est le pouvoir de penser, de ressentir des choses, et d'agir. Et ça fait du bien. Cela procure la paix. Cela nous autorise enfin à nous aimer nous-même et à aimer les autres, à recevoir de l'amour... presque toutes les bonnes choses que nous recherchions dans la vie. Cela met en place un environnement optimal permettant à notre entourage de retrouver la santé et de la garder. Et la guérison, c'est la fin de l'intolérable souffrance avec laquelle vivent beaucoup d'entre nous.

Non seulement la guérison est amusante à vivre mais, en plus, elle est simple. Je ne dis pas qu'elle soit toujours facile, mais simple. Elle se fonde sur une affirmation que nous sommes nombreux à avoir oubliée, si tant est que nous l'ayons jamais sue : chacun est responsable de lui-même. Elle implique d'apprendre un seul et unique comportement nouveau, auquel nous nous consacrerons entièrement :

prendre soin de nous-même. Dans la seconde partie de ce livre, nous considérerons les concepts spécifiques permettant de parvenir à ce résultat.

EXERCICES PRATIQUES

1. Passez en revue la liste dressée dans ce chapitre. Inscrivez 0 en face des éléments qui ne vous ont jamais posé de problème, 1 si le problème se pose de temps en temps et 2 s'il est permanent. Dans un chapitre ultérieur, vous vous servirez de ces notations pour déterminer vos objectifs. Vous pouvez vous en servir dès maintenant pour sélectionner les chapitres que vous devrez lire.

2. Que pensez-vous de la perspective de changer ? A votre avis, que se passerait-il si vous commenciez à changer ? Croyez-vous que ce soit possible ? Pourquoi ? Exprimez longuement vos réponses.

---

1. Nathaniel Branden. *Honoring the Self (Personal Integrity and the Heroic Potentials of Human Nature)*, Boston (MA) : Houghton Mifflin Company, 1983, p. 162.
2. Dennis Wholey. *The Courage to Change*, Boston (MA) : Houghton Mifflin Company, 1984, p. 207. Disponible par l'intermédiaire de Hazelden Educational Materials.
3. Judi Hollis. *Fat Is a Family Affair*, Center City (MN) : Hazelden Educational Materials, 1985, p. 55. *Maigrir, une affaire de famille*, Paris : Éditions Jean-Claude Lattès, 1991.
4. *Ibid.*, p. 53.
5. Robert Subby et John Friel. « Co-Dependency – A Paradoxical Dependency », in *Co-Dependency, An Emerging Issue*, Hollywood (Fl.) : Health Communications, 1984, p. 32.

DEUXIÈME PARTIE

LES FONDEMENTS DU RESPECT DE SOI

5

Le détachement

Le détachement, ce n'est pas se détacher de la personne qu'on aime, mais de la torture de l'investissement en autrui[1].

— Un membre des Al-Anon.

Lorsqu'il m'a fallu réfléchir au contenu du premier chapitre de cette deuxième section, j'ai découvert que bien des sujets méritaient d'y figurer. Si j'ai choisi le détachement, ce n'est pas parce qu'il est doté d'une importance plus grande que les autres concepts, mais parce qu'il sous-tend tous les autres. Il recouvre une attitude que nous sommes fréquemment forcés d'adopter dans nos efforts pour réussir notre vie. Il constitue le but de presque tous les programmes de traitement de la codépendance. Et c'est aussi ce que nous devons faire avant tout, avant d'être en mesure d'entreprendre ce que nous devons entreprendre. Nous ne saurions nous mettre à réfléchir sur notre cas, à vivre notre vie, éprouver nos sentiments et résoudre nos problèmes avant de nous être détachés de l'objet de notre obsession.

D'après mon expérience (et celle des autres), il semble que même notre Puissance supérieure ne puisse pas faire grand-chose pour nous tant que nous ne nous sommes pas détachés.

L'ATTACHEMENT

Quand un codépendant vous dit : « Je crois que je suis en train de m'attacher à toi », méfiance ! Il est probablement sincère.

La plupart des codépendants s'attachent aux membres de leur entourage et aux problèmes y survenant. Je n'entends pas par « attachement » les sentiments normaux d'affection et de sollicitude envers les gens, ni l'impression d'être en relation avec le monde extérieur. Dans le cas qui nous préoccupe, s'attacher c'est s'investir à outrance dans les autres, et parfois se retrouver irrémédiablement empêtré en eux.

L'attachement peut prendre plusieurs formes :

- On se préoccupe et on s'inquiète à l'excès d'un problème ou d'une personne (c'est l'énergie mentale qui s'attache).
- On se retrouve graduellement obsédé par les gens et les problèmes qui nous entourent, et on multiplie les tentatives pour dominer les uns et les autres (l'énergie mentale, physique et affective est centrée sur l'objet de l'obsession).
- On se met à réagir en fonction de l'environnement au lieu d'agir de son plein gré (c'est alors l'énergie mentale, physique et affective qui est attachée).
- On devient affectivement dépendant des gens qui nous entourent (et, là, on est vraiment attaché).
- On devient un véritable garde-malade (celui qui vole à la rescousse des autres, qui leur donne la possibilité d'agir), on s'attache solidement au besoin qu'ils ont de nous.

Les problèmes liés à l'attachement sont légion. (Dans ce chapitre initial, je veux me concentrer sur l'inquiétude et l'obsession. J'examinerai par la suite les autres formes d'attachement.) Le surinvestissement, quel qu'il soit, peut nous obliger à vivre dans le chaos, et imposer le même chaos à notre entourage. Tant qu'on consacre toute son énergie aux autres et à leurs problèmes, on n'a plus guère les moyens d'essayer de vivre sa vie. Et ce ne sont ni les responsabilités, ni les raisons de s'inquiéter qui manquent. Si on prend tout sur soi, que reste-t-il pour ceux qui nous entourent ? Nous débordons et les autres se vident. De plus, se faire du souci pour les autres et ressasser ses problèmes n'est pas une solution. Cela ne résout rien, cela ne rend pas service aux gens, et on n'en est pas plus avancé. C'est de l'énergie gaspillée.

« Si vous croyez qu'à vous désoler ou à vous faire éternellement du souci, vous allez changer les choses, c'est que vous vivez sur une autre planète dotée d'un système de réalité différent », écrivait le docteur Wayne W. Dyer dans *Your Erroneous Zones*[2].

On s'inquiète, on s'obsède, et on s'embrouille tellement dans sa tête qu'on ne sait plus résoudre ses problèmes. Chaque fois qu'on s'attache ainsi à quelqu'un ou quelque chose, on se détache de soi-même. On perd le contact avec soi. On renonce au pouvoir de réfléchir, de ressentir, d'agir et de se prendre soi-même en considération. On perd le contrôle.

L'obsession de l'autre ou de tel ou tel problème est un piège redoutable. Avez-vous jamais rencontré quelqu'un qui y soit tombé ? Il ne sait parler de rien d'autre, ne peut en détacher ses pensées. Il paraît vous écouter lorsque vous lui parlez, mais en réalité vous vous rendez très bien compte qu'il ne vous écoute pas. Ses pensées ballottent, tournent en rond, se heurtent les unes aux autres sur la piste circulaire et infinie de son obsession. Il est obnubilé. Quoi que vous puissiez lui dire, il rapporte tout à l'objet de cette obsession. Il répète sans cesse la même chose, parfois en présentant les choses de manière légèrement différente et parfois en employant strictement les mêmes termes. Vous pouvez dire tout ce que vous voulez, cela ne fera aucune différence. Même si vous lui dites de cesser, cela ne servira à rien. S'il en était capable, il le ferait sans doute de lui-même. Malheureusement, cela lui est impossible – du moins pour le moment. Il déborde d'énergie, cette énergie discordante dont est faite toute obsession. Le problème, le souci qui l'occupe ne fait pas que l'agacer : il le domine complètement.

Un grand nombre des gens avec lesquels j'ai travaillé en thérapie familiale étaient ainsi obsédés par les gens qu'ils aimaient. Quand je leur demandais ce qu'ils ressentaient, ils me disaient ce que l'*autre* ressentait. Si je leur demandais ce qu'ils faisaient, ils me répondaient en décrivant les actes de l'*autre*. Ils étaient totalement concentrés sur autrui ou sur un problème extérieur à eux. Certains vivaient ainsi depuis des années : ils se faisaient du souci pour les autres, réagissaient à eux et s'efforçaient de les contrôler. Ils n'étaient plus que des coquilles vides – des coquilles parfois quasi invisibles. Ils avaient épuisé leur énergie en la dirigeant sur autrui. Ils ne pouvaient pas me dire ce qu'ils ressentaient, ce qu'ils pensaient, car ils l'ignoraient complètement. Ce n'était pas sur eux qu'ils avaient mis l'accent.

Il vous est peut-être arrivé d'être obsédé par une personne ou un problème quelconque, à la suite d'une phrase, d'un événement récent, d'une réminiscence, d'une prémonition vague ou d'une préoccupation précise : *il* ne m'appelle pas – alors que c'est son heure. Il ne répond pas au téléphone alors qu'il devrait être là. C'est le jour de la paye, le jour où, avant, il se saoulait. Il y a seulement trois mois qu'il a cessé de boire. Est-ce que ça va recommencer aujourd'hui ? Vous ignorez peut-être quoi, pourquoi et quand, mais vous *savez* que quelque chose de négatif – quelque chose de terrible – est arrivé, ou est en train d'arriver.

Cela vous frappe de plein fouet. Vous vous sentez littéralement envahi par cette angoisse si familière aux codépendants. Vous en avez mal au ventre, vous vous en tordez les mains. Cette angoisse, c'est ce qui nous conduit à accomplir toutes ces choses qui nous font du mal ; c'est elle qui alimente l'inquiétude et l'obsession. C'est la peur à son comble. La peur va et vient, elle nous fait fuir, nous prépare à nous battre ou nous effraie momentanément. Mais l'angoisse, elle, rôde. Elle emprisonne l'esprit, le paralyse et le soumet, l'entraîne dans un interminable rabâchage de pensées vaines et toujours identiques. C'est elle qui nous pousse à contrôler toutes sortes de comportements chez les autres. On ne sait plus que refouler, contrôler le problème et l'évacuer ; voilà de quoi est faite la codépendance.

Quand on a une obsession, on ne peut plus détacher ses pensées de la personne ou du problème en question. On ne sait pas ce qu'on ressent soi-même. On ne sait pas ce qu'on pensait avant. On ne sait même pas très bien ce qu'il faut faire, mais, bon sang, il faut faire quelque chose, et vite !

S'inquiéter, s'obséder, contrôler... ce sont des illusions, des tours que l'on se joue à soi-même. On a l'impression d'aller vers la résolution de ses problèmes, mais c'est faux. Nous sommes nombreux à avoir réagi ainsi, avec des motifs valables et justifiables. Nous avons vécu des situations graves et complexes qui nous ont perturbés. Elles auraient troublé, inquiété, obsédé tout être normal. Peut-être aimons-nous une personne en difficulté – quelqu'un qui a perdu pied, qu'il soit alcoolique, joueur invétéré, boulimique, anorexique, mentalement ou affectivement perturbé.

Même lorsque les problèmes sont moins graves, ils n'en restent pas moins préoccupants. Ceux que nous aimons ont des sautes d'humeur, des agissements que nous déplorons. Nous trouvons qu'ils devraient s'y prendre autrement, adopter une meilleure façon de vivre qui poserait moins de problèmes.

A la longue, on finit par présenter un comportement d'attachement – on s'inquiète, on réagit au lieu d'agir, on s'efforce opiniâtrement de contrôler tout et tout le monde. Peut-être avions-nous auparavant côtoyé des gens ou connu des situations impossibles à contrôler. Peut-être l'obsession et la volonté de contrôler sont-elles le moyen que nous avons trouvé pour maintenir un certain équilibre autour de nous et empêcher temporairement la situation de s'aggraver. Ensuite, on prend le pli. On a peur de relâcher son emprise, parce que, par le passé, cela a entraîné des conséquences atroces.

Il se peut que nous soyons attachés aux autres (au point de vivre leur vie à leur place) depuis si longtemps que nous n'avons plus de vie à nous. Être attaché à quelqu'un, c'est rassurant. On réagit, donc on est vivant. Quand on se fait du souci pour les autres ou qu'on s'efforce de les contrôler, on a l'impression d'avoir quelque chose à faire dans la vie.

Pour toutes ces raisons, les codépendants ont tendance à s'attacher aux problèmes et aux gens. Et tant pis si on ne résout rien en se rongeant les sangs, si on ne trouve que rarement la solution, tant pis si ces codépendants sont obsédés au point de ne plus pouvoir lire, regarder la télévision, aller se promener. Tant pis si ce qu'a dit/fait l'autre – ou ce qu'il n'a pas dit/fait –, si ce qu'il fera, provoque en eux une tempête émotionnelle permanente. Tant pis si nos efforts ne sont d'aucune aide à personne ! On insiste, quel que soit le prix à payer. On serre les dents, on tient bon la rampe et on s'accroche.

Parfois même, on ne se rend pas compte de la force avec laquelle on s'accroche. On se persuade que c'est nécessaire. On ne voit pas d'autre solution que réagir de manière obsessionnelle. Lorsque je conseille aux gens de se détacher, ils sont souvent horrifiés : « Oh, non ! disent-ils. Comment pourrais-je faire une chose pareille ? Ce problème, cette personne, sont trop importants pour moi. Il *faut* que je reste attaché ! »

A quoi je réponds : « MAIS POURQUOI DONC ? »

J'ai des nouvelles pour vous. De bonnes nouvelles. Non, il ne *faut* pas. Il y a une meilleure solution. Cela s'appelle le « détachement[3] ». Au début on a peur, mais en fin de compte, tout le monde ne s'en porte que mieux.

UNE MEILLEURE SOLUTION

Qu'est-ce que le détachement ? Qu'est-ce que j'attends de vous ? (Comme vous l'aurez sans doute deviné, ce terme fait encore une fois partie du jargon professionnel.)

Tout d'abord, voyons ce que le détachement n'est pas. Ce n'est pas le repli froid et hostile, ni l'acceptation résignée, désespérée, de tous les bâtons que la vie et les gens nous mettent dans les roues. Se détacher, ce n'est pas avancer dans la vie en écrasant les autres, en ignorant les autres et en piétinant leurs sentiments. Ce n'est pas vivre dans la béatitude aveugle comme l'optimiste Pollyanna[4], ni éviter de faire face à nos *authentiques* responsabilités envers nous-mêmes et envers les autres. Cela n'entraîne pas non plus la disparition pure et simple de l'amour et de la sollicitude, même s'il arrive que ces formes de détachement représentent provisoirement la meilleure solution.

Dans l'idéal, il s'agit de lâcher prise *par amour,* de se désinvestir mentalement, affectivement, voire physiquement de la relation inextricable, malsaine et parfois pénible qu'on entretient avec la vie et les responsabilités d'autrui, et des problèmes qu'on ne saurait résoudre. C'est la définition qu'en donne une brochure intitulée « Détachement » et qu'on distribue depuis des années dans les groupes des Al-Anon.

Le détachement est fondé sur les principes suivants : chaque personne est responsable d'elle-même. Il est impossible de résoudre les problèmes d'autrui. Se tourmenter ne sert à rien ! Il suffit d'adopter une politique de distance par rapport aux problèmes des autres afin de s'occuper des siens. Si les gens se sont mis dans le pétrin, on doit les laisser affronter seuls la tempête, leur permettre d'être ce qu'ils sont, les laisser libres de prendre leurs responsabilités et d'en sortir grandis. Et cette liberté, nous nous la donnons aussi à nous-même. Nous devons vivre notre vie du mieux que nous pouvons, nous efforcer de définir ce qui peut et ce qui ne peut pas être changé. Alors on cesse de vouloir changer l'inchangeable. On s'applique à résoudre les problèmes, et on ne passe plus son temps à se mettre dans tous ses états. Si malgré tout on n'arrive pas à trouver la solution, alors on apprend à vivre avec son problème – ou en dépit de lui. Et on essaie de vivre heureux, en gardant héroïquement à l'esprit ce qu'il y a de bon dans sa vie actuelle et en en éprouvant de la reconnaissance. On comprend comme par magie qu'en profitant au maximum de ce qu'on a à sa disposition on augmente son capital.

Le détachement implique de « vivre dans l'instant », dans l'« ici et maintenant ». On laisse les choses arriver d'elles-mêmes au lieu de forcer les événements et d'essayer de tout contrôler. On renonce aux regrets et aux craintes pour l'avenir. On tire le maximum de chaque jour qui passe.

Le détachement implique aussi d'accepter la réalité telle qu'elle est, c'est-à-dire les faits bruts. Pour cela, il faut avoir la foi : croire en soi, en Dieu, en les autres, et dans l'ordre et le destin naturel des choses de ce monde. On perçoit tout ce qu'il y a de juste et de bon dans chaque instant, on pose à terre son fardeau, ses soucis, pour se rendre libre de profiter de la vie malgré les problèmes non résolus. Quels que soient les conflits, on est intimement convaincu que tout est bien ainsi. On sait qu'un Être plus grand que nous a instauré un certain ordre, et qu'Il s'en préoccupe. Aussi essaie-t-on de ne pas contrecarrer Ses plans. On Le laisse faire. A la longue, on en vient à *savoir* que tout est pour le mieux parce qu'on se rend compte que tout s'arrange (même les situations les plus aberrantes, les plus douloureuses), et que tout le monde finit par y trouver son compte.

Judi Hollis aborde la question du détachement au chapitre consacré à la codépendance de son ouvrage *Maigrir, une affaire de famille*, et décrit le phénomène comme « une saine neutralité[5] ».

Détachement ne signifie pas désintérêt. Se détacher, c'est au contraire apprendre à aimer les gens, à entretenir des rapports avec eux sans se rendre fou. On cesse de semer le chaos dans son esprit et dans son entourage. Et parce qu'on cesse de se débattre anxieusement, compulsivement, on devient capable de prendre des décisions saines quant à la meilleure façon d'aimer et de résoudre ses problèmes. On se retrouve libre de témoigner de l'affection aux autres sans se torturer et sans les faire souffrir[6].

Le jeu en vaut la chandelle : en récompense on trouve la sérénité, une profonde sensation de paix, la capacité de donner et recevoir de l'amour en s'enrichissant soi-même, en retrouvant toute son énergie et la liberté de trouver de vraies solutions à ses problèmes. On reçoit le loisir de vivre sa vie sans culpabilité excessive envers les autres[7]. Il arrive même que le détachement motive et libère les gens qui nous entourent, les rende capables de résoudre leurs propres problèmes. On cesse de s'en faire pour eux : ils prennent le relais et se mettent à s'en faire pour eux-mêmes. Quelle grandiose perspective ! Chacun s'occupe enfin de ses propres affaires.

J'ai exposé plus haut le cas d'une personne empêtrée dans ses obsessions, ses inquiétudes. J'ai connu bien des gens qui étaient obligés (ou avaient choisi) de vivre aux côtés d'un alcoolique invétéré, d'un enfant lourdement handicapé ou d'un adolescent acharné à s'autodétruire par le biais de la drogue ou de la délinquance. Ces gens-là ont tenté de vivre avec (ou en dépit de) leurs problèmes. Ils ont pleuré leurs pertes, puis trouvé le moyen de vivre non pas dans la résignation, le martyre et le désespoir, mais au contraire dans l'enthousiasme et la paix, et en éprouvant une authentique gratitude pour ce qu'il y avait de bon dans leur vie. Ils ont pris leurs responsabilités. Ils ont donné aux autres, ils les ont aidés et aimés. Mais ils ne se sont pas oubliés pour autant. Ils se sont tenus eux-mêmes en grande estime. Ils n'y sont pas arrivés à la perfection, sans effort et instantanément. Mais ces choses-là, ils les ont faites de leur mieux, et ils ont appris à les faire bien.

Je leur voue une reconnaissance infinie. Ils m'ont prouvé que le détachement était possible, que cela pouvait marcher. Je voudrais vous transmettre ce même espoir. Je souhaite également que vous trouviez d'autres êtres à qui le transmettre à votre tour, car le détachement est un phénomène réel qui s'épanouit quand on le renforce et quand on l'entretient.

Le détachement est à la fois un acte et un art. C'est un mode de vie. Pour moi, c'est aussi un don. Un don que recevront ceux qui le chercheront.

Comment se détacher ? Comment échapper affectivement, mentalement, physiquement et spirituellement à la torture de cet enchevêtrement ? Comme on peut. Et, au début, avec une certaine maladresse, sans doute. Chez les A.A. et les Al-Anon, on propose traditionnellement une formule en trois parties intitulée « HOW » : Honnêteté, Ouverture d'esprit et Bonne volonté[8].

Dans les chapitres qui suivent, je passerai en revue un certain nombre de concepts spécifiques visant au détachement dans certaines formes d'attachement. Nombre de ceux que j'aborderai plus tard conduiront au détachement. C'est à vous de voir si ces idées s'appliquent à votre cas particulier, à vous de trouver ensuite votre voie. Avec un peu d'humilité, la volonté de céder et quelques efforts, je suis sûre que vous pouvez y arriver. Je crois sincèrement que, comme pour l'obsession, l'inquiétude et les tendances dominatrices, le détachement peut devenir une réaction automatique : il suffit de le pratiquer. Vous ne le pratiquerez peut-être pas à la perfection, mais c'est le cas de tout le monde. Quels que soient votre approche et le rythme que vous adopterez, j'ai la certitude que vous ne pourrez qu'en tirer profit. J'espère que vous serez capable de vous détacher en continuant d'éprouver de l'amour pour celui ou ceux dont vous vous détacherez. Pour moi, il est toujours préférable de faire les choses dans un contexte d'amour. Toutefois, et pour diverses raisons, ce n'est pas toujours possible. Dans ce cas, il me semble qu'il vaut mieux se détacher dans la colère que de maintenir le statu quo. Une fois détaché, on est plus à même de se pencher sur son ressentiment (ou de l'évacuer). En restant attaché, on ne fait que stagner.

Quand faut-il se détacher? Quand on ne peut plus s'empêcher de penser à l'objet de son obsession, quand on en parle et s'en inquiète sans cesse; quand on sent ses émotions bouillonner continuellement; quand on a l'impression de *devoir* faire quelque chose pour untel parce qu'on ne peut plus supporter ça une minute de plus; quand on est suspendu à un fil et qu'on le sent s'effilocher; quand on ne croit plus pouvoir vivre longtemps avec le problème qu'on a essayé de supporter. Le moment est venu de se détacher! Vous saurez reconnaître les signes. Dans le doute, on peut toujours se dire : il est grand temps de se détacher lorsque la chose n'a jamais paru aussi improbable, aussi irréalisable.

Je terminerai ce chapitre par une histoire vraie. Un soir, aux environs de minuit, mon téléphone a sonné. J'étais déjà couchée, et en décrochant le combiné je me suis demandé qui pouvait bien m'appeler à une heure pareille. Je me suis dit que ce devait être une urgence.

Et, d'une certaine manière, c'était la vérité. Il s'agissait d'une inconnue, une femme qui avait passé la soirée à téléphoner à tous ses amis afin de trouver un peu de réconfort. Manifestement, ça n'avait pas marché. Quelqu'un lui avait donné le numéro de quelqu'un d'autre, qui lui avait donné le numéro de quelqu'un d'autre et ainsi de suite, jusqu'à ce que la dernière personne lui suggère de m'appeler.

Juste après s'être présentée, elle s'est embarquée dans une grande tirade. Son mari était un habitué des Alcooliques anonymes. Il s'était séparé d'elle et fréquentait désormais une autre femme parce que, disait-il, il voulait « se trouver ». De plus, avant de la quitter, il s'était mis à débloquer complètement et avait cessé de se rendre aux séances des

A.A. Et elle se demandait : « S'il débloque à ce point, n'est-ce pas parce qu'il fréquente une femme *tellement plus jeune que lui ?* »

Je suis tout d'abord restée sans voix, puis j'ai eu un peu de mal à intervenir. Elle ne pouvait plus s'arrêter. Au bout du compte, elle m'a demandé : « Vous ne croyez pas qu'il est malade ? Qu'il débloque ? Vous ne croyez pas qu'il faudrait faire quelque chose ?

– C'est possible, ai-je répondu. Mais, de toute évidence, ni vous ni moi ne pouvons rien pour lui. C'est pour vous que je m'inquiète. Qu'est-ce que vous en pensez, *vous ?* Qu'est-ce que vous ressentez ? Qu'est-ce qu'il faut que *vous* fassiez pour *vous-même ?* »

Cher lecteur, je voudrais vous dire la même chose. Je sais que vous avez des problèmes. Je comprends bien qu'un grand nombre d'entre vous souffrent profondément à cause de certains membres de leur entourage, et que vous vous faites beaucoup de souci pour eux. Ils sont peut-être en train de se détruire sous vos yeux, et de vous détruire, vous et votre famille, par la même occasion. Mais je ne peux rien faire pour remettre ces personnes dans le droit chemin, ni vous non plus, sans doute. Si c'était possible, vous l'auriez déjà fait.

Alors détachez-vous. Dans l'amour ou dans la colère, mais luttez pour vous détacher. Je sais que c'est difficile, mais petit à petit les difficultés s'aplaniront. Si vous ne pouvez pas lâcher complètement prise, essayez de « relâcher un peu votre emprise[9] ». Détendez-vous. Mettez-vous à l'aise. Et, maintenant, respirez profondément. C'est de vous qu'il s'agit.

EXERCICES PRATIQUES

1. Y a-t-il dans votre vie un problème ou une personne qui vous cause un souci excessif ? Décrivez ce problème ou cette personne. Écrivez autant que vous voudrez, jusqu'à ce que vous ayez dit tout ce que vous aviez à dire. Ensuite, concentrez-vous sur vous-même. Qu'en pensez-vous ? Quelles sont vos impressions ?

2. Que ressentez-vous à l'idée de vous détacher de ce problème, de cette personne ? Que se passerait-il si vous y arriviez ? Est-il probable que vous y arriviez un jour ? Quelle aide avez-vous jusqu'à présent puisée dans l'attachement – dans l'inquiétude perpétuelle, l'obsession, l'effort pour contrôler la situation ?

3. Si ce problème ou cette personne n'existait pas, en quoi votre vie serait-elle différente ? Que ressentiriez-vous, comment vous comporteriez-vous ? L'espace de quelques minutes, représentez-vous vivant cette vie-là, éprouvant ces sentiments et agissant de cette manière – malgré votre problème actuel. Visualisez vos mains remettant entre celles de votre Puissance supérieure la personne ou le problème qui vous préoccupe[10]. Visualisez Ses mains tenant doucement, tendrement la personne ou acceptant volontiers le problème. Et maintenant, visualisez Ses mains vous enserrant. Pour le moment, tout va bien. Les choses sont ainsi qu'elles doivent être. Tout ira bien – mieux que vous ne pourriez le croire.

---

1. Cette citation est extraite d'une brochure intitulée *Détachement* contenant une série de textes écrits par des membres anonymes des Al-Anon.

2. C'est-à-dire : « Vos zones erronées » (*N.d.T.*). Wayne W. Dyer, *Your Erroneous Zones* (New York : Funk and Wagnalls, 1976), p. 89. Disponible par l'intermédiaire de Hazelden Educational Materials.

3. *One Day at a Time in Al-Anon*. New York : Al-Anon Family Group Headquarters, Inc., 1976. Disponible par l'intermédiaire de Hazelden Educational Materials.

4. Héroïne insouciante des ouvrages d'Eleanor H. Porter, romancière américaine de la fin du siècle dernier. (*N.d.T.*)

5. Judy Hollis. *Maigrir, une affaire de famille*, Center City (Mn.) : Hazelden Educational Materials, 1985. Paris : Éditions Jean-Claude Lattès, 1991.

6. Terence Williams, *Free to Care, Therapy for the Whole Family*, Center City (Mn.) : Hazelden Educational Materials, 1975.

7. Judi Hollis, cf. note 5.

8. Les trois lettres de « HOW » (c'est-à-dire, en anglais : « COMMENT ») forment les initiales des trois préceptes : « Honesty », « Openness » et « Willingness to try ». (*N.d.T.*) ; Carolyn W. *Detaching with Love*, Center City (Mn.) : Hazelden Educational Materials, 1984, p. 5.

9. Lois Walfrid Johnson. *Either Way I Win : A Guide to Growth in the Power of Prayer*, Minneapolis (Mn.) : Augsburg, 1979.

10. Earnie Larsen pratique un exercice de méditation similaire à la fin de ses séminaires.

6

Ne pas se laisser malmener par tous les vents

« En douceur, tout en douceur. »

– Slogan du programme en Douze Étapes.

Je ne suis capable que de réagir.

Voilà la constatation cuisante qui m'est brusquement venue à l'esprit un jour où j'étais seule dans mon bureau. J'avais bien entendu des gens évoquer le problème de la réaction, mais, jusque-là, je n'avais pas vu à quel point je réagissais.

Je réagissais aux sentiments des autres, à leur comportement, à leurs problèmes et à leurs idées. Je réagissais à ce que je *pensais* être leurs sentiments, leurs pensées, leurs actes. Je réagissais à mes propres sensations, mes propres idées et problèmes. Apparemment, mon point fort était la réaction aux crises – pour moi, il n'y avait pratiquement *que* des crises. Je réagissais démesurément. La plupart du temps, je refoulais une panique qui confinait à l'hystérie.

Parfois, je tombais dans l'extrême inverse : je réagissais trop peu. Quand je me retrouvais confrontée à un véritable problème, je me servais souvent de la dénégation. Je réagissais pour ainsi dire à tout ce qui surgissait dans mon champ de conscience ou mon environnement. Ma vie tout entière, me suis-je dit, a été une réaction à celle des autres, à leurs désirs, leurs difficultés, leurs défaillances, leurs succès, leur personnalité. Jusqu'à la piètre opinion que j'avais de moi-même, et que je traînais derrière moi comme un sac poubelle plein d'ordures puantes : cela aussi était une réaction. J'étais comme une marionnette invitant tout et tout le monde à tirer sur ses ficelles.

La plupart des codépendants sont « réagissants ». On réagit par la colère, la culpabilité, la honte, la haine de soi, l'inquiétude, la souffrance, les attitudes dominatrices, les actes d'investissement en autrui, la dépression, le désespoir et la fureur. *On réagit par la peur et l'angoisse.* Certains d'entre nous réagissent si fort qu'il leur devient pénible d'être entourés ; quant à la foule, c'est pour eux une véritable torture. Il est naturel de réagir à son environnement et d'agir en conséquence. Cela fait partie de la vie, de l'interaction normale. C'est cela être vivant, être humain. Seulement nous, les codépendants, nous nous mettons dans tous nos états ; nous nous laissons bouleverser *démesurément.* Les catastrophes comme les vétilles, tout a le pouvoir de nous perturber complètement. Et la réponse qui suit la réaction est souvent contraire à notre propre intérêt.

Peut-être nous sommes-nous mis à réagir dans l'urgence et à répondre de façon compulsive en adoptant des schémas de comportement mauvais pour notre bien-être. Le simple fait d'*éprouver* un sentiment d'urgence nous fait du mal. Nous nous maintenons nous-même en état de crise : l'adrénaline coule à flots, les muscles sont contractés, prêts à réagir à des urgences qui n'en sont généralement pas. Untel a fait ou dit telle ou telle chose : on se sent obligé de faire ou dire quelque chose. Untel ressent telle ou telle émotion : on se doit d'éprouver tel ou tel sentiment. ON SE PRÉCIPITE SUR LE PREMIER SENTIMENT QUI PASSE, ET ON S'Y VAUTRE ALLÉGREMENT. On saisit la première pensée qui nous passe par la tête et on la développe. On prononce les mots qui nous viennent spontanément, et souvent on le regrette. On fait ce qui nous vient à l'esprit, le plus souvent sans réfléchir. Voilà bien le problème : on réagit sans y penser, sans se demander honnêtement si c'est bien là ce qu'on doit faire, s'il n'y a pas d'autre moyen d'aborder le problème. Nos émotions, nos comportements sont contrôlés — déclenchés — par notre environnement, notre entourage. Indirectement, nous laissons les autres nous dicter notre conduite. Ce qui signifie que nous avons perdu le contrôle de nous-même, que ce sont maintenant les autres qui l'exercent.

En réagissant ainsi, nous renonçons au pouvoir divin de réfléchir, ressentir, agir *dans notre propre intérêt.* Nous autorisons les autres à choisir pour nous le moment où nous serons heureux ou, au contraire, le moment où nous nous sentirons mal; désormais, ce sont eux qui décident de ce que nous allons dire, faire, penser, éprouver. Nous abandonnons aux caprices de notre environnement notre droit à la sérénité. Nous sommes comme une feuille de papier malmenée par tous les vents.

Voici un exemple de la façon dont j'ai tendance à réagir (il y en a bien d'autres) : je travaille chez moi, et j'ai deux enfants en bas âge. Parfois, quand je suis dans mon bureau, ils se mettent à faire les fous — ils se battent, ils courent dans tous les sens, ils flanquent la pagaille dans la maison, mangent et boivent tout ce qu'ils trouvent dans la cuisine. Ma première réaction, instinctive, est de crier de ma plus belle voix aiguë : « Arrêtez ça tout de suite ! » Dans un deuxième temps, j'ai envie d'en rajouter dans les braillements. Cela me vient naturellement. Il semble plus facile de réagir ainsi que de quitter mon bureau, de me frayer un chemin à travers la lingerie et de monter au premier étage. Cela semble également plus facile que de prendre le temps de réfléchir à la meilleure façon de me comporter dans ce genre de situation. Le problème, c'est que hurler à pleins poumons ne marche pas du tout. En réalité, ce n'est pas plus facile. Cela me fait mal à la gorge, et cela apprend à mes enfants à me faire pousser des hurlements depuis mon bureau.

La réaction est une méthode qui ne marche généralement pas. On réagit trop vite, avec trop d'intensité, trop d'urgence. Dans cet état d'esprit, on ne parvient que rarement à faire pour le mieux. D'ailleurs, on ne nous demande pas de faire quoi que ce soit dans cet état d'esprit-là. Dans la vie, on agit toujours mieux quand on est calme. Rares sont les situations – malgré les apparences – qu'on améliore en perdant son sang-froid.

Alors, pourquoi nous comportons-nous ainsi ?

Nous réagissons parce que nous sommes angoissés, nous avons peur de ce qui s'est passé, de ce qui va peut-être se passer, de ce qui se passe en ce moment.

Souvent nous réagissons comme si tout était crise, parce que nous avons connu tant de crises et pendant si longtemps que la réaction de crise est devenue une habitude.

On réagit parce qu'on croit que les choses *ne devraient pas* se passer ainsi.

Parce qu'on ne se sent pas bien dans sa peau.

Parce que la plupart des gens réagissent aussi.

Parce qu'on s'y croit obligé.

Or, on n'y est pas obligé.

Nous n'avons pas à craindre à ce point les autres. Ce sont des gens normaux, ils n'ont rien de plus que nous.

Nous n'avons pas à sacrifier notre propre paix. Ça ne sert à rien. Nous disposons des mêmes ressources, des mêmes éléments quand nous sommes en paix qu'en temps de frénésie et de chaos. En réalité nous en avons même davantage, parce que, alors, l'esprit, les émotions sont libres de fonctionner à plein rendement.

Nous n'avons pas à abdiquer notre pouvoir de réflexion et d'émotion en faveur d'un objet ou d'une personne extérieurs à nous. Cela non plus, personne ne nous le demande.

Nous n'avons pas à prendre les choses tellement au sérieux (que ce soit nous-même, les événements ou les autres). Dans notre tête, nos sentiments, nos pensées, nos actions, nos erreurs prennent des proportions exagérées. Et ceux des autres aussi. On se dit : c'est épouvantable, terrible, c'est une tragédie, c'est la fin du monde. Certes, il y a beaucoup de choses tristes, déplorables, déplaisantes – mais le seul moment où l'on doive dire « c'est la fin du monde »... c'est à la fin du monde. Les sentiments ont de l'importance, mais ce ne sont que des sentiments. Il en va de même pour les pensées – et nous avons des pensées différentes, sans compter qu'elles sont toujours susceptibles de changer. Nos paroles, nos actes, ainsi que ceux des autres, ont de l'importance, bien sûr, mais le sort du monde ne dépend pas de tel ou tel discours, de telle ou telle initiative. Et si la formulation ou l'accomplissement de telle ou telle chose revêt une importance toute particulière, ne vous en faites pas : cela ne manquera pas de se produire. Décontractez-vous. Prenez le temps de bouger, de parler, d'être ce que vous êtes – humain –, et donnez-le aux autres. Laissez sa chance à la vie. Donnez-vous la possibilité d'en profiter.

Nous n'avons pas à considérer le comportement d'autrui comme le reflet de notre propre valeur. Nous n'avons pas à nous sentir gênés si la personne que nous aimons décide de se comporter de manière inadéquate. Notre réaction est normale. Inutile, donc, de persister dans votre gêne, de vous sentir « moins que » si elle persiste dans son comportement inadéquat. Chacun est responsable de sa propre conduite. Si quelqu'un autour de vous a un comportement aberrant, laissez-le à sa propre honte. Si vous, vous n'avez rien fait d'embarrassant, ne vous sentez pas gêné. Je sais bien que l'idée n'est pas facile à concevoir, mais je vous assure qu'on arrive à se l'approprier.

Nous n'avons pas à considérer le rejet comme le reflet de notre propre valeur. Si une personne qui compte beaucoup (ou même peu) pour vous vous rejette, vous ou vos choix, vous n'en êtes pas moins réel, votre valeur propre n'a pas changé d'un iota. Éprouvez tous les sentiments qui accompagnent normalement le rejet ; dites ce que vous avez sur le cœur ; mais devant le désaveu ou le rejet de ce que vous êtes ou de ce que vous avez fait, ne renoncez pas à l'estime que vous vous portez. Même si la personne qui compte le plus au monde pour vous vous rejette, vous continuez d'exister, vous êtes toujours le même. Si vous vous êtes trompé, s'il vous faut résoudre un problème ou modifier votre attitude sur tel ou tel point, alors faites les démarches qui s'imposent pour prendre soin de vous-même. Mais ne vous rejetez pas, et n'accordez pas tant de pouvoir au rejet formulé par autrui. Ce n'est pas nécessaire.

Nous n'avons pas à tout prendre pour nous. Nous prenons à cœur des choses qui doivent être abordées autrement. Par exemple, dire : « Si tu m'aimais, tu ne boirais pas » à un alcoolique revient à dire : « Si tu m'aimais, tu ne tousserais pas » à une personne atteinte de pneumonie. Quand on a une pneumonie, on tousse jusqu'à ce qu'on reçoive un traitement approprié. Même chose pour les alcooliques. Quand les gens souffrant d'un trouble obsessionnel se livrent à leur obsession, ils ne vous disent pas qu'ils ne vous aiment pas, mais qu'ils ne s'aiment pas eux-mêmes.

Les petites choses non plus, nous n'avons pas à les prendre pour nous. Si, autour de vous, quelqu'un traverse une mauvaise passe ou se met en colère, ne partez pas du principe que vous y êtes pour quelque chose. C'est peut-être le cas, mais alors vous vous en apercevrez vite. Dans l'ensemble, on est toujours moins directement concerné qu'on veut bien le croire.

Si quelqu'un vous dérange, est de mauvaise humeur, vous envoie promener, passe une mauvaise journée, broie du noir, a des problèmes ou souffre d'alcoolisme avéré, ce n'est pas une raison pour le laisser vous mener par le bout du nez, gâcher votre vie ou votre journée, voire une seule heure de cette journée. Si les gens n'ont pas envie d'être avec vous ou de se comporter de manière saine, il ne faut pas y voir un reflet de votre valeur *à vous*. C'est sur leur situation *à eux* qu'ils jettent le discrédit. En pratiquant le détachement, on peut atténuer ses propres réactions destructrices envers le monde. Détachez-vous des choses. Laissez-les tranquilles, laissez les gens être ce qu'ils sont. Comment pouvez-vous savoir si telle perturbation, telle mauvaise humeur, telle méchanceté, telle mauvaise journée, tel état d'esprit ou tel problème ne constitue pas un aspect important et nécessaire de la vie ? Comment pouvez-vous savoir si le problème en question ne va pas finalement vous profiter, à vous ou à quelqu'un d'autre ?

On n'est pas tenu de réagir. On a le choix. Voilà la joie qu'il y a à guérir de la codépendance. Et chaque fois qu'on exerce son droit à décider de ses actes, de ses pensées, de ses sentiments et comportements, on se sent un peu mieux, un peu plus fort.

« Mais, protesterez-vous sans doute, pourquoi ne suis-je pas censé réagir ? Pourquoi ne puis-je pas répondre du tac au tac ? Pourquoi ne puis-je pas me sentir mal ? Il ou elle mérite bien de supporter le poids de mes tourments. » Peut-être, mais pas *vous*. Ce dont il est question ici, c'est de la paix et de la sérénité qui vous manquent, de tous vos moments gaspillés. Comme disait Ralph Edwards : « C'est de votre vie qu'il s'agit. » Comment voulez-vous la vivre ? Ce n'est pas pour lui, pour elle, que vous vous détachez : c'est pour *vous*. Il y a de fortes chances pour que tout le monde s'en trouve mieux.

Nous sommes comme des chanteurs dans un chœur. Si le type d'à côté se met à chanter faux, ce n'est pas une raison pour en faire autant, non ? Est-ce que ça ne nous rendrait pas plutôt service, à lui aussi bien qu'à nous, de faire en sorte de ne pas détonner ? Nous pouvons apprendre à assurer notre partie.

Nul besoin d'éliminer toutes nos réactions envers les gens et les difficultés. Les réactions peuvent avoir leur utilité. Elles nous aident à identifier ce que nous aimons, ce qui nous fait du bien. Grâce à elles nous repérons les problèmes qui se posent en nous et à l'extérieur de nous. Mais, pour la plupart, nous réagissons exagérément. Et, dans la plupart des cas, pour des bêtises. Tout ça n'a pas tant d'importance ; ça ne mérite pas qu'on y consacre autant de temps et d'attention. Ce à quoi nous réagissons est partiellement constitué de la réaction des autres envers nous. (Je suis en colère parce qu'il s'est mis en colère ; il s'est mis en colère parce que j'étais en colère ; j'étais en colère parce que je croyais qu'il était en colère contre moi ; or, il n'était pas en colère, il avait de la peine parce que...)

Nos réactions prennent si bien la forme de réactions en chaîne que, très souvent, tout le monde est fâché sans que personne sache pourquoi. On est fâché, voilà tout. Et puis plus personne ne sait où il en est, tout le monde se laisse entraîner par tout le monde. Il arrive que les gens se comportent d'une certaine manière dans le seul but de susciter en nous une certaine réaction. Si nous cessons de réagir ainsi, nous les privons de tout le plaisir qu'ils y prennent. Nous leurs reprenons le contrôle et le pouvoir qu'ils ont sur nous.

Parfois, nos réactions obligent les autres à réagir d'une certaine façon. Nous les aidons en cela à justifier un certain type de comportement. (Et ça, nous n'en voulons plus, n'est-ce pas ?) Parfois, le fait de réagir rétrécit tellement notre champ de vision que nous nous retrouvons coincés devant les symptômes, les problèmes qui ont suscité notre réaction. On est tellement occupé à réagir qu'on n'a plus ni le temps, ni l'énergie nécessaires pour isoler le véritable problème, et encore moins pour entreprendre de lui trouver une solution. On peut passer des années à réagir à chaque incident dû à l'alcool et aux crises qui en résultent, sans jamais se rendre compte que le vrai problème, c'est l'alcoolisme ! N'ayez plus ces réactions inutiles et vaines. Éliminez les réactions qui vous font du mal à *vous.*

Voici quelques conseils destinés à vous aider à vous détacher des autres et de vos réactions destructrices par rapport à eux. Ce ne sont jamais que des suggestions. Il n'existe pas de recette dans ce domaine. Vous devez trouver votre voie, celle qui fonctionne dans votre cas précis.

1. Apprenez à vous en rendre compte lorsque vous réagissez, lorsque vous laissez quelque chose ou quelqu'un tirer sur vos ficelles. En général, si vous commencez à vous sentir angoissé, effrayé, indigné, scandalisé, rejeté, lorsque vous vous lamentez sur votre sort, quand vous avez honte, quand vous vous faites du souci, quand vous ne savez plus où vous en êtes, c'est qu'il y a autour de vous quelque chose qui vous tarabuste. (Je ne dis pas qu'il est mal d'éprouver ce genre d'émotions. Il est probable que n'importe qui réagirait ainsi. La différence est que nous, nous devons apprendre à déterminer leur durée, et ce que nous allons en faire.) Souvent, quand on emploie les mots « A cause de cela/de lui/d'elle, je me suis senti(e)... », c'est qu'on est en train de réagir. La perte du sentiment de paix, de sérénité, est sans doute le signe le plus net de l'enfermement dans une forme ou une autre de réaction.

2. Mettez-vous à l'aise. Quand vous vous rendez compte que vous vous trouvez au cœur d'une réaction chaotique, faites et dites le moins de choses possibles en attendant d'avoir retrouvé votre niveau habituel de sérénité et de paix. Faites le nécessaire pour vous décontracter (c'est-à-dire : rien qui soit destructeur, pour vous ou pour les autres.) Respirez profondément. Partez vous promener. Allez rendre visite à un ami. Allez à une réu-

nion des Al-Anon. Lisez un ouvrage de méditation. Faites un voyage au soleil. Regardez une émission à la télévision. Trouvez un moyen de vous séparer affectivement, mentalement et (s'il le faut) physiquement de ce qui provoque votre réaction. Cherchez à soulager votre angoisse. Ne vous servez pas un verre, n'allez pas conduire dans les petites rues à 140 à l'heure. Trouvez quelque chose qui soit sans danger et contribue à rétablir votre équilibre.

3. Penchez-vous sur l'incident en question. S'il est mineur, vous réussirez sans doute tout seul à y voir plus clair. Sinon, si c'est un ennui grave ou s'il vous perturbe sérieusement, il serait peut-être bon d'en parler avec un ami afin de faire le tri dans vos pensées et vos émotions. Comme les sentiments, les difficultés ont tendance à perdre toute mesure quand on les garde pour soi. Dites ce que vous ressentez. Prenez en charge vos sentiments. Éprouvez-les, quels qu'ils soient. Personne ne vous a obligé à vous sentir comme ceci ou comme cela. On a pu susciter en vous des sentiments de telle ou telle nature, mais ces sentiments, c'est *vous* qui les avez ressentis. Regardez-les en face. Dans un deuxième temps, dites-vous la vérité sur ce qui s'est passé[1]. Quelqu'un vous a envoyé promener ? Dans le doute, lorsque je me demande s'il faut interpréter ce qu'on m'a dit comme une insulte, un rejet, je préfère croire que ça n'avait rien à voir avec moi. Cela m'évite de perdre mon temps et m'aide à garder confiance en moi. Essayez-vous de contrôler quelqu'un, de maîtriser une situation ? Le problème est-il vraiment grave ? Prenez-vous des responsabilités à la place de quelqu'un d'autre ? Êtes-vous fâché parce que quelqu'un n'a pas su voir ce que vous vouliez vraiment, ce que vous cherchiez en fait à lui dire ? Vous sentez-vous personnellement visé par la conduite de telle ou telle personne ? A-t-on déclenché chez vous quelque signal d'insécurité, de culpabilité ? Est-ce réellement la fin du monde, ou bien seulement triste et décevant ?

4. Réfléchissez à ce que vous devez faire pour prendre soin de vous-même. Fondez vos décisions sur la réalité ; et, pour les prendre, attendez d'être en paix. Faut-il vous excuser ? Êtes-vous disposé à fermer les yeux ? Avez-vous besoin de parler à cœur ouvert avec quelqu'un ? De prendre une autre décision pour vous occuper de votre propre sort ? Quand le moment sera venu, gardez en tête la nature de vos responsabilités. Vous n'avez pas la charge d'amener les autres à « voir la lumière », vous n'êtes pas obligé de les « remettre dans le droit chemin ». Votre responsabilité, c'est de parvenir *vous-même* à la lumière, de vous remettre *vous-même* dans la bonne voie. Si vous ne parvenez pas à prendre tranquillement votre décision, laissez tomber. C'est que le moment n'est pas encore venu. Attendez que vos pensées aient retrouvé leur cohérence, et vos émotions leur sérénité.

Ralentissez l'allure. Vous n'avez aucune raison d'avoir peur à ce point. Inutile de manifester une telle frénésie. Prenez du recul. Faites en sorte que la vie soit plus facile pour *vous*.

EXERCICES PRATIQUES

1. Passez-vous trop de temps à réagir à telle personne, tel élément de votre environnement ? De qui ou de quoi s'agit-il ? Quelle forme prend votre réaction ? Est-ce l'attitude que vous adopteriez, les sentiments que vous éprouveriez si vous aviez le choix ?

2. Relisez les étapes décrites ci-dessus en ce qui concerne le détachement par rapport à l'élément, la personne qui vous préoccupent le plus. Si vous avez besoin de parler, choisissez un ami en qui vous ayez confiance. S'il le faut, adressez-vous à un professionnel.

3. Quelles sont les activités qui vous aident à trouver la paix, qui vous mettent à l'aise ? (En ce qui me concerne : me rendre à une réunion du programme en Douze Étapes, prendre un bain bien chaud, voir un bon film et aller danser.)

---

1. William Backus et Marie Chapian, *Telling Yourself the Truth*, Minneapolis (MN) Bethany Fellowship, Inc., 1980.

7

Libérez-vous

> *« Laissez-vous faire, et laissez faire Dieu. »*
>
> *– Slogan du programme en Douze Étapes.*

Les codépendants ont la réputation d'être des gens dominateurs.

Ils harcèlent les autres, ils leur font sans cesse la leçon ; ils crient, ils houspillent, ils pleurent. Ils les supplient, ils essaient de les soudoyer ou de les contraindre ; ils leur tournent autour, ils ont tendance à les protéger, les accuser, leur courir après ou les fuir en courant. A force de discours, ils s'efforcent de les convaincre de faire ceci, de ne pas faire cela, ils cherchent à les culpabiliser, les séduire, les prendre au piège ; ils veulent toujours savoir comment ils vont, leur montrer à quel point ils ont été blessés, et les blesser en retour afin de leur faire voir ce que c'est. Ils les menacent de s'en prendre à eux-mêmes, leur jouent la comédie du pouvoir, ils lancent des ultimatums. Ils font les choses à leur place, refusent de faire les choses à leur place, ils les plantent là, se vengent d'eux, gémissent, leur font des scènes terribles. Ils se montrent tout désemparés, leur font bien voir qu'ils souffrent en silence, essaient de leur plaire, mentent, se livrent à de petites ou de grandes sournoiseries ; ils posent la main sur leur cœur en parlant de mourir, ils se prennent la tête à deux mains en parlant de devenir fou, ils battent leur coulpe en parlant de meurtre. Ils quêtent une aide extérieure, pèsent soigneusement leurs mots, couchent avec les gens ou refusent de coucher avec eux, ont des enfants avec eux, marchandent, les traînent chez le psychologue, racontent du mal d'eux, leur disent des méchancetés, les insultent, les condamnent ou prient pour qu'il y ait un miracle, et en paient le prix. Ils vont là où ils n'ont pas envie d'aller, traînent toujours dans les parages, supervisent, ordonnent, commandent, se plaignent ; ils écrivent aux autres ou parlent d'eux par lettre, restent à la maison à attendre leur retour ou partent à leur recherche. Ils téléphonent partout pour savoir où ils sont, sillonnent des ruelles obscures, la nuit, en voiture, dans l'espoir de les repérer ; ils les y poursuivent dans l'espoir de les attraper, ils les fuient en courant. Ils les ramènent à la maison, ils les y gardent, ils les jettent dehors, déménagent pour leur échapper ou les suivent jusqu'au bout du monde. Ils les morigènent, s'efforcent de leur faire comprendre, les conseillent, leur donnent une bonne leçon, les remettent dans le droit chemin, insistent ou cèdent. Ils les amadouent, ils les provoquent ; ils essaient de les rendre jaloux ou de leur faire peur, ils les rappellent à leurs devoirs, leur posent des questions, placent des allusions. Ils fouillent leurs poches, leur portefeuille, leurs tiroirs, leur boîte à gants, leur passé. Ils cherchent dans la chasse d'eau des toilettes, cherchent à voir dans l'avenir ; ils téléphonent à leur famille pour parler d'eux, ils raisonnent, règlent les problèmes une bonne fois pour toutes puis les règlent une nouvelle fois. Ils châtient, récompensent, sont sur le point d'abandonner, puis recommencent à s'échiner...

La liste des manœuvres bien commodes ne s'arrête pas là : soit j'en oublie, soit je ne les ai pas encore toutes mises à l'épreuve.

Nous ne comptons pas parmi ceux qui « font arriver les choses ». Les codépendants sont des gens qui s'évertuent éperdument à forcer les événements.

Cette domination, c'est au nom de l'amour que nous l'exerçons.

Si nous agissons ainsi, c'est simplement « dans l'intention de nous rendre utiles ».

C'est parce que nous sommes mieux placés pour savoir comment les choses devraient marcher, comment les gens devraient se comporter.

Parce que nous avons raison et qu'ils ont tort.

Si nous contrôlons tout, c'est par peur de ne pas tout contrôler.

Parce que nous ne savons pas quoi faire d'autre.

Pour cesser de souffrir.

Parce que nous nous en sentons obligés.

Parce que nous ne réfléchissons pas.

Parce que nous ne pouvons penser à rien d'autre.

Et pour finir, si nous contrôlons tout c'est parce que nous n'avons jamais su nous y prendre autrement.

Tyranniques et dominateurs, certains règnent d'une main de fer du haut d'un trône où ils se sont eux-mêmes installés. Ils sont puissants. Ils savent mieux que les autres. Et, nom de nom, il en sera ainsi ! Ils sont bien décidés à s'en assurer.

D'autres accomplissent leur basse besogne à l'abri des regards. Ils sévissent derrière une façade de douceur et de bonnes actions en s'occupant secrètement de leurs affaires : LES AFFAIRES DES AUTRES.

D'autres encore pleurent et soupirent, se déclarent incompétents, proclament leur dépendance, se prétendent à grands cris victimes sur tous les tableaux et réussissent parfaitement à tout contrôler par le biais de la faiblesse. Ils sont *tellement* désemparés ! Ils ont *tellement* besoin de votre coopération ! Sans cela, ils ne peuvent pas vivre. Il arrive que les faibles soient les plus puissants des dominateurs, des manipulateurs [1]. Ils ont appris à toujours tirer sur les mêmes ficelles : celles de la pitié et de la culpabilité.

Beaucoup de codépendants combinent différentes tactiques, emploient diverses méthodes. N'importe quoi pourvu que ça marche ! (Il serait plus juste de dire que rien de tout cela ne marche, mais qu'on continue d'espérer.)

Quelles que soient les stratégies mises en œuvre, les buts restent les mêmes : obliger les gens à faire ce que vous voulez qu'ils fassent. Les forcer à se comporter comme vous pensez qu'ils devraient le faire. Les empêcher d'avoir un comportement que vous ne jugez pas souhaitable pour eux, mais qu'ils ne manqueraient pas d'adopter sans votre « aide ». Forcer les choses de la vie à se dérouler, s'agencer de la manière que vous avez choisie, et au moment que vous aurez désigné. Faire en sorte que ce qui se passe, ou ce qui pourrait se passer, n'arrive pas. S'accrocher fermement et ne pas lâcher prise. On est l'auteur de la pièce, et on veut s'assurer que les acteurs et les scènes se présenteront exactement comme on en a décidé. Qu'importe si on s'obstine à ne pas voir les choses en face. Si on fonce avec suffisamment de persévérance, on réussira (croit-on) à arrêter le flot de la vie, à transformer les gens et changer les choses selon son désir.

On se fait des illusions.

Laissez-moi vous conter l'histoire de Maria. Maria a épousé un homme qui s'est révélé être un alcoolique. C'était un buveur occasionnel. Il ne buvait peut-être pas tous les jours, ni tous les week-ends, ni même une fois par mois, mais quand ça le prenait... attention ! Il restait ivre des journées entières, parfois même des semaines. Il s'y mettait dès huit heures du matin et continuait jusqu'à s'évanouir. Il vomissait partout, ruinait le budget familial, se faisait régulièrement renvoyer et créait chaque fois une pagaille insurmontable. Entre les crises, tout n'était pas rose non plus. Il régnait chez eux une ambiance de menace permanente et de sentiments non exprimés. La vie était encombrée de problèmes également non résolus, conséquence de ces abus de boisson. Jamais ils n'arrivaient à prévenir le désastre, toujours ils repartaient du mauvais pied. Mais, pour Maria et ses trois enfants, les choses étaient tout de même plus faciles quand le mari ne buvait pas. Ils gardaient l'espoir qu'un jour ce serait différent.

Or, ce n'était jamais différent. Des années durant, chaque fois que Maria avait le dos tourné il recommençait. Chaque fois qu'elle partait en week-end, qu'elle séjournait à la maternité, qu'il était en déplacement ou absent pour une quelconque raison, il se remettait à boire.

Chaque fois que Maria rentrait ou venait le récupérer, il arrêtait d'un seul coup. Elle en conclut que sa présence était la clef de sa sobriété. Le moyen de contrôler sa consommation d'alcool (et toutes les souffrances qu'elle entraînait), c'était de ne plus quitter la maison et de surveiller étroitement son mari. Une fois qu'elle eut acquis cette méthode de contrôle, et à cause des sentiments croissants de honte, de gêne et d'angoisse ainsi que du traumatisme global auquel la codépendance est globalement associée, Maria devint une recluse. Elle déclinait les occasions de voyager, refusait de fréquenter à l'église les conférences qui l'intéressaient. Le simple fait de sortir pour aller à l'épicerie remettait en question l'équilibre précaire qu'elle avait instauré – ou cru instaurer. Or, malgré sa détermination et ses efforts soutenus, son mari réussissait tout de même à boire. Il trouvait le moyen de boire à la maison sans qu'elle s'en aperçoive, et buvait quand elle était obligée de passer la nuit ailleurs.

A la suite d'une beuverie particulièrement perturbatrice, le mari déclara que s'il buvait c'était à cause de leur situation financière insupportable (omettant de préciser que, s'ils étaient dans ce genre de situation, c'était justement parce qu'il buvait). Il lui dit que si elle trouvait un emploi et contribuait ainsi aux ressources du ménage, il n'aurait plus l'impression de devoir continuer à boire. Cela lui enlèverait un grand poids. Maria réfléchit, puis accepta à contrecœur. Elle craignait de s'absenter de la maison et de ne pas pouvoir faire garder ses enfants. Mentalement et affectivement, elle ne se sentait pas capable de travailler. Par-dessus tout, elle ne digérait pas le fait de devoir ramener à la maison un salaire supplémentaire alors que son mari se comportait de manière aussi irresponsable vis-à-vis de l'argent. Néanmoins, cela valait la peine d'essayer. Que n'aurait-elle pas fait pour empêcher cet homme de boire!

Peu de temps après, Maria trouva un emploi de secrétaire juridique. Elle se débrouillait fort bien – mieux qu'elle ne l'aurait cru. Les codépendants font des employés modèles. Ils ne se plaignent jamais, ils se surpassent, font tout ce qu'on leur demande et s'efforcent de s'acquitter de leur tâche à la perfection – au moins pendant un certain temps. Ensuite apparaissent la colère et le ressentiment.

Maria commença à se sentir un peu mieux. Le contact avec les gens (qui lui avait toujours manqué) lui plaisait, ainsi que le fait de gagner sa vie (même si elle en voulait toujours à son époux de se montrer irresponsable face à l'argent). Ses employeurs l'appréciaient, lui confiaient de plus en plus de responsabilités, et en vinrent à envisager de lui confier un poste d'assistante juridique. Mais, à ce moment-là, Maria sentit poindre l'anxiété – cette intuition qui lui disait que, bientôt, son mari allait se remettre à boire.

L'impression s'éternisa. Et puis, un jour, elle empira. L'angoisse, de celles qui vous nouent les entrailles, revint frapper Maria de plein fouet. Elle voulut appeler son mari. Il n'était pas à son travail comme elle le croyait. Son employeur ignorait où il se trouvait. Elle passa d'autres coups de fil. Personne ne savait où il était. Toute la journée elle se rongea les ongles en appelant tout le monde, frénétiquement, espérant que ses collègues de travail ne sauraient pas percer ses mensonges du genre : « Tout va bien, pas de problème. » En rentrant chez elle ce soir-là, elle constata l'absence de son mari et découvrit qu'il n'était même pas allé chercher les enfants à la crèche, comme il était censé le faire. De nouveau tout allait mal. Le lendemain matin elle donna sa démission, quittant son emploi sans même respecter son préavis. Dès dix heures du matin elle avait réintégré la maison et recommençait à surveiller son mari.

Des années plus tard elle devait déclarer : « J'ai su que je devais le faire. Il fallait que les choses soient à nouveau sous contrôle – SOUS MON CONTRÔLE. »

Ce que je dis, moi, c'est : qui contrôle qui, dans l'histoire ?

Maria apprit ainsi qu'elle n'avait absolument aucun contrôle ni sur son mari, ni sur sa tendance à s'enivrer. Au contraire, c'étaient lui et son alcoolisme qui la contrôlaient.

Le phénomène devint tout à fait clair pour moi un soir, au cours d'une séance collective de soutien familial que j'animais dans un centre de traitement. (Nombre de mes patients ont de la jugeote – plus que moi, en tout cas. J'ai beaucoup appris en les écoutant.) A un moment donné, une épouse d'alcoolique se mit à parler à cœur ouvert à son mari qui, depuis le début de leur mariage, avait passé bon nombre d'années à boire, à se retrouver au chômage ou à séjourner en prison.

« Tu m'accuses d'essayer de te contrôler, et je veux bien l'admettre, lui dit-elle. Je t'ai accompagné dans les bars pour que tu boives moins, je t'ai laissé revenir à la maison alors que tu étais ivre et violent dans l'espoir que tu arrêterais de boire et pour qu'il ne t'arrive pas un accident. J'ai compté tes verres, j'ai bu avec toi (et Dieu sait que j'ai horreur de ça !), j'ai caché tes bouteilles et je t'ai traîné aux réunions des Alcooliques anonymes.

»Mais la vérité, c'est que c'est toi qui me contrôle, a-t-elle ajouté alors. Toutes ces lettres que tu m'écrivais en prison pour me dire ce que j'avais envie d'entendre. Toutes les promesses que tu m'as faites, tous les mots que tu m'as dits. Et chaque fois que je suis prête à te quitter, à m'en aller pour de bon, tu fais ou tu dis exactement ce qu'il faut pour m'empêcher de partir. Tu sais précisément ce que j'ai besoin d'entendre, et c'est cela que tu me dis. Seulement, tu ne changes jamais. Tu n'en as d'ailleurs jamais eu l'intention. Tout ce que tu veux, c'est me contrôler moi. »

Alors le mari a eu un demi-sourire et a hoché la tête. « C'est vrai, a-t-il répondu. Depuis longtemps j'essaie de te contrôler. Et j'ai drôlement bien réussi. »

Quand nous essayons de contrôler des gens, des situations qu'il ne nous appartient pas de contrôler, c'est en fait nous-mêmes qui nous faisons avoir. Nous abdiquons notre capacité de réflexion, d'émotion et d'action, notre propre intérêt. Nous perdons le contrôle de nous-même. Souvent nous ne sommes pas seulement dominés par des individus, mais par des maladies telles que l'alcoolisme, les troubles de l'alimentation ou l'obsession du jeu. L'alcoolisme et les autres troubles destructeurs sont des forces quasi incoercibles. N'oubliez jamais que les alcooliques et autres individus perturbés sont passés maîtres dans l'art de manipuler les autres. En essayant d'exercer notre domination sur eux et sur leur maladie, nous avons trouvé à qui parler. Nous perdrons la bataille – voire la guerre. Nous nous perdrons nous-mêmes, nous perdrons notre vie. Pour citer un adage des Al-Anon : « Ce n'est pas de votre faute ; il n'y a pas de contrôle possible ; et vous n'y pouvez rien. »

Alors, plus la peine d'essayer ! Quand on s'attaque à l'impossible, on en sort extrêmement frustré. Et on empêche le possible de se produire. Ce que je crois, moi, c'est que, quand je m'accroche à quelque chose ou à quelqu'un, quand j'applique ma volonté à telle ou telle situation, ma Puissance supérieure ne peut plus intervenir de manière constructive au niveau de la situation ou la personne en question, ni à mon niveau. Ma volonté de domination bloque son pouvoir, bloque l'évolution potentielle d'autrui. Les événements ne se produisent plus naturellement. Je ne peux plus jouir des gens et des choses.

Le contrôle est une illusion. Ça ne marche pas. On ne peut pas contrôler l'alcoolisme. On ne peut jamais contrôler les comportements obsessionnels des autres, qu'il s'agisse de la nourriture, du sexe ou du jeu, ni leurs comportements tout court. On ne peut pas contrôler les émotions, l'esprit ou les choix des autres (et il ne nous appartient pas de le faire). On ne peut pas contrôler les événements. On ne contrôle pas la vie. Dans certains cas, on ne sait même pas se contrôler soi-même.

En dernière analyse, les gens font ce qu'ils veulent faire, ressentent ce qu'ils veulent ressentir (ou ce qu'ils ressentent), pensent ce qu'ils veulent penser. Ils font ce qu'ils croient devoir faire, et ne changeront que lorsqu'ils y seront prêts. Tant pis s'ils ont tort et nous raison. Tant pis s'ils se font du mal. Tant pis si nous savons que nous pourrions les aider si seulement ils voulaient nous écouter, coopérer. TANT PIS, TANT PIS, TANT PIS!

On ne change pas les gens. Vouloir les contrôler, c'est une illusion, mais c'est aussi du délire. Soit ils résisteront, soit ils redoubleront d'efforts pour nous prouver qu'il nous est impossible de les contrôler. Ils s'adapteront peut-être temporairement à nos exigences, mais, dès que nous aurons le dos tourné, leur naturel reviendra au galop. De plus, ils nous puniront pour les avoir contraints à faire des choses qu'ils ne voulaient pas faire, à être ce qu'ils ne veulent pas être. Quels que soient nos efforts dans ce sens, nous n'obtiendrons jamais de changement définitif ou souhaitable. On peut parfois prendre des initiatives qui auront pour effet d'accroître la volonté de changement de telle ou telle personne, mais ce n'est même pas garanti, et là-dessus non plus nous n'avons aucun contrôle.

C'est la vérité. C'est dommage. C'est parfois difficile à accepter, surtout si celui ou celle qu'on aime se fait du mal, mais c'est comme ça. La seule personne que vous changerez jamais, c'est vous-même. C'est cette personne-là et elle seule qu'il vous appartient de changer.

Détachez-vous. Abandonnez la lutte. Il arrive que, ce faisant, le résultat qu'on attendait et espérait survienne d'un seul coup, presque miraculeusement. Mais c'est parfois l'inverse qui se produit. Parfois, cela ne se produit jamais. Mais vous en tirerez profit de toute façon. Vous n'êtes pas obligé de cesser d'aimer les gens et de prendre soin d'eux. Ni de supporter les mauvais traitements. Ni de laisser tomber les méthodes constructives de résolution des problèmes, telles que l'intervention d'un professionnel. Vous devez simplement vous tenir à l'écart, affectivement, mentalement, spirituellement et physiquement, et laisser les choses et les gens tranquilles. Ne vous en occupez plus. Prenez toutes les décisions qui s'imposent pour subvenir à vos propres besoins, mais ne les orientez plus vers le contrôle d'autrui. Apprenez à vous occuper de vous-même!

« Mais cela a trop d'importance pour moi! protesteront beaucoup de gens. Je ne peux pas me détacher comme ça. »

Si cela a tant d'importance pour vous, vous avez d'autant plus de raisons de vous détacher.

A propos du détachement, j'ai entendu de petits enfants — les miens, par exemple — proférer des paroles fort sagaces. Parfois Shane, mon cadet, se pend trop fort et trop longtemps à mon cou quand je viens de lui faire un câlin. Il manque me faire tomber. Je perds l'équilibre, j'ai hâte qu'il me lâche. Je me mets à lui résister. Peut-être fait-il cela pour me garder encore un peu contre lui. Peut-être aussi est-ce une forme de contrôle. Je l'ignore. Un soir, ma fille l'a regardé faire avec une frustration et une impatience croissantes.

« Shane, a-t-elle dit. Il y a un moment où il faut lâcher prise. »

Ce moment vient pour nous tous. Quand il viendra, vous le saurez. Quand vous aurez fait tout ce qui était en votre pouvoir, il sera temps de vous détacher. Assumez vos propres sentiments. Regardez bien en face votre peur de perdre le contrôle. Reprenez le contrôle sur vous-même et sur vos responsabilités. Laissez les autres libres d'être ce qu'ils sont. Ce faisant, c'est vous que vous libérerez.

EXERCICES PRATIQUES

1. Y a-t-il dans votre vie une personne ou un facteur que vous vous efforciez de contrôler ? Pourquoi ? Évoquez la situation par écrit.

2. De quelle manière (mentalement, physiquement, affectivement, etc.) subissez-vous un contrôle de la part de la personne ou du facteur que vous essayez vous-même de contrôler ?

3. Qu'arriverait-il (à vous et à la personne en question) si vous vous en détachiez ou si vous vous détachiez de la situation ? Cela se produira-t-il quand même, malgré votre attitude dominatrice ? Que gagnez-vous à tenter de contrôler la situation ? Quel profit l'autre retire-t-il de vos efforts pour tout contrôler ? Vos tentatives pour contrôler l'issue des événements sont-elles d'une efficacité quelconque ?

---

1. Eda LeShan, « Beware the Helpless », in *Woman's Day*, 26 avril 1983.

8

Supprimer la victime

Nous faisons tellement attention à ce que personne ne souffre ! Enfin, personne sauf nous.

– Un membre des Al-Anon.

Au bout d'un an de convalescence, je me suis rendu compte que je persistais à commettre un certain acte qui me faisait souffrir. Je sentais bien que ce schéma de comportement avait un rapport avec la mauvaise tournure que prenaient généralement mes relations amoureuses. Mais comme je ne savais pas de quoi il s'agissait, je ne pouvais rien y faire.

Par une journée ensoleillée, alors que je marchais dans la rue avec mon ami Scott, je me suis arrêtée, je l'ai regardé et je lui ai demandé : « Quelle est la chose que les codépendants font sans arrêt ? Qu'est-ce qui fait que nous nous sentons tout le temps si mal ? »

Il a réfléchi un moment avant de répondre :

« Les codépendants sont des gardes-malades – des sauveteurs. Ils volent au secours des gens, puis ils les persécutent, et enfin ils se retrouvent en position de victimes. Tu devrais étudier le Triangle tragique de Karpman. Ce Triangle et les rôles correspondants (sauveteur, persécuteur et victime) sont l'œuvre et le résultat des observations de Stephen B. Karpman[1]. » Bien que ce discours n'ait aucun sens pour moi, une fois rentrée chez moi j'ai ressorti les ouvrages de psychologie qui prenaient la poussière sur mes étagères, et je me suis mise à les étudier. Au bout d'un moment, la lumière s'est faite dans ma tête. Tout à coup, je voyais, je comprenais. J'avais l'impression que je venais de découvrir le feu.

C'était exactement ça. Mon – ou plutôt *notre* schéma de comportement. Voilà ce que nous réitérions avec nos amis, nos parents, nos relations, nos patients ou tout autre membre de notre entourage. Dans notre codépendance, nous commettons un tas d'actes différents, mais, ce schéma-là, il revient sans cesse. C'est notre réaction préférée.

Nous sommes des sauveteurs, des gens qui *habilitent les autres, qui les rendent capables* d'agir. Comme dit Earnie Larsen, nous sommes les parrains et marraines de la terre entière. Non seulement nous satisfaisons les besoins des autres, mais, en plus, nous les anticipons. Nous les remettons d'aplomb, nous leur apportons ce dont ils ont besoin, nous nous faisons du mauvais sang pour eux. Nous améliorons, résolvons, entourons. Et nous y réussissons parfaitement. « Vos désirs sont des ordres », voilà notre leitmotiv. « Votre problème est aussi le mien », c'est notre mot d'ordre. Nous sommes des gardes-malades.

QUE VEUT DIRE ICI SAUVETAGE ?

Les mots *sauveteur* et *garde-malade* sont quasiment pris ici dans leur sens littéral. Nous sauvons les gens en les soulageant de leurs responsabilités, en prenant celles-ci à leur place. Et, ensuite, nous leur en voulons de ce que *nous* avons fait. Puis nous nous sentons exploités et nous nous lamentons sur notre propre sort. Voilà le schéma, le triangle.

Sauveteur, garde-malade, les deux termes sont synonymes. Leur définition est étroitement liée à celle du verbe *habiliter*, qui qualifie dans le jargon thérapeutique une forme destructrice d'assistance. Tous les actes qui contribuent à faire qu'un alcoolique continue de boire, qui l'empêchent d'en supporter les conséquences ou lui rendent les choses plus faciles sans qu'il ait rien à changer à ses habitudes sont considérés comme comportements d'habilitation.

Selon la formule du thérapeute Scott Egleston, on agit en sauveteur chaque fois qu'on prend quelqu'un d'autre en charge – dans ses pensées, ses sentiments, ses décisions, ses attitudes, son évolution, son bien-être, ses problèmes ou son destin. Suit une liste d'actes constituant une démarche de sauvetage ou de prise en charge :

- On fait ce qu'on n'a pas réellement envie de faire.
- On dit oui quand on voulait dire non.
- On fait quelque chose pour untel alors qu'il est capable de le faire lui-même, ou devrait le faire.
- On répond aux besoins de quelqu'un sans qu'on nous l'ait demandé, et sans avoir expressément accepté de le faire.
- On en fait trop par rapport à ce qu'on nous a demandé.
- On donne toujours plus qu'on ne reçoit dans une situation donnée.
- On impose leurs sentiments aux autres.
- On pense à leur place.
- On parle à leur place.
- On supporte les conséquences des actes de quelqu'un d'autre.
- On résout les problèmes des autres à leur place.
- On investit dans un effort commun plus d'intérêt et d'énergie que l'autre.
- On ne se demande pas ce qu'on veut, ce dont on a besoin, ce qu'on désire.

On est un sauveteur chaque fois qu'on s'occupe activement des autres.

Au moment où l'on joue ce rôle de sauveteur ou de garde-malade on manifeste les réactions suivantes : gêne ; malaise devant le dilemme auquel est confronté l'autre ; sentiment aigu de devoir faire quelque chose ; pitié ; culpabilité ; impression d'être un saint ; angoisse ; extrême conviction d'être *soi-même* responsable de l'autre ou de son problème ; peur ; sentiment de devoir agir contraint et forcé ; réticence (forte ou faible) devant l'obligation de passer à l'acte ; impression d'être plus compétent que la personne qu'on « aide » ou, à l'occasion, rancœur face à la situation. On se dit également que la personne dont on s'occupe est en plein désarroi, incapable de faire ce qu'on fait à sa place. Provisoirement, on se sent indispensable.

Il n'est pas question ici des actes d'amour, de bonté, de compassion, des attitudes authentiquement secourables, des situations où les autres ont légitimement besoin d'aide et la demandent, et où on l'accorde en connaissance de cause. Ces actes-là font partie des bonnes choses de la vie. Mais pas le sauvetage, ni l'investissement total en autrui.

L'acte d'investissement paraît beaucoup plus affectueux qu'il ne l'est en réalité. Pour qu'il s'installe, il faut de l'incompétence de la part de la personne qui en bénéficie. Ce sont des « victimes » qu'on sauve, des gens qu'on ne juge pas capables de prendre soin d'eux-mêmes. Or, ils en sont au contraire tout à fait capables, même s'ils ne veulent pas l'admettre, ni nous non plus. C'est généralement là, dans cet angle du triangle, que rôdent nos victimes, attendant que nous prenions l'initiative pour nous entraîner avec elles dans le triangle.

Une fois que nous leur avons porté secours, nous rejoignons inévitablement le troisième angle : celui de la persécution. On s'irrite, on se met à en vouloir à celui qu'on a si généreusement « aidé ». On a fait une chose qu'on ne voulait pas faire, qu'il ne nous incombait pas de faire, en mettant de côté ses propres désirs, ses propres besoins et, maintenant, on est en colère. Pour compliquer encore l'affaire, la victime – ce pauvre être que nous avons sauvé – ne témoigne aucune reconnaissance. Elle ne se rend pas suffisamment compte du sacrifice que nous avons fait. Elle ne se comporte pas correctement. La victime n'écoute même pas les conseils que nous lui avons prodigués de si bonne grâce. Elle ne veut pas se laisser imposer ses sentiments. Il y a quelque chose qui ne marche pas, qui ne nous paraît pas *bien* : nous nous débarrassons prestement de notre auréole, et nous brandissons nos fourches.

Parfois, les autres ne voient pas (ou préfèrent ne pas voir) notre mauvaise humeur. Parfois nous faisons de notre mieux pour la leur cacher. Il arrive aussi qu'on explose, surtout avec les membres de sa famille : il y a quelque chose dans les liens du sang qui tend à révéler ce que nous sommes *réellement*. Qu'on affiche, qu'on dissimule ou qu'on masque partiellement son agitation, son ressentiment, ON SAIT TRÈS BIEN ce qui se passe.

La plupart du temps, les gens que nous secourons pressentent immédiatement notre changement d'humeur. Ils l'ont vu venir. C'est exactement l'excuse qu'ils attendaient pour se retourner contre nous. A leur tour, maintenant, d'occuper le coin « persécution » du triangle. Cela peut précéder l'apparition de notre colère, coïncider avec elle ou la suivre. Parfois nos victimes réagissent à cette colère. Il s'agit généralement d'une réaction à la prise en charge dont elles ont fait l'objet, puisqu'elle leur prouve, directement ou indirectement, que nous les considérons comme des incapables. Or, ils ont beau s'en accuser bien haut, les gens n'aiment pas qu'on leur signifie ou qu'on leur montre du doigt leur incompétence. Et ils nous en veulent d'ajouter l'insulte à la blessure lorsque nous éprouvons de la colère envers eux après leur avoir fait remarquer leur incompétence.

Alors il est temps pour nous d'aborder notre dernière démarche. Nous nous dirigeons tout droit vers notre emplacement préféré : l'angle « victime » du triangle, *tout au fond*. Voilà le résultat prévisible et incontournable de tout sauvetage. Impuissance, vexation, chagrin, honte et apitoiement sur soi abondent. Nous nous sommes fait exploiter – encore une fois –, nous qui faisons de notre mieux pour aider les gens, pour nous montrer bon avec eux ! Alors nous gémissons : « Pourquoi ? Pourquoi est-ce que ça arrive TOUJOURS à moi ? » Quelqu'un nous a piétiné, maltraité. Nous nous demandons : « Je serai donc toujours une victime ? » C'est probable, en effet, si nous ne cessons pas de nous comporter en sauveteur et en garde-malade.

Beaucoup de codépendants ont, à un moment ou à un autre de leur existence, effectivement été des victimes : ils ont peut-être souffert de mauvais traitements, ils ont été négligés, abandonnés, touchés par l'alcoolisme d'un proche ou par n'importe laquelle de ces circonstances qui font de nous des victimes. A une époque donnée, nous avons été totalement incapables de nous protéger ou de résoudre nos problèmes. Il s'est produit quelque chose qui ne dépendait pas de notre volonté, et nous en avons terriblement souffert. Tout cela est bien triste, vraiment triste. Mais encore plus triste est le fait qu'un grand nombre d'entre nous, codépendants, se sont alors mis à se considérer comme des victimes. Notre pénible histoire se répète. En tant que gardes-malades, nous nous laissons « victimiser » par les autres, et nous participons activement à cette victimisation en volant constamment à leur secours. Le sauvetage, l'investissement en autrui ne sont pas des actes d'amour. Le Triangle tragique est une figure de haine. Il entretient et nourrit la haine de soi et fait obstacle aux sentiments que nous éprouvons pour les autres.

Le triangle et ses rôles alternés de sauveteur, persécuteur et victime est un processus évident à l'intérieur duquel le renversement des rôles et l'évolution des sentiments s'emparent de nous aussi sûrement que si nous suivions un scénario à la lettre. Ce processus peut s'accomplir en quelques secondes, et les émotions accompagnant le renversement peuvent rester modérées. Mais il se peut aussi qu'on mette des années à passer d'un coin du triangle à l'autre, pour aboutir enfin à une explosion majeure. On peut voler au secours des autres vingt fois par jour – et certains d'entre nous ne s'en privent pas.

Laissez-moi vous rapporter un cas illustrant la notion de sauvetage. Une de mes amies avait épousé un alcoolique. Chaque fois qu'il s'enivrait, elle prenait sa voiture, sillonnait les rues de la ville, embauchait tous ses amis et poursuivait inlassablement son mari jusqu'à le trouver enfin. Elle se sentait pleine de sollicitude à son égard, elle se faisait du souci pour lui et le plaignait sincèrement (signe que le sauvetage se préparait), et n'avait de cesse de le ramener à la maison et de le mettre au lit : elle prenait en charge son mari et sa sobriété. Dès qu'il avait la tête sur l'oreiller, la situation changeait du tout au tout. Elle s'empressait de se mettre en position de persécuteur : elle ne voulait pas de ce type chez elle, elle était sûre qu'il allait s'apitoyer sur son triste sort pendant des jours et des jours, il était incapable d'assumer ses responsabilités de père de famille, il se comportait globalement de façon lamentable. Combien de fois il lui avait déjà fait ce coup-là ! Alors elle se mettait à le harceler, d'abord en lui lançant des piques, puis en laissant son agressivité croître jusqu'au déchaînement. Le mari tolérait quelque temps ses persécutions, mais abandonnait bientôt le rôle de la victime impuissante pour endosser celui du persécuteur vindicatif. Alors elle replongeait dans le rôle de victime. Apitoiement sur soi, sentiment d'impuissance, honte et désespoir s'installaient. Voilà toute ma vie, gémissait-elle. Après tout ce qu'elle avait fait pour lui, comment osait-il la traiter de cette façon ? Pourquoi en arrivait-elle toujours au même point ? Elle se sentait victime des circonstances, du comportement scandaleux de son mari, de la vie en général. Jamais il ne lui vint à l'idée qu'elle était aussi victime d'elle-même et de son propre comportement.

Autre exemple. Un été, une de mes amies me demanda de l'emmener dans une pommeraie. Au départ, j'étais d'accord. Nous avons fixé une date, mais, le jour dit, il s'est trouvé que j'étais trop occupée. Je lui ai téléphoné mais, au lieu de lui dire que je ne voulais pas y aller, j'ai proposé de remettre la visite à plus tard. Je me sentais coupable, responsable de ses sentiments à elle – encore un sauvetage qui se profilait. Je ne pouvais me résoudre à la décevoir parce que je ne la jugeais pas capable d'assumer ses propres sentiments, de les prendre en charge. J'étais incapable de lui dire la vérité parce que je craignais qu'elle ne se fâche – nouvelle récupération de ses sentiments à *elle* –, comme si la colère d'autrui me concernait *moi* ! Le week-end suivant arriva, et je me débrouillai pour caser cette visite dans un emploi du temps pourtant de plus en plus surchargé. Je ne voulais pas y aller. Je n'avais même pas besoin de pommes : j'en avais plein mon réfrigérateur. Avant même de me garer devant chez elle, j'avais déjà endossé le rôle du persécuteur. En route vers le verger, je me sentais tendue, je bouillais de ressentiment. Une fois sur place, comme nous regardions et goûtions les pommes, il apparut que ni l'une ni l'autre n'avait envie d'être là. Au bout de quelques instants, mon amie se tourna vers moi et me dit : « En fait, je n'ai pas vraiment l'intention de prendre des pommes. J'en ai déjà acheté la semaine dernière. Si je suis venue, c'est seulement parce que je croyais que tu en avais envie et que je ne voulais pas te faire de la peine. »

Ceci n'est qu'un des mille sauvetages auxquels j'ai consacré toute mon existence. Lorsque j'ai commencé à comprendre le processus, je me suis rendu compte que j'avais passé le plus clair de ma vie éveillée à sauter d'un coin à l'autre du triangle en prenant en charge tout et tout le monde à l'exception de moi-même. Mes sauvetages étaient tantôt considérables, tantôt infimes. Toutes mes amitiés s'amorçaient, se poursuivaient et s'achevaient sur le même principe. La pulsion de sauvetage infiltrait tous mes rapports, qu'il s'agisse des membres de ma famille ou de mes patients. A cause d'elle, j'étais perpétuellement dans tous mes états.

Deux codépendants liés l'un à l'autre peuvent se rendre la vie impossible. Prenez par exemple deux individus passant leur temps à essayer de plaire aux autres, et imaginez qu'ils vivent en couple. Maintenant, prenez ces mêmes individus au moment où ils désirent tous deux mettre fin à leur liaison. Comme dit Earnie Larsen, ces deux-là vont accomplir des horreurs. Ils vont approcher dangereusement de l'autodestruction et de la destruction mutuelle, puis l'un va laisser tomber le rôle du sauveteur et dire : « Tout est fini entre nous. »

Codépendants, nous passons le plus clair de notre temps à porter secours aux autres. Nous nous efforçons d'être la preuve vivante que les êtres humains peuvent se montrer plus généreux que Dieu. D'ordinaire, je repère un codépendant au bout de cinq minutes d'entretien. Soit il m'offre une aide que je n'ai pas demandée, soit il continuera à me parler alors que, de toute évidence, il est mal à l'aise et n'a aucune envie de poursuivre la conversation. Il inaugure nos rapports en me prenant en charge et en oubliant de prendre ses propres responsabilités.

Certains d'entre nous en ont tellement assez de prendre en charge l'humanité tout entière — fardeau décidément impossible — qu'ils n'éprouvent ni pitié ni inquiétude, sentiments qui accompagnent généralement l'acte de sauvetage, et passent directement à la colère. Nous sommes tout le temps en colère contre la victime potentielle. Tout individu en difficulté déclenche notre sens du « devoir-agir » ou suscite en nous la culpabilité. Après le sauvetage, nous n'hésitons pas à afficher notre hostilité face à cette situation fâcheuse. J'ai souvent constaté le phénomène chez les professionnels de l'aide thérapeutique. Après avoir secouru les gens pendant des années, après avoir beaucoup donné sans recevoir grand-chose en échange, beaucoup adoptent une attitude hostile envers leurs patients. Ils continuent coûte que coûte d'exercer et d'« aider », mais certains disent qu'au moment d'abandonner leur métier ils auront le sentiment d'avoir été exploités.

S'investir totalement en autrui ne sert à rien ; au contraire, cela crée des problèmes. Quand on s'occupe des autres en faisant des choses qu'on n'a pas réellement envie de faire, on met de côté ses propres besoins, ses désirs, ses sentiments. On se met *soi-même* de côté. Parfois, on s'échine tellement à prendre soin des autres qu'on met toute sa vie en attente. Un grand nombre de gardes-malades sont des gens ravagés, surinvestis dans les autres ; ils ne tirent aucun plaisir de leurs activités propres. Ils paraissent extrêmement responsables mais, en réalité, il n'en est rien. Nous n'assumons pas notre premier devoir : celui de nous occuper de nous-mêmes.

Nous donnons constamment plus que nous ne recevons, puis nous nous sentons par la suite exploités, négligés. Nous nous demandons pourquoi, quand nous allons au-devant des besoins des autres, personne ne se rend compte de nos besoins *à nous*. Le résultat de cette insatisfaction peut être une dépression grave. Pourtant, le bon garde-malade ne se sent en sécurité que lorsqu'il donne ; il se sent coupable, mal à l'aise quand quelqu'un se montre généreux avec lui ou fait mine de satisfaire ses besoins. Parfois, les codépendants se retrouvent enfermés dans le rôle de garde-malade au point de se sentir désemparés, rejetés quand ils sont dans l'incapacité de soigner ou secourir quelqu'un — quand telle ou telle personne refuse d'être « aidée ».

Le pire aspect du surinvestissement est qu'on devient des victimes pour de bon. Je suis convaincue que nombre de comportements gravement autodestructeurs – abus de substances chimiques, troubles de l'alimentation ou troubles sexuels – apparaissent à la faveur de ce rôle de victime. En tant que telles, on attire les criminels en puissance. On croit avoir besoin de quelqu'un pour s'occuper de nous parce qu'on se sent impuissant. Certains gardes-malades finiront par se remettre entre les mains d'une personne ou d'une institution quelconque en situation de détresse mentale, physique, financière ou effective.

Vous vous demandez peut-être pourquoi des individus en apparence rationnels se livrent ainsi au sauvetage. Il y a plusieurs réponses à cela. Nous ne nous rendons même pas compte de ce que nous faisons. Nous sommes sincèrement convaincus d'aider les autres. Nous nous y sentons *contraints*. Nous n'avons pas les idées très claires sur la question de savoir ce qui est utile et ce qui ne l'est pas. Nous sommes intimement persuadés de faire une bonne action en volant au secours des autres. Nous trouvons trop dur de laisser de sang-froid quelqu'un vaincre (voire simplement affronter) un sentiment légitime, ou supporter les conséquences de ses actes, trop cruel de constater sa déception quand il s'entend dire « non ». Nous n'avons pas la force de le laisser prendre la responsabilité de ses propres actes. Et tout cela sans tenir compte du fait qu'il paiera cher l'« aide » que nous lui aurons apportée – beaucoup plus que s'il avait assumé ses propres sentiments.

La plupart d'entre nous ne savent pas très bien reconnaître ce dont ils sont responsables et ce dont ils ne sont *pas* responsables. Nous nous croyons obligés de paniquer quand quelqu'un a un problème, parce qu'il est de notre devoir de réagir ainsi. Parfois, on est tellement las de se sentir responsable de tout qu'on rejette jusqu'à la notion de responsabilité pour se réfugier alors dans l'irresponsabilité.

Mais il y a un démon qui se tapit au sein de tout sauvetage : l'autodépréciation. On vole au secours des autres parce qu'on est mécontent de soi-même. Même si le phénomène est passager, artificiel, l'investissement en autrui suscite un accès momentané de bien-être, de contentement, de sensation de pouvoir. De la même manière que l'alcool aide provisoirement l'alcoolique à se sentir mieux, la démarche de sauvetage nous détourne temporairement de la souffrance qu'il y a à être ce que nous sommes. Nous ne nous sentons pas dignes d'être aimés : nous nous contentons de nous rendre indispensables. On a une piètre opinion de soi : on se sent poussé à faire ceci ou cela pour *prouver* qu'on est quelqu'un de bien.

On secourt les gens parce qu'on n'a pas une très bonne opinion d'eux non plus. A tort ou à raison, on décrète qu'ils sont tout bonnement incapables de se prendre en charge. Malgré les apparences, c'est totalement faux. A moins d'être un enfant en bas âge, d'avoir une lésion cérébrale ou un handicap physique graves, les gens sont responsables d'eux-mêmes.

Il arrive qu'on leur porte secours parce que c'est plus facile que de composer avec le malaise et la gêne que nous cause le spectacle de leurs difficultés. Nous n'avons pas appris à dire : « Quel dommage que tu rencontres ce problème ! Qu'est-ce que je peux faire pour toi ? » mais : « Attends, je vais m'en charger. »

Certains d'entre nous jouent les nounous depuis leur plus tendre enfance, à cause d'un parent alcoolique ou de tout autre problème familial. D'autres y viennent plus tard, à la suite d'une rencontre avec un alcoolique ou tout autre personne inapte à se prendre en charge. C'est ainsi qu'on décide de s'adapter – de survivre – du mieux qu'on peut, en prenant le relais et en assumant les responsabilités des autres.

Il y a d'autres voies menant au rôle d'éternelle nounou. Croire les mensonges qu'on vous inculque, par exemple : ne sois pas égoïste, sois gentil, aide les autres, ne leur fais pas de peine car c'est nous qui sommes responsables de leurs sentiments, ne dis jamais non, ne parle pas de tes propres besoins, ce n'est pas poli.

Ou croire les niaiseries qu'on vous serine : une « bonne épouse », une « bonne mère » doit être une nounou. Les femmes doivent prendre soin des autres. C'est leur devoir. Même chose pour les hommes : un bon mari, un bon père est le superhéros qui satisfait le moindre besoin de tous les membres de sa famille.

Parfois, un état proche de la codépendance s'installe lorsqu'on s'occupe de bébés ou de jeunes enfants. On doit alors sacrifier ses besoins personnels, faire des choses pour lesquelles on n'a aucun goût, refouler ses sentiments et désirs (le biberon de quatre heures du matin satisfait plutôt ceux du bénéficiaire), et prendre un être humain sous son entière responsabilité. Bien sûr, s'occuper d'enfants n'est pas les secourir systématiquement. Il s'agit d'une réelle responsabilité, et ce n'est pas de cet investissement-là que je parle. Mais si on ne prend pas en même temps soin de soi-même, alors on s'achemine vers le « blues » de la codépendance.

Certaines personnes se servent de la religion pour justifier leur attitude. « Donnez de bon cœur », nous dit-on. « Dépassez-vous. Aimez votre prochain. » Alors on essaie. On fait même de son mieux. On en fait trop. Et on culpabilise une fois de plus parce que la foi chrétienne ne marche pas. Et notre vie non plus.

En fait, la foi chrétienne marche très bien. Votre vie peut fonctionner très correctement. C'est le sauvetage qui n'est pas valable. « Autant essayer d'attraper des papillons avec un manche à balai », me faisait remarquer un ami. Chaque fois, on se retrouve perplexe, perdu. Il s'agit d'une réaction destructrice, une autre façon pour les codépendants de s'attacher aux gens et de se détacher d'eux-mêmes. Une autre façon d'essayer de les contrôler, sauf qu'en réalité ce sont eux qui nous contrôlent. L'investissement en autrui est une relation de type parent-enfant malsaine, qui intervient tantôt entre deux adultes consentants, tantôt entre un adulte et un enfant.

Et il engendre la colère. A cause de lui, on devient un parent, un ami ou un amant aigri, un croyant insatisfait, frustré, égaré. Ceux qu'on aide sont ou deviennent des victimes impuissantes et elles-mêmes aigries. On devient une victime.

Nous avons tous entendu la parabole biblique de Marthe et Marie. Pendant que Marie parle à Jésus et Ses disciples, Marthe fait le ménage et la cuisine. Au bout d'un moment, elle fait sonner ses casseroles et accuse Marie de paresse en se plaignant de devoir s'occuper de tout pendant qu'elle se détend et s'amuse. Cela vous rappelle quelque chose ?

L'incident n'échappe pas à Jésus, qui dit alors à Marthe de se taire. Marie sait ce qui est important, lui dit-Il. Marie a pris la bonne décision.

Le message est peut-être que si Marie a fait le bon choix, c'est parce qu'il est plus important de jouir de la compagnie des autres que de faire le ménage et la cuisine. Mais il me semble également que la parabole contient un autre message : on doit assumer ses choix, faire ce qu'on a réellement *envie* de faire et se rendre compte que, sinon, on s'aigrit. Peut-être le choix de Marie était-il le bon parce qu'elle agissait à sa guise. Jésus a aidé beaucoup de gens, mais d'une manière honnête et directe. Il ne les persécutait pas après les avoir aidés. Et Il leur *demandait* ce qu'ils attendaient de Lui. De temps en temps, il leur demandait en outre *pourquoi.* Il tenait les gens pour responsables d'eux-mêmes.

Je crois que le surinvestissement en autrui pervertit le message de don, d'amour et d'assistance contenu dans la Bible. A aucun moment on ne nous y demande de faire les choses à la place des gens avant de leur arracher les yeux. Nulle part on ne nous dit de nous mettre en quatre pour quelqu'un, puis de nous emparer de sa canne et de le battre comme plâtre. Il est bon et souhaitable de compatir, de donner – ces qualités sont des qualités nécessaires –, mais nombreux sont les codépendants qui ont mal interprété certaines recommandations telles que « donne jusqu'à avoir mal ». Nous, nous continuons de donner longtemps après l'apparition de la souffrance, et souvent jusqu'au martyre. Il est bon de donner, mais pas de *tout* donner. Il n'y a pas de mal à garder un petit quelque chose pour soi.

Je crois que notre Puissance supérieure, quelle qu'elle soit, attend de nous que nous nous entraidions, que nous donnions un peu de notre temps, de notre compétence ou de notre argent aux autres. Mais il me semble aussi qu'elle veut que nous ayons une bonne opinion de nous-même. La bonté n'est la bonté que si on se juge soi-même valable, si on est fier de ce qu'on fait et de la personne pour qui on le fait. Je crois que cette Puissance est en chacun de nous et nous parle. Si nous trouvons mauvais tout ce que nous faisons, alors nous devons nous abstenir – même si le geste paraît charitable. On ne devrait pas non plus faire des choses pour les autres lorsque ce sont *eux* qui devraient s'en charger, et qu'ils sont fort capables d'agir seuls. Les autres ne sont pas impuissants, désemparés. Et nous non plus.

« Dieu nous a dit de perdre notre vie. Il nous a dit de donner aux autres, déclare le révérend Daniel Johns, de l'Église luthérienne. Mais il n'a certainement pas voulu que les gens se servent des Écritures pour justifier une attitude malsaine. »

Donner aux autres, accomplir des choses pour eux et avec eux, voilà une composante essentielle de toute existence saine, faite de relations saines avec ses semblables. Mais apprendre à reconnaître les moments où il ne faut ni donner, ni abandonner, ni agir pour et avec les autres, voilà qui compte autant dans la vie. Il n'est pas bon de prendre en charge des gens qui en profitent pour ne pas se prendre en charge. Cela leur fait du mal, autant qu'à nous. Entre aider les gens et les faire souffrir, entre donner de manière positive et donner de manière destructrice, la frontière est floue. Il nous faut apprendre à la distinguer.

L'investissement est un acte et une attitude. Pour certains d'entre nous, cela devient un rôle, une manière d'aborder l'existence tout entière et les gens qui nous entourent. Pour moi, le phénomène est étroitement lié au concept de martyre (état dans lequel les codépendants sont fréquemment accusés de se complaire) et à la démarche consistant à s'efforcer constamment de plaire (autre accusation qu'on nous lance souvent au visage). Les martyrs, dit Earnie Larsen, « flanquent la pagaille partout ». Ils ont besoin de sacrifier sans cesse leur bonheur et celui des autres au nom d'une cause qui n'exige aucun sacrifice. Ces séducteurs-là, dit-il encore, on ne peut pas leur faire confiance. Ce sont des menteurs. Nounous des autres, ils ne savent pas s'occuper d'eux-mêmes.

La phase la plus excitante du surinvestissement survient lorsqu'on comprend enfin de quoi il retourne, lorsqu'on repère ses manifestations afin de cesser de s'y livrer.

On peut apprendre à identifier un comportement de type sauvetage. *Refuser de l'adopter. Refuser de laisser les autres nous secourir.* On peut apprendre à se prendre en charge et à laisser les autres faire de même. Qu'on change son comportement, sa situation ou sa façon de penser, la meilleure chose qu'on puisse faire c'est de supprimer la victime — c'est-à-dire soi-même.

EXERCICES PRATIQUES

1. L'exercice qui suit vous prendra sans doute un peu de temps, mais si le surinvestissement est la cause de vos tourments, il constituera peut-être pour vous une véritable expérience révélatrice. Prenez une feuille de papier et énumérez tout ce qui, pour vous, relève de votre responsabilité. Mentionnez votre rôle dans votre travail, vis-à-vis de vos enfants, vos amis, votre conjoint ou votre amant. Dans un deuxième temps, détaillez toutes les responsabilités qui incombent plutôt aux membres de votre entourage. S'il existe des responsabilités partagées, attribuez un pourcentage à chacun. Par exemple, si votre conjoint travaille et que vous avez choisi de tenir le ménage et de travailler à temps partiel seulement, estimez le pourcentage de responsabilité financière que vous avez endossé et le pourcentage de tâches ménagères que votre conjoint prend en charge. Vous serez peut-être surpris par l'écart qui se creuse entre la somme des responsabilités que vous assumez et le peu que vous avez laissé aux autres. Vous découvrirez peut-être aussi que vous vous êtes tellement occupé des affaires des autres que vous avez négligé certaines de vos vraies responsabilités.

2. Familiarisez-vous avec le Triangle tragique de Karpman et la manière dont le processus se déroule dans votre propre vie. Lorsque vous vous surprenez à voler au secours de quelqu'un, prenez conscience des renversements de rôles et des sautes d'humeur qui en découlent. Quand vous vous rendez compte que vous éprouvez de la rancœur ou que vous vous sentez exploité, demandez-vous de quelle manière vous vous êtes comporté en sauveteur. Exercez-vous à faire le contraire : dites non

quand vous avez envie de dire non. Faites ce que vous avez envie de faire. Ne cherchez plus à savoir ce que veulent les autres ; au lieu de cela, insistez pour qu'ils vous demandent ouvertement ce qu'ils attendent de vous. Apprenez à vous demander sincèrement ce dont vous avez vous-même besoin. Ne cherchez plus à assumer les responsabilités des autres. Lorsque vous commencerez à ne plus prendre en charge ceux qui ont l'habitude de se faire prendre en charge par vous, vous constaterez peut-être qu'ils se fâchent ou se sentent frustrés. Vous avez bouleversé l'ordre des choses, vous avez viré de bord. Cela signifie qu'ils vont devoir s'y mettre, qu'ils ne pourront plus vous exploiter comme avant. Expliquez-leur ce que vous êtes en train de faire, et laissez-les prendre en charge leurs propres sentiments. Ils vous en remercieront un jour. Il se peut même qu'ils vous surprennent – parfois, les gens qu'on jugeait incapables de se prendre en charge s'en montrent tout à fait capables quand on cesse de le faire à leur place.

---

1. Claude M. Steiner, *Scripts People Live*, New York : Grove Press, 1974.

9

La non-dépendance

« Mais qu'est-ce qui ne va pas chez moi ? demandait-elle. Ai-je donc besoin d'avoir un cadavre dans mon lit pour me sentir bien ? »

– Alice B., codépendante ayant épousé deux alcooliques.

« Je suis très indépendante – du moins tant que je suis avec quelqu'un », proclamait cette policière ayant déjà connu plusieurs hommes souffrant de troubles affectifs.

« Depuis dix ans, mon mari reste vautré sur le canapé sans ramener la moindre paye à la maison », déclare une autre, directrice d'une grande entreprise de recrutement. « Qui accepterait de vivre une chose pareille ? » Et, répondant à sa propre question : « Moi, apparemment. Je dois en avoir besoin. Mais pour quelle raison ? Et dans quel but ? »

Une femme qui venait d'arriver aux Al-Anon m'appelle un après-midi. Mariée, elle travaille à temps partiel comme infirmière diplômée. Par ailleurs, elle assume toute seule l'éducation de ses deux enfants, et c'est à elle que reviennent toutes les tâches ménagères, y compris les réparations et la gestion du budget familial. « Je veux me séparer de mon mari, sanglote-t-elle. Je ne peux plus le supporter, lui et ses excès. Mais dites-moi, je vous en prie, dites-le moi : est-ce que vous croyez que je peux m'en sortir toute seule ? »

Les termes changent, mais l'idée reste la même. « Vivre avec cette personne me rend malheureuse, mais je ne crois pas pouvoir vivre *sans* elle. Je ne sais pas pourquoi, mais je ne trouve pas en moi la force d'affronter ce que tout être humain doit affronter ou fuir éternellement : le fait de devoir me prendre seul(e) en charge. Je ne m'en crois *pas* capable. Je ne sais même pas si c'est bien ce que je veux. Il me faut quelqu'un, n'importe qui, pour amortir le choc de cette solitude. »

Colette Dowling a décrit ce raisonnement dans *Le Complexe de Cendrillon*, Penelope Russianoff l'évoque dans *Why Do I Think I'm Nothing Without a Man ?* *, et j'ai moi-même abordé plusieurs fois le problème.

Que les codépendants aient l'air fragiles et impuissants ou solides et pleins de ressources, ce n'en sont pas moins des enfants craintifs, vulnérables et sans cesse en demande, avec un besoin déchirant d'amour et d'attention.

Cet enfant qui est en nous ne nous juge pas susceptibles d'être aimés, ni capables de trouver le réconfort que nous cherchons ; cet enfant désarmé touche parfois le fond du désespoir. Les gens nous ont abandonnés, affectivement et physiquement. Ils nous ont rejetés, maltraités, laissé tomber. Ils n'ont jamais été là pour nous ; ils n'ont ni vu, ni entendu, ni satisfait nos besoins. On en arrive à croire que les gens ne seront jamais là pour nous. Pour beaucoup, même Dieu paraît s'en être allé.

Nous qui avons été si présents pour les autres ! Nous désirons ardemment la proximité d'un être qui soit là pour nous. Nous avons besoin d'une personne, quelle qu'elle soit, pour nous sauver de la solitude brute, de l'aliénation et de la souffrance. Nous voulons notre part de bonnes choses, mais ces bonnes choses, nous ne les trouvons pas en nous-mêmes. En nous, c'est la douleur. Nous nous sentons tellement désemparés, tellement incertains de tout !

Tandis que les autres, eux, semblent pleins de puissance, d'assurance. Conclusion : c'est en eux qu'il faut chercher la recette miracle.

Alors, on devient dépendant d'eux. Des amants ou époux, des amis, des parents, de ses propres enfants. On se met à dépendre de leur approbation, de leur présence, du besoin qu'ils ont de nous. On dépend de leur amour tout en étant persuadé qu'on n'en bénéficiera jamais ; on ne se juge pas digne d'être aimé, et jamais l'amour des autres n'a répondu à nos besoins.

Non que les codépendants soient de drôles d'oiseaux simplement parce qu'ils ont besoin de l'amour et de l'approbation des autres. La plupart des gens souhaitent vivre une relation amoureuse et désirent la présence d'une personne spéciale dans leur vie. On a tous envie et besoin d'avoir des amis, on veut tous recevoir de son entourage de l'amour et de l'approbation. Ce sont là des vœux naturels et sains. Tous les rapports entre les êtres, même les plus sains, impliquent une certaine dose de dépendance affective[1]. Mais il existe beaucoup d'hommes et de femmes qui n'ont pas simplement envie et besoin des autres — ils en ont *besoin*. Et ce besoin peut finir par les mener par le bout du nez, les contrôler complètement.

Avoir trop besoin des gens peut être source de problèmes. Les autres deviennent la clef de notre bonheur. Je crois que cette concentration sur les autres, cette vie où tout tourne autour d'eux, va de pair avec la codépendance et naît de l'insécurité affective, ainsi que la quête constante de l'approbation à laquelle nous nous laissons aller. La solution est en eux, et non en nous, voilà ce dont nous sommes convaincus. Même chose pour les bons sentiments : moins nous en trouvons en nous, plus nous en cherchons chez les autres. Ce sont *eux* qui ont tout, et nous rien. *Notre* existence à *nous* ne compte pas. On nous a si souvent abandonnés, négligés, que maintenant nous nous abandonnons nous-mêmes.

Ce besoin excessif des autres, associé à la conviction de ne pas mériter leur amour et leur présence à nos côtés, peut prendre la forme d'une croyance profondément enracinée. On en arrive à ne pas voir que les gens sont *réellement* là pour nous. Notre besoin d'eux nous aveugle, nous empêche de saisir l'amour qui est à portée de main.

Parfois, nos exigences sont telles qu'aucun être humain ne saurait y répondre : c'est le cas quand nous voulons être absorbés, pris en charge, recevoir l'impression d'être bons, complets, invulnérables.

Très souvent, on attend tellement des autres, on a tant besoin d'eux qu'on est obligé de se contenter de trop peu. Alors on devient dépendant de gens à problèmes, alcooliques ou autres. De gens pour qui on n'éprouve même ni amour ni affection réelle. On a tellement besoin des gens qu'on se contente de n'importe qui. Par exemple, une personne qui ne correspond pas vraiment à nos besoins. Encore une fois, on a besoin d'une présence; seulement, la personne qu'on a choisie ne peut pas ou ne veut pas être là.

On en arrive même à se persuader qu'on ne peut pas vivre sans telle ou telle personne, que sans elle on va s'étioler et mourir. Lorsqu'il s'agit d'un alcoolique ou autre individu perturbé, on accepte la démence et les mauvais traitements pour pouvoir le garder, pour protéger sa source de sécurité affective. Le besoin devient si grand qu'on se contente de trop peu. Nos espérances tombent au-dessous de la normale, en deçà de ce qu'on devrait être en droit d'attendre d'une relation amoureuse. Et là, on est pris au piège. Voici ce qu'écrit Janet Geringer Woitiz dans *Co-Dependency, An Emerging Issue.*

« ... Ce n'est plus l'amour courtois. Ce n'est même plus deux personnes face à face. Il se produit une curieuse distorsion. Si je reste, c'est parce que... : "Il ne me bat pas." "Elle ne me trompe pas." "Il n'a pas perdu son travail." Vous vous rendez compte ? Des choses que nous, simples mortels, faisons sans même y penser jouent tout à coup en faveur de l'autre. Même si le pire existe. Même s'il vous bat, si elle vous trompe, s'il s'est fait renvoyer. Dans ce cas, on dira : "Oui, mais je l'aime !" J'interviens alors : "En quoi est-il (elle) digne d'être aimé(e) ?" Pas de réaction. La réponse ne vient pas; la force de ce piège affectif est bien supérieure à celle de la raison[2]. »

Je ne veux pas dire par là que toutes nos relations intimes soient fondées sur l'insécurité et la dépendance. Il est certain que le pouvoir de l'amour l'emporte sur le sens commun, et peut-être doit-il en être ainsi dans certaines occasions. Naturellement, quand on aime un alcoolique et qu'on veut rester avec lui, il faut continuer à l'aimer. Mais la force irrésistible de l'insécurité affective peut aussi excéder largement le pouvoir de la raison ou de l'amour. Quand on n'est pas centré sur soi-même, quand on ne sent pas en soi de sécurité affective, on est pris au piège[3]. Tout à coup, on a peur de mettre fin à une liaison morte et mortifère. On se laisse blesser, maltraiter par les autres, ce qui n'est jamais dans l'intérêt de personne.

Les gens qui se sentent pris au piège cherchent des portes de secours. Les codépendants emprisonnés dans une liaison de ce type préparent parfois leur évasion. L'issue peut être positive, saine : on prend le chemin de la non-dépendance, financière et affective. « Non-dépendance » est le terme employé par Penelope Russianoff pour décrire l'équilibre souhaitable par lequel on admet et on satisfait son besoin naturel des autres et de leur amour sans pour autant développer une dépendance excessive et destructrice à leur égard.

On peut par exemple reprendre des études, trouver du travail, ou se fixer d'autres buts qui entraîneront la liberté. On commence généralement à y penser quand on en a assez d'être pris au piège. Toutefois, certains codépendants font des plans d'évasion destructeurs. Ils tombent dans l'alcool ou la drogue, deviennent des obsédés du travail, se mettent à dépendre d'un individu du même acabit que celui qu'ils veulent fuir – notamment un autre alcoolique. Nombreux sont ceux qui ont alors des idées de suicide. Quand on se retrouve dans cette situation terriblement douloureuse, mettre fin à ses jours semble parfois la seule porte de sortie.

La dépendance affective et la sensation d'être pris au piège posent également des problèmes dans le cas de relations récupérables. Si on continue d'avoir de bons rapports avec l'autre, on se sent peut-être trop fragile pour se détacher et commencer à s'occuper de soi. On refoule ses propres sentiments, on étouffe l'autre ou on le fait fuir. Les besoins de cette ampleur n'échappent pas aux gens. Ils le pressentent et le ressentent en eux-mêmes.

Au dernier stade, l'excès de dépendance en vient à tuer l'amour. Les rapports fondés sur l'insécurité affective et sur le besoin plutôt que sur l'amour deviennent autodestructeurs. Ils ne peuvent plus rien donner de bon. A un degré pareil, le besoin fait fuir le partenaire, il étouffe l'amour. Il fait peur. De plus, il attire à nous des gens qui ne nous conviennent pas ; résultat : nos besoins réels restent insatisfaits et grandissent en même temps que le désespoir. Toute notre vie tourne autour d'une personne donnée, nous essayons de protéger notre sécurité, notre bonheur, en renonçant pour cela à nous-même, et nous finissons par lui en vouloir. On se sait contrôlé par elle, dépendant d'elle. On se retrouve aigri, plein de ressentiment parce qu'on a remis entre ses mains ses propres droits et ses propres ressources [4].

Le désespoir ou la dépendance nous amènent parfois à courir d'autres risques. Si nous laissons le désespoir choisir à notre place, nous pouvons par exemple nous exposer involontairement à des maladies sexuellement transmissibles telles que l'herpès ou le SIDA (syndrome d'immunodéficience acquis). Il est dangereux de laisser libre cours à ses besoins dans les relations intimes.

Il arrive qu'on se joue des tours dans le but de déguiser sa dépendance. Selon Colette Dowling, on peut notamment valoriser l'autre à outrance (« Ce type est un génie ; voilà pourquoi je reste avec lui »), ou au contraire le dévaloriser (« Les hommes sont de grands enfants ; ils sont incapables de s'en sortir seuls ») ou encore – c'est là le tour préféré des codépendants – jouer les nounous. C'est dans *Le Complexe de Cendrillon* que C. Dowling expose ces caractéristiques ; on y trouve le cas de Madeleine, qui se dépêtre péniblement d'une relation destructrice avec Manny, son mari alcoolique.

« Voilà le dernier tour que se joue la personnalité dépendante : elle estime devoir " prendre en charge " l'autre. Madeleine s'était toujours sentie davantage responsable de la survie de Manny que de la sienne propre. Tant qu'elle se concentrait sur lui – *sa* passivité à lui, *son* indécision, *ses* problèmes vis-à-vis de l'alcool –, elle consacrait toute son énergie à trouver des solutions pour lui ou pour " eux ", sans jamais avoir à regarder à l'intérieur d'elle-même. Voilà pourquoi il lui fallut vingt-deux ans pour se rendre enfin compte que, si ça continuait comme ça, elle se serait fait rouler toute sa vie. Au bout du compte, *jamais elle n'aurait eu d'existence propre.*

»... De dix-huit à quarante ans – c'est-à-dire pendant toute la période où l'on est censé mûrir, évoluer et se colleter avec le monde –, Madeleine Boroff s'était raccrochée à ce qu'elle pouvait, refusant de voir la réalité, se persuadant que son mari reprendrait bientôt pied et, qu'un jour, elle serait libre de vivre sa propre vie intérieure – dans la paix et la créativité.

» Pendant vingt-deux ans, elle s'était sentie incapable d'assumer les conséquences de la lucidité ; donc, sans penser à mal mais trop effrayée par l'éventualité de mener une existence authentique, elle avait délibérément tourné le dos à la vérité.

» En surface, l'histoire de Madeleine peut paraître spectaculaire mais, dans sa dynamique fondamentale, elle n'a rien de rare. La personnalité de "suiveuse" dont elle a fait montre, son apparente incapacité à se dépêtrer – ou même à *songer* à se dépêtrer – d'une relation excessivement contraignante... ces signes de désarroi impuissant sont caractéristiques des femmes psychologiquement dépendantes[5]. »

Pourquoi nous infligeons-nous cela ? Pourquoi nous sentons-nous indécis, vulnérables au point de ne pouvoir gérer notre propre vie ? Pourquoi, quand nous avons largement prouvé notre force et nos capacités par le simple fait d'avoir survécu à ce que nous avons enduré, ne pouvons-nous pas croire en nous-mêmes ? Pourquoi, alors que nous sommes passé maître dans l'art de prendre en charge notre entourage tout entier, ne nous sentons-nous pas capables de nous prendre en charge nous-mêmes ? Qu'est-ce qui ne va pas chez nous ?

Une telle inaptitude vient souvent de l'enfance. Une personne importante n'a pas su nous donner l'amour, l'approbation et la sécurité affective dont nous avions besoin. Nous nous sommes donc lancés dans la vie comme nous pouvions, sans jamais cesser de chercher, confusément ou désespérément, ce qui nous a toujours manqué. Certains continuent de se taper la tête contre les murs en essayant d'obtenir cet amour de gens qui, comme papa ou maman, sont incapables de satisfaire ce besoin. Ce cycle se répète jusqu'à ce que quelque chose vienne l'interrompre. C'est ce qu'on appelle une affaire non réglée.

Peut-être aussi nous a-t-on appris à nous défier de nous-mêmes. C'est ce qui arrive quand on éprouve un sentiment dont les autres nous disent qu'il est inadéquat, déplacé. Ou bien quand on est confronté à un mensonge, une incohérence, et que les gens nous disent : « Tu es fou. » On n'a plus foi en cette parcelle capitale et profondément enfouie de la personnalité qui sait éprouver des sentiments appropriés, reconnaître la vérité et faire face avec compétence aux choses de la vie. On en vient vite à croire ce qu'on nous dit : tu es à côté de la plaque, un peu cinglé(e) sur les bords, en tout cas indigne de confiance. On regarde les gens autour de soi — des gens parfois malades, perturbés, perdus — et on se dit : « Ils doivent être tout à fait normaux. Puisqu'ils le disent. Ce doit être moi. C'est chez moi que, fondamentalement, quelque chose ne va pas. » On se laisse tomber soi-même, on ne se croit plus capable de se prendre en charge.

Il y a des femmes à qui on a appris à être dépendantes. On leur a dit de centrer toute leur vie sur les autres et de se faire prendre en charge par eux. Malgré le mouvement de libération de la femme, au fond d'elles-mêmes beaucoup redoutent la solitude[6]. Beaucoup de gens, et pas seulement des femmes, craignent de se retrouver seuls et de devoir se prendre en charge. C'est dans la nature humaine.

Il arrive qu'on amorce une relation amoureuse adulte avec un capital de sécurité affective intact, pour s'apercevoir ensuite qu'on s'est embarqué avec un ou une alcoolique. Or, rien ne détruit cette sécurité aussi rapidement que la fréquentation assidue d'un alcoolique ou d'une personne atteinte d'un quelconque autre trouble compulsif. Ces affections exigent que toute notre existence tourne autour d'elles. Elles entretiennent la confusion, le chaos et le désespoir. Après avoir partagé la vie d'un(e) alcoolique, nombre d'entre nous commencent à douter d'eux-mêmes. Les besoins ne sont plus satisfaits, l'amour meurt. Les besoins augmentent dans la même proportion que le doute. L'alcool fabrique des êtres affectivement instables, il fait de nous des victimes — qu'on en boive ou non —, et on commence à se croire incapable de se prendre en charge.

Si, pour une raison ou pour une autre, vous êtes parvenu

à cette conclusion, j'ai de bonnes nouvelles à vous annoncer. Le propos de ce livre est de vous encourager à apprendre à vous occuper de vous-même. Ce chapitre en particulier veut vous faire comprendre que c'est *possible.* Nous ne sommes pas totalement désarmés. Être soi-même, être responsable de soi n'est pas forcément douloureux, terrifiant. On peut faire face, quels que soient les aléas de la vie. On n'est pas obligé d'être à ce point dépendant des gens. Nous ne sommes pas comme les siamois, nous pouvons très bien vivre sans un être humain précis. Une femme m'a dit un jour : « Pendant des années, je me suis dit et répété que je ne pouvais pas vivre sans cet homme. Eh bien, j'avais tort. J'ai été mariée quatre fois. Tous mes ex-époux sont morts, et moi je suis toujours en vie. » Savoir qu'on peut vivre sans telle ou telle personne ne veut pas dire qu'on y soit *obligé*, mais cela peut nous rendre libres d'aimer et de vivre de manière satisfaisante.

Et maintenant voici l'autre nouvelle que j'ai à vous annoncer. Il n'existe aucun moyen de devenir non-dépendant du jour au lendemain, facilement, comme par magie.

La notion de sécurité affective et la proportion dans laquelle celle-ci nous fait défaut sont des questions cruciales qu'on doit garder constamment à l'esprit au moment de prendre une décision. Lorsqu'on devient dépendant de quelqu'un, aussi bien sur le plan affectif que financier, on se retrouve confronté à deux authentiques sources de préoccupation qui peuvent ou non être liées[7]. Ni l'une ni l'autre ne doivent être prises à la légère, chacune mérite considération. Ce ne sont pas les paroles que je prononce, ni les espoirs que je formule, qui amoindriront la réalité de ces faits. Être financièrement ou affectivement dépendant de quelqu'un, c'est un fait ; et les faits doivent être admis et pris en compte. Mais je suis sûre qu'on peut s'efforcer d'être moins dépendant. Et je sais que, si on le veut, on peut devenir non-dépendant.

Voici quelques idées qui peuvent s'avérer utiles :

1. *Réglons de notre mieux les affaires en souffrance depuis notre enfance. Éprouvons-en du chagrin, mais prenons aussi du recul. Demandons-nous de quelle manière les événements de notre enfance conditionnent notre comportement actuel.*

Écoutez l'histoire que m'a rapportée une patiente ayant vécu des liaisons amoureuses exclusives avec des alcooliques. Son père était parti lorsqu'elle avait cinq ans. Depuis sa naissance, il avait bu presque sans interruption. Bien qu'il n'ait pas quitté la ville, ils ne s'étaient guère revus par la suite. Il était bien venu la voir après que sa mère eut obtenu le divorce, mais ces visites restaient purement formelles. A mesure qu'elle prenait de l'âge, elle appelait occasionnellement son père pour le tenir au courant des événements importants de sa vie : son bac, son mariage, la naissance de son premier enfant, son divorce, son remariage, son deuxième enfant. Chaque fois il lui parlait cinq minutes, évoquait l'éventualité de venir la voir un jour ou l'autre, puis raccrochait. Elle prétendait ne ressentir ni chagrin, ni colère; cela ne l'étonnait pas de la part de son père. Il n'avait jamais été là pour elle, et ne le serait jamais. Il ne jouait aucun rôle dans leur relation. Elle ne recevait rien de lui, même pas de l'amour. Mais, pour elle, c'était une évidence; elle n'en souffrait pas particulièrement. Elle croyait sincèrement s'être résignée, adaptée à l'alcoolisme de son père. Ces rapports durèrent des années. Ses liaisons avec des alcooliques aussi.

Un soir, alors qu'elle était aux prises avec un nouveau divorce, le téléphone sonna. C'était son père. Jamais encore il ne l'avait appelée. Elle déclara plus tard que son cœur s'était mis à battre à tout rompre. Il lui demanda de ses nouvelles, s'enquit de sa famille – chose qu'il évitait généralement de faire. Comme elle se demandait s'il fallait lui parler de son divorce (elle en avait pourtant envie : elle avait toujours voulu pleurer sur l'épaule de son père, se faire consoler par lui) il commença à se répandre en lamentations : on l'avait interné, il n'avait plus aucun droit, ce n'était pas juste, et est-ce qu'elle ne pourrait pas faire quelque chose ? Sur quoi elle se hâta de conclure, raccrocha, s'assit par terre et se mit à hurler.

« Je me souviens; j'étais assise là, par terre, et je criais : *Jamais* tu n'as été là pour moi. *Jamais.* Et maintenant, j'ai besoin de toi. Je me laisse aller rien qu'une fois à avoir besoin de toi, et là encore : personne. Au lieu de ça, tu veux que ce soit *moi* qui m'occupe de *toi.*

« Quand mes larmes se sont taries, j'ai ressenti un calme étrange, dit-elle. Je crois que c'était la première fois que je m'autorisais à éprouver du chagrin ou de la colère à cause de mon père. Dans les semaines qui ont suivi j'ai commencé à comprendre *vraiment*. Évidemment qu'il n'avait jamais été là pour moi. C'était un alcoolique. Il n'avait jamais été là pour personne, y compris pour lui-même. J'ai également fini par saisir que, derrière ma façade soignée, je me sentais indigne d'être aimée. Profondément. Quelque part en moi, j'avais entretenu le fantasme d'un père aimant qui me tenait à l'écart – qui me rejetait – parce que je n'étais pas quelqu'un de bien. Il y avait quelque chose qui n'allait pas chez moi. Maintenant, je connaissais la vérité. *Moi* je n'étais pas indigne d'amour, *moi* je n'étais pas complètement cinglée, même si j'avais conscience de mon problème. Ce n'était pas moi ; c'était *lui*.

« Après ça, il s'est produit quelque chose dans ma tête, poursuit-elle. Maintenant, je n'ai plus *besoin* d'être aimée d'un alcoolique. La vérité m'a bel et bien libérée. »

Je ne prétends pas que les problèmes de cette femme se soient trouvés brusquement résolus une fois son chagrin consommé, après cet instant de lucidité. Elle n'est sans doute pas au bout de ses peines ; il lui reste à évacuer son comportement codépendant. Mais ce qui lui est arrivé lui a certainement rendu service.

2. *Nourrissons, chérissons l'enfant craintif, vulnérable et constamment en demande qui vit à l'intérieur de nous. Cet enfant ne disparaîtra peut-être jamais, quel que soit le degré d'autonomie auquel nous puissions parvenir. Il s'exprimera peut-être à la faveur d'une crise. Sans stimulus extérieur, il pourra se manifester dans toute son exigence au moment où l'on s'y attend le moins.*

A ce propos, j'ai fait un rêve que j'estime révélateur. Une petite fille d'environ neuf ans se retrouve toute seule, abandonnée par sa mère depuis plusieurs jours et plusieurs nuits. Personne ne la surveille et elle se promène tard le soir dans les rues de son quartier. Elle ne s'attire aucun ennui grave. Elle semble chercher quelque chose, essayer de combler le vide. *L'enfant ne veut pas rester seule chez elle la nuit tombée.* La solitude l'effraie trop. Quand la mère finit par rentrer, les voisins prennent contact avec elle et se plaignent de ce que la petite rôde sans surveillance. La mère se met en colère et lui reproche à grands cris ses écarts de conduite. « Je t'avais dit de rester à la maison pendant mon absence. Je t'avais bien dit de te tenir tranquille, non ? » hurle-t-elle. La petite s'abstient de répondre et ne pleure même pas. Elle se tient debout là, devant elle, les yeux baissés, et dit doucement : « J'ai mal au ventre. »

Ne malmenez pas l'enfant quand il refuse de rester seul dans le noir, quand, tout à coup, il a peur. Nous ne sommes pas obligés de laisser cet enfant choisir à notre place, mais il ne faut pas non plus faire comme s'il n'existait pas. Écoutez-le. Laissez-le pleurer s'il en a besoin. Consolez-le. Essayez de savoir quels sont ses besoins.

3. *Cessons de chercher le bonheur chez les autres. La source du bonheur et du bien-être ne se trouve pas chez eux, mais en nous. C'est autour de nous-mêmes que notre vie doit tourner.*

Cessez de vous concentrer sur les autres, de bâtir votre existence autour d'eux. Contentez-vous de vous-même, installez-vous en vous-même. Ne cherchez plus autant l'approbation des autres, n'attendez plus qu'ils valident vos actes. On n'a pas besoin d'être approuvé par tout le monde. C'est seulement de notre *propre* approbation dont nous avons besoin. Nous avons en nous les mêmes ressources de bonheur, le même pouvoir de décision que les autres. Trouvez et exploitez votre propre capital de paix intérieure, de bien-être et de confiance en soi. Le rapport à l'autre est utile, mais ce n'est pas une ressource personnelle. Développez le noyau de sécurité affective qui est en vous.

4. *On peut apprendre à dépendre de soi-même. Les autres n'ont peut-être jamais été là pour nous, mais nous, nous pouvons commencer à être là pour nous-même.*

Cessons de mettre de côté nos besoins, nos désirs, nos sentiments, nos existences entières et tout ce qui nous constitue. Jurez-vous d'être toujours là pour vous-même.

On peut avoir confiance en soi, affronter les circonstances, résoudre les problèmes et tirer au clair les sentiments que la vie met sur notre chemin. On peut se fier à ses impressions, ses jugements. Surmonter les difficultés. Et aussi apprendre à vivre avec les problèmes non résolus. On peut faire confiance à l'être dont on a décidé de dépendre : soi-même.

5. *On peut aussi compter sur sa Puissance supérieure. Elle est là, et rien ne lui est indifférent. La foi peut procurer une profonde sensation de sécurité affective.*

Un exemple. A l'époque où je vivais dans un quartier difficile, un soir j'ai dû emprunter l'allée qui part à l'arrière de ma maison pour gagner ma voiture. J'ai demandé à mon mari de jeter un coup d'œil par la fenêtre de l'étage pour s'assurer qu'il ne m'arrivait rien. D'accord, m'a-t-il dit. Dès que je me suis engagée dans la cour, laissant derrière moi la sécurité de mon foyer pour m'enfoncer dans les ténèbres, j'ai commencé à avoir peur. Je me suis retournée et j'ai vu mon mari dans l'encadrement de la fenêtre. Il me surveillait ; il était là. Aussitôt, la terreur m'a abandonnée, je me suis sentie rassurée, hors de danger. Je me suis brusquement rendu compte que je croyais en Dieu, et je trouve également réconfortant, sécurisant, de savoir qu'Il veille constamment sur ma vie. Je m'efforce de garder en moi cette sensation de sécurité.

Certains codépendants en arrivent à se croire abandonnés de leur Puissance supérieure. Ils ont enduré de telles souffrances ! Nos besoins ont été si nombreux à rester insatisfaits, et le sont restés si longtemps qu'on est en droit de crier : « Mais où est-elle donc passée ? Pourquoi est-elle partie ? Comment a-t-elle pu permettre une chose pareille ? Pourquoi ne veut-elle pas m'aider ? Pourquoi m'a-t-elle abandonné ? »

Mais notre Puissance supérieure ne nous a pas abandonnés. Nous nous sommes abandonnés nous-mêmes. Elle, elle est là, et notre sort ne lui est pas indifférent. Mais elle attend de nous que nous coopérions en prenant soin de nous-mêmes.

6. Luttons pour la non-dépendance. Passons en revue les différentes formes (affective, financière) que prend notre dépendance à l'égard de notre entourage.

Il faut commencer à nous prendre en charge, que ce soit dans le cadre d'une relation que nous souhaitons conserver ou dans la perspective de nous en dégager. Colette Dowling suggère, dans *Le Complexe de Cendrillon,* que nous adoptions dans cette démarche une attitude de « vulnérabilité courageuses[8] », ce qui signifie : on a très peur, mais on se lance quand même.

On peut éprouver ses propres sentiments, parler de ses peurs, s'accepter soi-même et accepter sa situation, puis entreprendre le voyage qui mène à la non-dépendance. C'est *possible.* Pour être non-dépendant et savoir s'occuper de soi-même, nul besoin de se sentir constamment plein de force. On éprouvera certainement de la crainte, on aura des moments de faiblesse, voire de désarroi complet. C'est un phénomène tout à fait normal et sain. La véritable force vient quand on fait face à ses sentiments, et non quand on leur tourne le dos. On y parvient non pas en feignant perpétuellement d'être fort, mais en reconnaissant ses points faibles quand ils se manifestent.

Beaucoup d'entre nous connaissent la nuit noire, vivent dans l'incertitude et l'esseulement; beaucoup ressentent douloureusement l'insatisfaction de besoins et de désirs qui pourtant passent inaperçus. Parfois la route est traître, noyée dans le brouillard; on perd tout espoir. Seule demeure la peur. La nuit. Il m'est arrivé de conduire dans ces conditions, un soir. Or, je n'aime pas conduire, surtout par mauvais temps. J'avais peur, mes mains étaient contractées sur le volant. J'y voyais à peine; les phares n'éclairaient qu'à un mètre ou deux devant moi. J'étais presque aveugle. Je me suis mise à paniquer. Il pouvait m'arriver n'importe quoi! Puis il m'est venu une pensée apaisante. Certes, je n'y voyais qu'à quelques mètres devant moi, mais, à mesure que j'avançais, le chemin s'éclairait. Je ne voyais pas très loin, mais ça n'avait pas d'importance. Si j'arrivais à me détendre, la visibilité serait bien suffisante, pour le moment. Ma situation n'était pas idéale, mais en restant calme, et en me débrouillant comme je pouvais, j'arriverais à m'en sortir.

Vous aussi vous pouvez vous sortir du trou noir. Vous prendre en charge et retrouver confiance en vous. Faites confiance à votre Puissance. Tant que vous y voyez, avancez. Quand vous aurez atteint la limite de la portion éclairée du chemin, vous en découvrirez une autre.

C'est ce qu'on appelle *Chaque chose en son temps.*

EXERCICES PRATIQUES

1. Passez en revue les éléments suivants, et déterminez la nature de votre relation amoureuse. Se fonde-t-elle sur la dépendance (rapports de servitude) ou sur l'amour (rapports sains) ?

CARACTÉRISTIQUES

AMOUR (Système ouvert)	SERVITUDE (Système fermé)
Possibilité d'évoluer, de s'épanouir ; désir de voir évoluer les autres.	Esclavage fondé sur la sécurité et le confort ; on utilise l'intensité des besoins et l'engouement pour autrui en guise de preuve d'amour (peut en réalité être de la peur, de l'insécurité, de la solitude).
Intérêts distincts ; amis différents ; on entretient d'autres liens significatifs.	Investissement total ; vie sociale limitée ; on néglige les anciens amis et centres d'intérêt.
On encourage l'épanouissement des horizons mutuels ; on a confiance en sa propre valeur.	Souci du comportement de l'autre ; on dépend de l'approbation des autres en regard de sa propre identité, sa propre valeur.

Confiance ; ouverture d'esprit.	Jalousie, possessivité, peur de la compétition ; on « protège sa source ».
Intégrité mutuelle préservée.	Besoins d'un des partenaires mis en suspens au profit de ceux de l'autre ; autoprivation.
Volonté de prendre des risques et de se réaliser.	Recherche de l'invulnérabilité totale – élimination des risques éventuels.
Possibilité d'explorer les sentiments prévalant à l'intérieur ou à l'extérieur de la relation.	Volonté de se rassurer par une activité répétée, ritualisée.
Faculté d'apprécier la solitude.	Intolérance – on est incapable de supporter la séparation (même en cas de conflit) ; on s'accroche encore plus. Symptômes de retrait – perte d'appétit, agitation, léthargie, désorientation pénible.

RUPTURES

On accepte la rupture sans sentiment de perte de sa propre adéquation et de sa propre valeur.	On se sent inadéquat, dévalorisé ; la décision est souvent unilatérale.
On veut le bien de son partenaire ; on reste amis.	Fin violente – On hait l'autre ; on essaie de le faire souffrir ; on le manipule pour obtenir son retour.

SERVITUDE UNILATÉRALE

Refus de la réalité, fantasmes; surestimation de l'investissement de l'autre.

On cherche des solutions en dehors de soi-même — drogues, alcool, nouvel amant, changement de situation[9].

• C'est-à-dire : *Pourquoi est-ce que je pense que « sans un homme » je ne suis rien ?* Voir ci-dessous, note 1. *(N.d.T.)*

1. *Penelope Russianoff. Why do I Think I'm nothing without a Man ?* New York : Bantam Books, 1982 ; Theodore I. Rubin avec Eleanor Rubin : *Compassion and Self-Hate – An Alternative to Despair.* New York : David McKay Company, 1975, p. 278.
2. Jannet Geringer Woitiz. « Co-Dependency : The Insidious Invader of Intimacy », in *Co-Dependency, An Emerging Issue.* Hollywood (Fl.) : Health Communications, Inc., 1984, p. 56.
3. Rubin et Rubin, *op. cit.* Cf. note 1.
4. Colette Dowling. *Le Complexe de Cendrillon,* Paris : Grasset-Fasquelle, 1985.
5. *Ibid.,* pp. 152-153.
6. *Ibid.*
7. Russianoff. Cf. note 1.
8. Dowling. Cf. note 4, p. 22.
9. Kathy Capell-Sowder. « On being Addicted to the Addict : Co-Dependent Relationships ». In *Co-Dependency, An Emerging Issue.* Cf. note 2, p. 23.

10

Vivre sa vie

« Vivre et laisser vivre. »

– Slogan du programme en Douze Étapes.

S'il y a une chose que j'espère vous faire comprendre à travers ce livre, c'est que *le moyen le plus sûr de se rendre fou, c'est de s'impliquer dans les affaires des autres, et que le moyen le plus rapide pour vivre sain et heureux, c'est de s'occuper des siennes.*

J'ai évoqué plus haut les concepts associés à cette réflexion. Nous avons examiné les réactions typiques de la codépendance, étudié les moyens d'apprendre à réagir différemment par le biais du détachement. Mais une fois qu'on s'est détaché, qu'on a relâché son emprise sur les autres, que reste-t-il ? Eh bien, on se retrouve avec soi.

Je me rappelle le jour où j'ai regardé la vérité en face. Depuis longtemps je mettais systématiquement mes difficultés sur le dos des autres. « Si je suis comme je suis, c'est de votre faute ! » avais-je l'habitude de grincer. « Voyez ce que vous m'obligez à faire de mon temps – de mes minutes, de mes heures, de ma vie tout entière. » Une fois mon détachement réussi, lorsque je suis enfin parvenue à me prendre en charge, je me suis dit : « Peut-être n'était-ce pas réellement de la faute des autres si je ne vivais pas ma vie ; peut-être me fournissaient-ils l'excuse commode dont j'avais justement besoin. » Mon destin – mon présent et mes lendemains – me paraissait bien sinistre.

Pour certains d'entre nous, vivre sa propre vie n'est pas non plus une perspective très réjouissante. Nous nous étions jusque-là tellement consacrés aux autres que nous ne savons plus vivre pour nous-mêmes et en profiter.

Nous sommes dans un tel état de détresse affective que nous pensons ne plus avoir de vie propre ; à nos propres yeux, nous ne sommes que souffrance. Mais c'est faux. On est autre chose que ses problèmes. On *peut* être autre chose que ses problèmes[1]. Ce n'est pas parce que la vie a été pénible jusqu'ici qu'elle doit continuer indéfiniment à nous faire du mal. La vie n'est pas nécessairement à ce point douloureuse, et les choses peuvent changer si nous changeons nous-mêmes. Ce ne sera peut-être pas un lit de roses, mais au moins n'y aura-t-il pas que des épines. Il nous faut absolument nous épanouir, et nous en sommes tout à fait capables. Comme dit l'un de mes amis : « Faites-vous une vie. »

Certains codépendants pensent qu'une vie sans avenir, sans buts, sans bouleversements ni ruptures ne vaut pas la peine d'être vécue. Là encore, c'est faux. Je crois pour ma part que cette Puissance supérieure dont je parle a en réserve, pour chacun d'entre nous, des choses intéressantes, excitantes. Je crois que nous avons autre chose à faire dans la vie que prendre soin des autres et dépendre d'une personne donnée, je crois que chacun peut se trouver dans la vie un but valable et passionnant. Et je crois que c'est en prenant soin de soi qu'on arrive à adopter cette attitude. En décidant de coopérer. En s'ouvrant à la bonté, à la richesse qui attend en nous et autour de nous que nous allions y puiser[2].

J'emploie tout au long de ce livre les expressions *prendre soin de soi, s'occuper de soi-même, se prendre en charge*. Je les ai entendu prononcer à tort et à travers. J'ai vu des gens s'en servir pour contrôler les autres, les impressionner ou leur imposer leur volonté. (Je débarque quelque part, à l'improviste, avec mes cinq enfants et mes chats. On s'installe pour la semaine. Je m'occupe de moi-même !) J'en ai vu l'employer à des fins manipulatrices dans le but de justifier les persécutions et autres châtiments qu'ils faisaient subir aux autres, au lieu de faire face comme il se doit à leur colère intérieure. (Je vais vous harceler, vous houspiller toute la sainte journée parce que vous n'avez pas fait ce que je voulais. Mais attention ! Ne vous fâchez pas : je m'occupe de moi-même.) J'en ai entendu d'autres employer l'expression afin d'esquiver les responsabilités. (Je sais que mon fils est en train de se piquer à l'héroïne dans sa chambre, mais c'est son problème. Je refuse de me faire du souci. Je vais aller faire les magasins et laisser une note de 3 000 F sans me soucier non plus de savoir comment je paierai. Je m'occupe de moi-même.)

Se prendre en charge, ce n'est pas adopter ces comportements-là. C'est au contraire une attitude, vis-à-vis de soi et de sa vie, qui consiste à dire : Je suis responsable de moi-même, du fait que je vis ou que je ne vis pas ma propre vie, responsable de l'attention que j'accorde à mon bien-être spirituel, affectif, physique et matériel. C'est à moi qu'il incombe de reconnaître et satisfaire mes besoins, de résoudre mes problèmes ou d'apprendre à vivre avec ceux que je ne peux résoudre. Je suis responsable de mes choix, de ce que je donne et de ce que je reçois. Il m'appartient également de me fixer des buts et de les atteindre. Mon envie de vivre, le plaisir que je retire de mes activités quotidiennes, j'en suis responsable. Responsable aussi du choix de la personne que j'aime, et de la façon dont je veux exprimer cet amour. Responsable de ce que je fais aux autres, et de ce que je les autorise à me faire. Responsable de mes besoins et de mes désirs. Ma personne tout entière, toutes les facettes de mon être comptent. J'ai mon importance. Je ne compte pas pour du beurre. Je peux me fier à ce que je ressens. Je réfléchis correctement. J'accorde de la valeur à mes envies, mes besoins. Je ne mérite pas la violence, les mauvais traitements perpétuels, et je ne les tolérerai pas plus longtemps. J'ai des droits, et il m'appartient de les faire respecter. Les décisions que je prends et la manière dont je me comporte reflètent la haute estime que je me porte. Mes décisions tiendront compte de mes responsabilités envers moi-même.

Mais aussi de mes responsabilités envers les autres – mon conjoint, mes enfants, les membres de ma famille, mes amis. Je vais réfléchir et décréter quelles sont au juste ces responsabilités avant de prendre une décision. Je tiendrai également compte des droits de ceux qui m'entourent – leur droit de mener leur vie comme bon leur semble. Je n'ai pas le droit d'intervenir dans le droit des gens à disposer d'eux-mêmes, et inversement.

Le souci de soi est une attitude de respect mutuel. Avec lui, on apprend à vivre de manière responsable, on laisse les autres vivre comme ils l'entendent tant qu'ils n'interviennent pas dans nos décisions propres. S'occuper de soi n'est pas une démarche aussi égoïste que certains veulent bien le croire, mais cela n'implique pas autant d'abnégation que le redoutent un grand nombre de codépendants.

Dans les chapitres qui suivent, nous envisagerons les moyens spécifiques à mettre en œuvre pour arriver à prendre soin de soi : entre autres, se fixer des buts, faire face à ses sentiments, entreprendre un programme en Douze Étapes. Pour moi, c'est tout un art, et cet art sous-entend un concept qui reste étranger à beaucoup de gens : nous devons nous accorder ce dont nous avons besoin.

Au début, ce sera peut-être un choc, pour nous et pour la structure familiale au sein de laquelle nous vivons. La plupart des codépendants ne réclament pas ce dont ils ont besoin. Ils ne savent pas très bien ce qu'ils veulent, ce qui leur manque; ils n'y ont pas suffisamment réfléchi.

Souvent nous croyons que nos besoins ne comptent guère, qu'il est inutile d'en faire mention. Parfois même, on finit par penser qu'ils sont négatifs, déplacés; alors on les réprime, on les refoule hors de son champ de conscience. Nous n'avons pas appris à les identifier, à rester à l'écoute de nous-mêmes, parce que, de toute manière, cela n'avait pas d'importance – jamais ils ne seraient satisfaits. Certains d'entre nous n'ont jamais su comment s'y prendre.

Pourtant, s'accorder ce dont on a besoin n'est pas si difficile. Il me semble qu'on peut s'y mettre assez vite. La formule est simple : quelles que soient les circonstances, détachez-vous et demandez-vous : « Que faut-il que je fasse pour m'occuper de moi-même ? »

Ensuite, on doit s'écouter et écouter sa Puissance supérieure. Et respecter ce qu'on entend. La folie qui consiste à se punir pour ce qu'on éprouve, ce qu'on pense et ce qu'on cherche, à ne pas prêter attention à ce qu'on est vraiment et à ce que notre moi essaie de nous dire – tout cela doit cesser. Comment croyez-vous que cette Puissance supérieure s'y prenne avec nous ? Comme je l'ai dit plus haut, il n'est pas surprenant que les codépendants se croient abandonnés d'elle : ils se sont abandonnés eux-mêmes ! Quand on veut, on peut se traiter avec ménagements, s'accepter tel qu'on est. Nous ne sommes pas « simplement », « purement » des humains : nous avons été créés comme tels. Nous pouvons aussi nous témoigner de la compassion. Alors peut-être deviendrons-nous capables d'éprouver une authentique compassion pour les autres[3]. Écoutons ce que notre moi unique et précieux a à nous dire sur nos besoins.

Ce qu'il nous faut, c'est peut-être nous dépêcher pour arriver à l'heure à notre rendez-vous. Ou bien souffler un peu, prendre un jour de congé. Peut-être avons-nous besoin d'un peu d'exercice, ou d'une bonne sieste. D'être un peu seuls, ou au contraire entourés. Ce qu'il nous faut, c'est peut-être un travail, ou un emploi du temps moins chargé. Ou que quelqu'un nous serre dans ses bras, nous donne un baiser, nous frotte le dos.

Il arrive qu'en s'accordant ce dont on a besoin, on se fasse plaisir, qu'il s'agisse d'une douceur, d'une nouvelle coiffure, d'une nouvelle paire de chaussures, d'une robe neuve, d'un jouet, d'une soirée au théâtre ou d'un séjour aux Bahamas. Mais cela peut aussi nous donner du travail : éliminer ou développer certaine composante de notre personnalité, améliorer nos relations avec telle ou telle personne, entretenir notre sens des responsabilités vis-à-vis de nous-mêmes ou des autres. S'accorder ce dont on a besoin, ce n'est pas seulement se faire des cadeaux; cela implique aussi de faire le nécessaire pour vivre de manière responsable – pour vivre une vie qui ne soit ni excessivement responsable, ni totalement irresponsable.

Nos besoins varient à chaque instant et de jour en jour. Suis-je envahi par la folle angoisse qui accompagne la codépendance ? Je devrais peut-être me rendre à une réunion des Al-Anon. Mes pensées sont-elles négatives, désespérées ? Il me faut peut-être un ouvrage de méditation, un livre qui m'inspire. Un problème physique me cause du souci ? Je devrais peut-être aller voir un médecin. Les enfants font n'importe quoi ? Je ferais peut-être mieux d'édicter des règles de discipline à l'intérieur de ma famille. Les gens me marchent sur les pieds ? Il faut que je leur fixe des limites à ne pas dépasser. Mes émotions me fouaillent le ventre ? Je dois affronter mes propres sentiments. Il faut peut-être que je me détache, que je ralentisse un peu, que j'apporte quelques rectifications, que j'intervienne, que j'amorce une liaison ou que j'entame une procédure de divorce. C'est à moi de voir. En mon âme et conscience, qu'ai-je réellement besoin de faire ?

En plus de s'accorder ce dont on a besoin, on se met à le réclamer aux autres, parce que c'est cela aussi s'occuper de soi et vivre en être humain responsable.

Ce faisant on devient son propre conseiller, son propre confident, son directeur de conscience, son partenaire et son meilleur ami ; on devient sa propre nounou dans l'entreprise nouvelle et excitante où on se lance, et qui consiste à vivre sa vie par soi-même. Ce sont les termes employés par le révérend Hansen, qui mène une action à l'échelon national contre toutes les formes de servitude. Fondez toutes vos décisions sur des faits réels, et faites en sorte qu'elles servent votre propre intérêt. Tenez compte de vos responsabilités envers les autres, car c'est ainsi que procèdent les gens responsables. Mais ne perdez pas de vue votre propre importance. Essayez d'éliminer de votre discours toutes les velléités (je « devrais » faire ceci, je « devrais » faire cela), et apprenez à avoir confiance en vous. Si vous vous écoutez, si vous écoutez votre Puissance supérieure, vous ne vous égarerez pas. Pour se permettre ce dont on a besoin et être maître de sa propre existence, il faut avoir la foi, assez pour poursuivre son chemin ; et pour faire un pas en avant, il faut accomplir un petit quelque chose tous les jours.

A mesure qu'on apprend à écouter et satisfaire ses besoins, on commence à se pardonner ses erreurs et à se féliciter de ses réussites. On accepte de mal s'y prendre dans certains domaines et médiocrement dans d'autres, car cela aussi fait partie de la vie. On apprend à rire de soi-même et de ce qu'il y a de profondément humain en nous, mais on ne rit plus quand on a besoin de pleurer. On se prend au sérieux, mais sans excès.

Au bout du compte, on en arrive à découvrir une stupéfiante vérité : rares sont les situations qu'on améliore en ne tenant pas compte de soi-même et de ses propres besoins. En fait, on ira même jusqu'à s'apercevoir du contraire.

J'apprends à m'occuper de moi. Je connais beaucoup de gens qui ont appris aussi, ou sont en train de le faire. Pour moi, tous les codépendants en sont capables.

EXERCICES PRATIQUES

1. A l'avenir, faites une pause et demandez-vous ce que vous devez faire pour prendre soin de vous-même. Faites cela aussi souvent que vous en éprouverez le besoin, mais au minimum une fois par jour. En cas de crise, pourquoi ne pas le faire heure par heure ? Et, ensuite, accordez-vous ce dont vous avez besoin.

2. Qu'espérez-vous de ceux qui vous entourent ? Attendez le moment propice, réunissez les personnes concernées et débattez ensemble de vos besoins vis-à-vis d'elles.

---

1. Nathaniel Branden. *Honoring the Self (Personal Integrity and the Heroic Potentials of Human Nature)*, Boston (Ma.) : Houghton Mifflin Compagny, 1953, p. 53.
2. Theodore I. Rubin avec Eleanor Rubin. *Compassion and Self-Hate – An Alternative to Despair*, New York : David McKay Company, 1975, p. 65.
3. *Ibid.*

11

Tomber amoureux de soi-même

Et par-dessus tout ceci : envers toi-même sois juste, et il s'ensuivra, comme la nuit suit le jour, que tu ne pourras être injuste envers quiconque.

– William Shakespeare.

« Aime ton prochain comme toi-même. » Le problème des codépendants, c'est qu'ils ne respectent que trop ce commandement. Pis encore, jamais il ne leur viendrait à l'idée de traiter les autres comme ils se traitent eux-mêmes. Ils n'oseraient pas et, de toute façon, les gens ne les laisseraient pas faire.

Pour la plupart, ils souffrent de cette calamité diffuse mais profondément enracinée qu'on appelle autodépréciation. Ils sont mal dans leur peau, ils ne s'aiment pas, et surtout pas d'amour. Pour certains, le terme « autodépréciation » est encore en deçà de la vérité. Non seulement ils ont une piètre opinion d'eux-mêmes, mais en plus ils se vouent une véritable haine[1].

On n'aime pas son allure. On ne supporte pas son propre corps. On se trouve stupide, incompétent, peu doué et, dans beaucoup de cas, indigne d'être aimé[2]. On se juge incapable de réfléchir correctement ou de ressentir normalement les choses. On est persuadé de n'avoir aucune importance, et si on estime ses sentiments anormaux, de toute façon ils ne *comptent pas*. Même chose pour les besoins qu'on éprouve. On tourne en ridicule les désirs, les projets d'autrui. On se trouve inférieur au reste du monde et différent de lui – peut-être pas unique, mais étrangement, incongrûment différent. Jamais on ne s'est retrouvé aux prises avec soi-même, et, quand on se regarde, c'est à travers une espèce de vitre terne et sale.

Peut-être avons-nous appris à déguiser notre mauvaise opinion de nous-mêmes en nous habillant et nous coiffant impeccablement, en vivant dans un environnement favorable et en exerçant une profession convenable. Nous vantons nos propres succès, mais sous la surface gisent des oubliettes où nous ne cessons de nous châtier, de nous torturer. Parfois nous nous punissons ouvertement, en nous dévalorisant devant tout le monde. Il arrive même que nous incitions les autres à renforcer notre haine de nous-mêmes, par exemple en laissant certaines personnes, certaines pratiques religieuses contribuer à notre sentiment de culpabilité, ou en autorisant les gens à nous faire du mal. Mais le châtiment le plus cruel se déroule en privé, à l'intérieur de nos têtes.

On se harcèle constamment, on a sur la conscience des montagnes de velléités, on se crée des tonnes d'intolérable culpabilité sans objet. A ne pas confondre avec la culpabilité véritable, authentique, celle qui motive le changement, apporte des enseignements utiles et nous met en contact étroit avec nous-même, avec les autres et avec notre Puissance supérieure. On se met sans arrêt dans des situations impossibles où on n'a plus d'autre choix que de se détester soi-même. Une idée me vient : je me dis aussitôt que je ne devrais pas avoir ce genre d'idée. Je ressens quelque chose : tout de suite je sais que c'est mal. Je prends une décision, j'agis en conséquence, et puis je le regrette. Mais il n'y a rien à regretter, pas de changements à apporter ; on n'a rien fait de mal. La vérité est que nous nous adonnons à une forme d'autopunition destinée à nous maintenir dans un état permanent d'anxiété, de malaise et d'étouffement. Nous nous prenons nous-mêmes au piège.

L'une de mes formes préférées d'autopunition consiste à me placer en situation de dilemme. J'ai deux choses à faire ; je décide de m'acquitter de celle-ci en premier. Au moment de mettre en œuvre ma décision, je me dis : « C'est l'autre qu'il fallait faire d'abord. » Je fais donc marche arrière, entreprends de réparer mon erreur, et là-dessus je recommence : « Non, ce n'est pas comme ça que j'aurais dû m'y prendre. La première solution était la meilleure. » Ou alors, je me coiffe, je me maquille, je me plante devant mon miroir et je pense : « J'ai une de ces allures ! Vraiment, je ne devrais pas ressembler à ça. »

Souvent, on croit avoir commis des erreurs tellement graves qu'on ne peut raisonnablement pas espérer le pardon. Parfois, c'est sa vie tout entière qu'on considère comme une vaste erreur : on s'est toujours fourvoyé. Certains sont persuadés de toujours tout faire de travers, tout en ayant envers eux-mêmes des exigences de perfection. On se met dans le pétrin, et on se demande pourquoi on n'arrive pas à en sortir.

Et on complète le tableau en ayant honte de soi-même. On n'aime pas ce qu'on fait, on n'aime pas ce qu'on est. On est fondamentalement insuffisant. Pour une raison qui nous échappe, notre Puissance a engendré en nous un individu totalement inadapté à la vie.

Dans le domaine de la codépendance comme dans bien d'autres aspects de la vie, tout est lié. Une chose en amène une autre. Dans le cas qui nous préoccupe, l'autodépréciation est fréquemment liée aux choses que nous faisons ou à celles que, justement, nous ne faisons pas. Et c'est elle qui entraîne un grand nombre de nos difficultés.

En tant que codépendants, nous nous détestons au point de ne pas juger bon de nous prendre en considération ; en d'autres termes, nous craignons de paraître égoïstes. Se faire passer avant tout le reste, c'est hors de question. On croit que pour valoir quelque chose il faut aider les autres, les prendre en charge ; donc, on ne peut pas dire non. Quand on est insignifiant à ce point, il faut se surpasser pour mériter l'affection. Quel être sain d'esprit voudrait nous aimer, passer du temps avec nous ? Pour attirer et conserver l'amitié des autres, on se croit obligé de faire des choses pour eux. Si les codépendants que j'ai connus étaient à ce point sur la défensive, ce n'est pas parce qu'ils se plaçaient plus haut que les autres, mais au contraire parce qu'ils se jugeaient tellement mal qu'ils en venaient à ressentir la moindre agression comme une menace d'annihilation pure et simple. Nous sommes tellement mal dans notre peau, et nous avons par ailleurs un tel désir d'être parfaits et d'éviter la honte que nous ne pouvons pas laisser les autres nous dire que nous avons mal agi. Si certains d'entre nous ne cessent de tarabuster et critiquer les gens, c'est peut-être parce qu'ils se réservent le même traitement.

Comme Earnie Larsen et d'autres spécialistes du problème, je crois que l'autodépréciation et la haine de soi sont liées à tous les autres aspects de la codépendance : le goût du martyre, le refus de jouir de la vie, l'acharnement au travail (on a tellement à faire qu'on n'a plus le temps de jouir de la vie), le perfectionnisme, l'incapacité de juger positivement ce qu'on fait, la tendance à toujours tout remettre au lendemain, l'accumulation intérieure de culpabilité et d'incertitude, et cette façon que nous avons de fuir l'intimité (en rompant systématiquement nos liaisons, par exemple), de ne jamais nous engager, de perpétuer des rapports destructeurs, de nous lier avec des gens qui ne sont pas bons pour nous, ou d'éviter ceux qui pourraient nous faire du bien.

Il y a mille manières de se torturer : trop manger, négliger ses besoins, se comparer aux autres, entrer en concurrence avec eux, s'obnubiler, remâcher des souvenirs douloureux ou imaginer de futures scènes pénibles. On se dit : « Et si elle se remettait à boire ? Si elle me trompait ? Si une tornade détruisait la maison ? » Méthode très efficace pour se donner des sueurs froides... On se fait peur, et après on se demande pourquoi on a peur de tout.

Nous nous tenons en piètre estime, et nous ne nous permettrons pas de profiter des bonnes choses de la vie parce que nous ne pensons pas les mériter.

Codépendants, nous tendons à entretenir des rapports fortement conflictuels avec nous-mêmes[3]. Certains d'entre nous ont appris à se détester au sein de leur famille, parfois par le biais d'un parent alcoolique. On réaffirme alors son dédain pour soi-même en quittant un parent alcoolique pour épouser un autre alcoolique. On aborde les rapports adultes avec un maigre capital d'autoappréciation, pour découvrir que le peu d'estime qu'on se portait a disparu. Il arrive que ce capital soit intact au jour de la rencontre, ou au moment où *le* problème se manifeste ; et, brusquement ou progressivement, on se surprend à se détester. L'alcoolisme et les autres formes de troubles compulsifs détruisent l'estime de soi, aussi bien chez l'alcoolique que chez le codépendant. N'oublions pas qu'il s'agit là d'affections autodestructrices. A force de vivre avec des alcooliques et autres perturbés – et à force de se comparer à eux –, on peut même ignorer le mépris et la haine qu'on se porte à soi-même ; à côté d'eux, on est vraiment le dessus du panier. Cette autodévalorisation peut, à tout moment, s'insinuer sournoisement.

Mais la question de savoir *quand* on a commencé à se torturer n'a pas d'importance. L'important, c'est d'arrêter ça tout de suite. On peut déjà commencer par se faire à soi-même un gros câlin affectif et mental. Je suis tout à fait normal(e). Je me réjouis d'être ce que je suis. Il n'y a rien de bizarre dans mes idées, mes sentiments. Je suis là où je suis censé être, au moment où je suis censé y être. Je ne suis pas particulièrement perturbé. Fondamentalement, je ne suis pas quelqu'un de malade. J'ai pu me tromper, bien sûr ; mais il n'y a pas de mal à ça. J'ai fait de mon mieux.

Malgré la codépendance, malgré nos tendances à contrôler, à secourir, et malgré nos autres défauts de caractère, nous sommes des gens normaux. Nous sommes exactement ce que nous devons être. Je me suis longuement étendue sur nos difficultés, nos caractéristiques, et les éléments qui doivent changer en nous – ce sont là des buts, des démarches à entreprendre si nous voulons redonner un peu de couleur à la vie. La personne que nous sommes actuellement est une personne tout à fait acceptable. Pour tout dire, les codépendants comptent parmi les êtres les plus aimants, les plus généreux, les plus bienveillants et les plus attentifs que je connaisse. C'est juste que nous nous sommes laissé piéger par des comportements qui nous nuisent. Nous allons apprendre à y mettre fin. Mais ces pièges sont nos problèmes ; ils ne sont pas *nous*. S'il y a en nous un côté exécrable, c'est bien cette façon de nous harceler, nous détester nous-mêmes[4]. Ce n'est pas de *notre faute* si nous avons attrapé cette mauvaise habitude ; mais il est en revanche de *notre devoir* de la perdre.

On peut arriver à se chérir soi-même et à chérir sa vie. On peut se dorloter, s'aimer. Accepter sa personnalité en la considérant comme idéale, avec tous ses défauts, ses manies, ses points forts et ses points faibles, ses sentiments, ses idées, et ainsi de suite. Notre personnalité, c'est la meilleure chose que nous ayons à notre disposition. Elle nous constitue, il n'y a aucune raison d'en désirer une autre. Et elle n'est pas là par erreur. Nous sommes la meilleure chose qui pourra jamais nous arriver. Soyez-en persuadé. La vie n'en sera que plus facile.

La seule différence entre les codépendants et le reste du monde, c'est que les autres ne passent pas leur temps à se reprocher ce qu'ils sont. Tout le monde a le même type de pensées, tout le monde dispose d'un certain éventail de sentiments. Tous nous commettons des erreurs, tous nous accomplissons des choses positives. Alors, arrêtons de nous tourmenter !

Nous ne sommes pas des citoyens de deuxième classe. Nous ne méritons pas de vivre par procuration ni d'avoir une vie sentimentale médiocre faute de mieux ! Nous sommes dignes d'être aimés, nous gagnons à être connus. Les gens qui nous aiment, d'amour ou d'amitié, ne sont pas pour autant des imbéciles ou des êtres inférieurs. Nous avons droit au bonheur[5]. Nous avons droit aux bonnes choses de la vie.

Ceux que nous trouvons beaux n'ont rien de plus que nous. Seulement, eux, ils se disent qu'ils présentent bien, et ils laissent briller leur personnalité. Les gens qui disent des choses profondes, intelligentes, spirituelles n'ont rien de plus que nous. Ils s'ouvrent aux autres, ils sont eux-mêmes, voilà tout. Ceux qui nous paraissent détendus, sûrs d'eux, ne sont pas différents de nous. Ils se sont tirés de situations effrayantes en se persuadant qu'ils pouvaient y arriver. Les gens qui semblent toujours réussir en tout n'ont rien de plus que nous non plus. Ils n'ont cessé d'avancer, de développer leurs dons et leurs talents et de se fixer des buts.

Même les personnages de la télévision (nos héros, nos idoles) sont pareils que nous. Nous travaillons tous plus ou moins le même matériau : l'humanité. C'est l'opinion qu'on a de soi-même et le discours qu'on s'adresse qui font toute la différence.

Nous sommes des gens bien. Pas plus mauvais que les autres, ni particulièrement désarmés devant la vie. Pour moi, nos angoisses et nos craintes viennent en grande partie du fait que nous nous répétons sans cesse : « Je ne suis pas à la hauteur. » Nathaniel Branden parle à ce propos d'une « sensation indicible d'inadéquation à la réalité[6] ». Je tiens, moi, à affirmer que nous sommes tout à fait capables de l'affronter. Décontractons-nous. Quels que soient la direction qu'il nous faut prendre et les actes qu'il nous faut accomplir, nous pouvons faire face à la situation. Tout se passera bien. Détendons-nous. Il n'y a pas de mal à être soi-même. Que pourrait-on bien être d'autre ? Essayons simplement de faire de notre mieux en toute circonstance. Il arrive que ce ne soit pas possible ; là encore, c'est normal. Certes, à mesure qu'on avance dans la vie on éprouvera certains sentiments, certaines peurs ; on pensera ceci ou cela, on se sentira vulnérable. Mais tout le monde passe par là. Nous devons absolument cesser de nous juger différent des autres alors que nous faisons et ressentons les mêmes choses qu'eux.

Il faut apprendre à se montrer indulgent, compréhensif et bon envers soi-même. Comment peut-on espérer se prendre correctement en charge si on se déteste ou si on se déplaît ?

Il faut refuser d'entrer en conflit avec soi-même. Cessons de nous faire des reproches, de nous comporter en victimes ; cette victime, entreprenons en individus responsables de la supprimer. Évacuons de force la culpabilité. Comme la honte, elle n'a aucune utilité à long terme, et n'est là que pour nous signaler ponctuellement que nous venons de transgresser notre propre code moral. La honte et la culpabilité ne peuvent en aucun cas constituer un mode de vie. Mettons un terme aux remords. Efforçons-nous de repérer instantanément les moments où nous nous punissons, où nous nous torturons, et faisons un effort conscient pour nous faire parvenir des messages positifs. Si vous savez pertinemment que vous devez entreprendre ceci ou cela, faites-le. Si vous êtes en train de vous torturer, arrêtez tout de suite. A la longue, cela devient de plus en plus facile. On peut rire de soi, se jurer qu'on ne nous y prendra plus, s'encourager, puis se mettre à vivre ainsi qu'on l'a décidé. Si vous éprouvez une culpabilité réelle, regardez-la en face et prenez les mesures nécessaires. Notre Puissance supérieure nous pardonnera. Elle sait bien que nous avons cru donner le meilleur de nous-mêmes, même si c'était en réalité le pire. On n'est pas obligé de se punir par le biais de la culpabilité dans le seul but de lui prouver, à elle ou à qui que ce soit d'autre, qu'on éprouve une affection sincère[7]. Il faut se pardonner à soi-même. Reprenez les Quatrième et Cinquième Étapes (voir le chapitre consacré aux programmes en Douze Étapes); allez trouver un conseiller spirituel; adressez-vous à votre Puissance supérieure; faites amende honorable et finissez-en une bonne fois pour toutes.

Il faut cesser d'avoir honte de soi. Si quelqu'un me dit, directement ou indirectement : « Tu devrais avoir honte », je ne suis pas obligé de le croire. La haine et la honte de soi n'ont qu'une utilité passagère. Citez-moi une seule circonstance où elles aient apporté une quelconque amélioration à votre situation, un seul cas où elles aient résolu votre problème. Non, la plupart du temps, elles nous confinent dans un tel état d'anxiété que nous sommes incapables de nous donner à fond. La culpabilité rend *toute chose* plus difficile.

Il faut se mettre en valeur, prendre des décisions et faire des choix qui rehaussent l'estime qu'on se porte.

« Chaque fois que vous avez conscience de vous comporter en individu précieux et non en personne désespérée, vous augmentez vos chances de réussir lorsque l'occasion se représentera », conseille Toby Rice Drews dans *Getting them Sober*[8].

Il est possible de se montrer doux, aimant, attentif, attentionné et bienveillant envers soi-même, envers ses sentiments, ses idées, ses besoins, ses désirs et tout ce qui fait sa personnalité. Possible de s'accepter – tout le monde peut y arriver. Partons de ce que nous sommes vraiment, et nous irons loin. Laissons s'épanouir nos dons et nos talents. Ayons confiance en nous. Affirmons-nous. On peut nous faire confiance. Ayons du respect pour nous-mêmes. Soyons honnête avec nous-mêmes. Glorifions notre moi, car c'est en lui que réside l'élément magique.

Ci-dessous un extrait de *Honoring the Self* *, excellent ouvrage consacré par Nathaniel Branden à l'estime de soi. Lisez-le attentivement.

« Dans la vie, parmi tous les jugements que nous formulons le plus important est celui que nous portons sur nous-même. Car celui-là atteint au centre même de notre existence.

» [...] Cette opinion que nous avons de nous-même concerne absolument tous les aspects significatifs de notre pensée, nos motivations, nos sentiments, notre comportement global [...]

» La première étape vers la glorification du soi est l'affirmation de la conscience : la liberté de penser, de se rendre compte des choses, de diriger le rayon lumineux de la conscience vers le monde extérieur mais aussi vers les profondeurs de notre être. Ne pas faire cet effort, c'est manquer à tous ses devoirs envers le soi au niveau le plus fondamental.

» Glorifier le soi, c'est être disposé à penser en toute indépendance, à vivre selon son propre esprit et à avoir le courage de ses propres perceptions, de ses propres jugements.

» Glorifier le soi, c'est prendre conscience non seulement de ce que nous pensons, mais aussi de ce que nous ressentons, cherchons, désirons, de ce dont nous avons besoin ; prendre conscience de ce qui nous fait du mal, de ce qui nous effraie ou nous met en rage – et c'est aussi assumer notre droit à éprouver de tels sentiments. L'attitude inverse est la dénégation, le désaveu, le refoulement – en bref, l'autorépudiation.

» Glorifier le soi, c'est conserver une attitude d'acceptation de soi, ce qui implique de s'accepter tel qu'on est, sans autorépression ni autopunition, sans se mentir sur sa véritable nature, sans s'abuser soi-même ni abuser les autres.

» Glorifier le soi, c'est vivre de manière authentique, parler et agir en accord avec ses convictions, ses sentiments les plus profonds.

» Glorifier le soi, c'est rejeter la culpabilité non justifiée et s'efforcer de faire justice à celle qu'on a méritée.

» Glorifier le soi, c'est croire que nous avons le droit d'exister, donc savoir que notre vie n'appartient à personne d'autre que nous-mêmes et que nous ne sommes pas là pour nous conformer aux exigences d'autrui. Pour beaucoup de gens, il s'agit là d'une terrifiante responsabilité.

» Glorifier le soi, c'est être amoureux de sa propre existence, de ses propres possibilités d'évolution et d'expérience de la joie, amoureux du processus de découverte et d'exploration des potentialités typiquement humaines.

» On voit donc que la glorification du soi passe par la pratique de l'*égoïsme* au sens le plus élevé, le plus noble, et le plus mal compris du terme. Et cette pratique, dirais-je, requiert une indépendance, un courage et une intégrité formidables[9].

Il faut s'aimer soi-même, s'engager vis-à-vis de soi-même. Nous devons nous accorder une part de cette loyauté sans limites que tant de codépendants sont prêts à accorder aux autres. L'estime de soi ne donnera pas naissance à l'égoïsme, mais à d'authentiques actes de bonté et de charité.

L'amour que nous donnerons et recevrons se trouvera rehaussé par celui que nous nous porterons.

EXERCICE PRATIQUE

1. Quelle opinion avez-vous de vous-même ? Décrivez-la par écrit. Mentionnez ce qui vous plaît et ce qui vous déplaît en vous. Relisez-vous.

---

1. Theodore I. Rubin avec Eleanor Rubin. *Compassion and Self-Hate – An Alternative to Despair*, New York : David McKay Company, 1975 ; Nathaniel Branden. *Honoring the Self (Personal Integrity and the Heroic Potentials of Human Nature)*, Boston (Ma.) : Houghton Mifflin Company, 1983.

2. Robert Subby et John Friel. « Co-Dependency – A Paradoxical Dependency. » In *Co-Dependency, An Emerging Issue*, Hollywood (Fl.) : Health Communications, 1984, p. 40.

3. Rubin et Rubin, cf. note 1.

4. *Ibid.*

5. Nathaniel Branden. *Honoring the Self (Personal Integrity and the Heroic Potentials of Human Nature)*, Boston (Ma.) : Houghton Mifflin Company, 1983.

6. *Ibid.*, p. 76.

7. Wayne W. Dyer. *Your Erroneous Zones*, New York : Funk and Wagnalls, 1976. Disponible par l'intermédiaire de Hazelden Educational Materials.

8. C'est-à-dire : « Pour les aider à redevenir sobres. » Toby Rice Drews. *Getting them Sober*, volume I, South Plainfield (NJ) : Bridge Publishing, Inc., 1980, p. xxi. Disponible par l'intermédiaire de Hazelden Educational Materials.

* Ou : *la Glorification du moi (N.d.T.).*

9. Branden, pp. 1-4. *Cf.* note 5.

12

Apprenez l'art de l'acceptation

« Je voudrais faire adopter la proposition suivante : regardons les choses en face. »

– Bob Newhart,
au cours du Bob Newhart Show.

La plupart des gens sains encouragent et préconisent l'acceptation de la réalité. Comme il se doit, c'est également l'objectif que visent un grand nombre de thérapies. Affronter *ce qui est* et négocier ensuite, voilà une démarche positive. L'acceptation procure la paix. Très souvent, elle est le pivot du changement. Mais c'est beaucoup plus facile à dire qu'à faire.

Tout le monde – et pas seulement les codépendants – se retrouve quotidiennement confronté à la nécessité d'accepter ou de refuser la réalité de telle ou telle journée, telle ou telle situation particulière. Dans une existence normale, il y a beaucoup de choses à accepter, depuis le moment où l'on ouvre les yeux le matin jusqu'au moment de les refermer le soir. La situation dans laquelle nous nous trouvons englobe la personne que nous sommes, l'endroit où nous habitons, la personne avec qui (ou sans qui) nous vivons, notre lieu de travail, notre moyen de transport, notre compte en banque, nos responsabilités, nos distractions préférées et tous les problèmes qui se posent à nous. Il y a des jours où il est très facile d'accepter tout cela. Cela nous vient naturellement. Ma coiffure tient, mes gosses se tiennent bien aussi, le patron est raisonnable, l'argent ne pose pas trop de problèmes, la maison est en ordre, la voiture marche, j'aime bien mon mari, ma femme, ma compagne, mon compagnon. Nous savons à quoi nous attendre, et l'objet de nos espérances reste dans les limites du raisonnable. Tout va bien. Mais il y a aussi des jours où tout va de travers. Les freins de la voiture ont lâché, il y a une fuite dans la toiture, les enfants sont insolents, je me suis cassé un bras, j'ai perdu mon emploi, mon mari ou mon amant déclare ne plus m'aimer. Il s'est passé quelque chose. On a un problème. Rien n'est plus comme avant. Tout a changé. On est en train de *perdre* quelque chose. La situation actuelle n'est plus aussi confortable. Les circonstances ont été altérées, et on se retrouve dans l'obligation d'accepter une situation nouvelle. Tout d'abord, on va réagir en niant l'existence du problème, du changement et de la perte, quelle qu'elle soit, ou en leur opposant une certaine résistance. On veut que tout soit de nouveau comme avant. Évoluer dans le même confort. Savoir à quoi s'attendre. On n'est pas en paix avec la réalité, une réalité qui nous met mal à l'aise. Provisoirement, on a perdu son équilibre.

Les codépendants ne savent jamais à quoi s'attendre, surtout s'ils sont en relation étroite avec un alcoolique, un drogué, un délinquant, un joueur invétéré ou tout autre individu en difficulté ou souffrant de troubles compulsifs graves. On est bombardé de problèmes, de pertes, de changements. On supporte les carreaux cassés, les rendez-vous manqués, les promesses non tenues et les mensonges éhontés. On perd sa sécurité financière, sa sécurité affective, on n'a plus foi en ceux qu'on aime, on ne croit plus en Dieu, on ne croit plus en soi. On se voit peut-être même privé de son bien-être physique, de ses biens matériels, on devient incapable d'apprécier le sexe, on perd sa réputation, sa vie sociale, sa carrière, son sang-froid, son respect de soi. On se perd soi-même.

Parfois, on ne respecte plus non plus ceux qu'on aime ; on ne leur fait plus confiance. On va même jusqu'à perdre l'amour qu'on leur vouait, jusqu'à se désintéresser d'eux. C'est très courant. C'est une conséquence naturelle, normale, de la *maladie*. Il existe une brochure intitulée *Guide destiné à la famille de l'alcoolique* et qui envisage ce problème :

« L'amour ne peut exister hors du cadre de la justice. Pour qu'il y ait amour, il faut également de la compassion, une volonté de soutenir quelqu'un et de souffrir avec lui. Mais compatir ce n'est pas subir l'injustice d'autrui. Pourtant, l'injustice fait fréquemment souffrir les familles d'alcoolique[1]. »

Cette injustice a beau être courante, elle n'en est pas moins douloureuse. La trahison peut devenir insurmontable, quand la personne que nous aimons nous blesse profondément.

La perte la plus pénible à laquelle nombre de codépendants se trouvent confrontés est la perte de leurs rêves, ces espérances ardentes et parfois irréalistes que nous nourrissons tous. C'est peut-être ce qu'il y a de plus difficile à accepter. Lorsque nous avons regardé notre bébé, à la maternité, nous avons nourri pour lui certains espoirs, lesquels excluaient certainement la possibilité qu'il ait un jour des problèmes d'alcool ou de drogue. De cela, nous n'avions pas rêvé. Le jour de notre mariage aussi, nous avons fait des rêves. L'avenir aux côtés de notre bien-aimé(e) était plein de merveilles, de promesses. C'était le début de quelque chose de grandiose, d'une ère nouvelle faite d'amour et que nous attendions depuis longtemps. Que ces rêves, ces promesses aient été ou non exprimés, pour la plupart d'entre nous ils existaient réellement. Voici ce qu'écrit Janet Woitiz dans un article extrait de *Co-Dependency, An Emerging Issue.*

« La première phase varie selon chaque couple. Néanmoins, le processus qui intervient dans la relation conjugale chimio-dépendante reste fondamentalement le même. Prenons comme point de départ les serments associés au mariage. Dans la plupart des cérémonies de mariage on entend des formules du type : « pour le meilleur et pour le pire », « dans l'abondance comme dans le dénuement », « dans la santé comme dans la maladie », « jusqu'à ce que la mort vous sépare ». C'est peut-être là que les ennuis commencent. Étiez-vous sincère en formulant ces vœux ? Si vous aviez su, à l'époque, que vous alliez non pas vers le meilleur, mais vers le pire, non pas vers la santé, mais vers la maladie, non pas vers la richesse, mais vers le dénuement, l'amour que vous ressentiez alors aurait-il constitué une compensation suffisante ? Oui, répondrez-vous sans doute ; eh bien, permettez-moi d'en douter. Si vous vous étiez montré plus réaliste et moins romantique, vous auriez interprété ces serments de la manière suivante : " Dans le bon comme dans le moins bon, en partant du principe que les mauvais moments seront passagers et les bons échelonnés tout au long de la vie. " Ainsi le contrat est signé en toute bonne foi. On ne gagne rien à se voiler la face[2]. »

Oui, les rêves étaient bien là. Nous avons tenu le coup si longtemps, à nous raccrocher à ces rêves à travers les pertes et les déceptions successives ! Nous avons fui la réalité, brandi ces rêves à la face de la vérité, refusé de croire ou d'accepter tout ce qui n'était pas à leur hauteur. Seulement, un jour, la vérité nous a rattrapés ; elle ne s'est plus laissé oblitérer. On n'avait pas voulu cela ; ce n'est pas ce qu'on avait prévu, demandé, espéré. Et ce ne le sera jamais. Le rêve est mort, et jamais plus il ne reprendra vie.

Certains d'entre nous ont vu leurs rêves et leurs espoirs réduits à néant ; ils se sont retrouvés devant l'échec de ce qui avait pour eux une importance extrême, leur mariage par exemple. Je sais bien qu'elle est immensément douloureuse, la perspective de perdre son amour et les rêves qu'on nourrissait. Il n'y a rien qu'on puisse dire pour soulager cette souffrance, atténuer ce chagrin. La blessure est profonde, quand on voit ses rêves anéantis par l'alcoolisme ou tout autre problème aussi grave. Cette maladie est mortelle. Elle extermine tout sur son passage, y compris les rêves les plus nobles. « La dépendance chimique détruit lentement mais sûrement », conclut Janet Woitiz[3]. On ne saurait mieux dire. Quelle tristesse ! Et rien ne meurt plus lentement, plus douloureusement qu'un rêve.

Même la guérison entraîne des pertes, de nouveaux changements à accepter bon gré mal gré[4]. Lorsque le conjoint alcoolique cesse de boire, les choses changent. Les modes de relations se modifient. Nos caractéristiques codépendantes, les dommages particuliers que nous avons subis, tout cela représente une perte de l'image que nous nous faisons de nous-mêmes, et cette perte, il faut la regarder en face. Bien sûr, ce sont là des changements positifs ; seulement, ils s'accompagnent également de pertes – on perd des choses qui n'étaient peut-être pas souhaitables, mais qui étaient en même temps devenues étrangement rassurantes, autant de schémas qui faisaient partie intégrante de notre situation. Au moins savions-nous à quoi nous attendre, même si cela voulait dire ne rien attendre du tout.

Les pertes auxquelles les codépendants ont quotidiennement à faire face et qu'ils doivent accepter sont colossales et permanentes. Elles sont d'une autre espèce que les problèmes et les pertes que rencontrent la plupart des gens dans le cours normal de leur existence. Car ce sont des pertes causées par des personnes à qui ils tiennent. Même si ces difficultés sont directement issues d'une maladie, d'un état particulier, d'un désordre compulsif, elles peuvent prendre l'allure d'actes délibérés et malveillants. On souffre par la main de celui ou celle qu'on aimait, celui ou celle en qui on avait placé sa confiance.

Dans la lutte pour accepter le changement et les difficultés, on est continuellement en déséquilibre. On ne sait ni à quoi s'attendre, ni quand cela va se produire. Ce ne sont que constantes fluctuations. La perte, le changement peuvent survenir dans tous les domaines. On se sent devenir fou ; les gosses sont perturbés ; il ou elle fait n'importe quoi ; la voiture a été saisie ; il y a des mois que plus personne ne travaille ; dans la maison, c'est la pagaille ; il n'y a presque plus d'argent. Les pertes peuvent pleuvoir toutes en même temps comme s'échelonner sur une longue période. Alors les choses se stabilisent temporairement, jusqu'à ce qu'on se retrouve à nouveau sans voiture, sans emploi, sans foyer, sans argent et sans plus aucune communication avec les êtres aimés. On a osé reprendre espoir, et tout ce qu'on a obtenu, c'est de voir ses rêves une nouvelle fois détruits. Qu'importe si ces espoirs se fondaient sur un vœu pieux : le problème en question va s'envoler comme par magie. Un espoir perdu est un espoir perdu. Une déception est une déception. Les rêves perdus sont des rêves morts, et tous ils engendrent la souffrance.

Accepter la réalité ? La plupart du temps, nous ne savons même pas ce que c'est que la réalité. On nous ment ; nous nous mentons à nous-mêmes ; la tête nous tourne. Le reste du temps, nous sommes tout bonnement incapables d'affronter la réalité ; personne ne pourrait supporter ça. Il n'est pas surprenant que l'attitude de dénégation fasse partie intégrante du syndrome alcoolique, ainsi que de tout problème grave impliquant des pertes continuelles. Il y a trop de choses à accepter ; la situation nous dépasse. Souvent, on est tellement absorbé par les crises successives et le chaos ambiant, tellement occupé à tenter de résoudre les problèmes des autres, qu'on n'a pas le temps d'accepter quoi que ce soit. Et pourtant, tôt ou tard il faudra regarder en face *ce qui est.* Si les choses doivent changer un jour, il faut que nous acceptions la réalité. Si nous devons jamais remplacer nos rêves perdus, nous sentir à nouveau sains et en paix, nous devons accepter la réalité.

Comprenez-moi bien : l'acceptation n'est pas l'adaptation. Cela ne signifie pas qu'on doive se résigner à l'état lamentable dans lequel on se trouve. *Je ne veux pas dire par là qu'on doive accepter toutes sortes de mauvais traitements en s'y résignant.* Non, pour le moment, il faut au contraire reconnaître et accepter sa situation, s'accepter soi-même tel qu'on est, et les membres de son entourage tels qu'ils sont. A partir de là seulement on pourra trouver la paix et se rendre capable d'évaluer la situation, d'apporter les modifications nécessaires et de résoudre ses problèmes. Un individu maltraité ne prendra pas la décision de mettre fin à son martyre avant de l'avoir reconnu comme tel. Il doit alors cesser de faire comme si les mauvais traitements devaient un jour s'interrompre comme par magie, cesser de faire comme s'ils n'existaient pas, cesser de leur trouver des excuses. Quand on parvient à l'acceptation, on devient capable de réagir de manière responsable à son environnement. Alors on reçoit le pouvoir de changer ce qui peut être changé. Un alcoolique ne saurait s'amender tant qu'il n'a pas accepté son impuissance totale devant l'alcool et l'abus qu'il en fait. Les codépendants ne sauraient changer avant d'avoir accepté leurs caractéristiques — leur impuissance face aux autres, face à l'alcoolisme et face aux diverses situations qu'ils se sont tant acharnés à contrôler. L'acceptation, c'est l'ultime paradoxe : on ne peut se changer avant de s'accepter tel qu'on est.

A propos de l'acceptation de soi, voici un extrait de *Honoring the Self* :

« [...] Si j'arrive à accepter le fait que je suis ce que je suis, que je ressens ce que je ressens, que j'ai fait ce que j'ai fait — si je parviens à l'accepter que cela me plaise ou non —, alors je peux m'accepter moi-même. Accepter mes défauts, mes doutes, la piètre opinion que j'ai de moi. Et quand j'aurai accepté tout cela, je me serai rangé du côté de la réalité au lieu de m'efforcer de la combattre. Je n'embrouillerai plus ma conscience à conserver des illusions sur mon état. J'ouvre donc la voie qui mène au raffermissement de l'estime que je me porte [...].

» Tant que nous restons incapables d'accepter ce que nous sommes à un moment donné de notre existence, tant que nous ne savons pas nous rendre pleinement conscients de la nature véritable de nos choix et de nos actes ni admettre la vérité en notre âme et conscience, nous ne pourrons pas changer[5]. »

Si je me fie à ma propre expérience, je constate également que ma Puissance supérieure manifeste une certaine réticence à intervenir dans ma situation tant que je n'ai pas accepté ce qu'elle m'a déjà donné. L'acceptation n'engage pas l'avenir. Elle concerne le moment présent. Mais elle doit être viscéralement sincère.

Comment parvenir à cette paix intérieure ? Comment affronter la réalité sans ciller ni se voiler la face ? Comment accepter toutes les pertes, tous les changements et tous les problèmes que la vie jette en travers de notre chemin ?

Cela ne se fait pas sans mal. Le processus comporte cinq étapes. Élisabeth Kübler-Ross a été la première à reconnaître en ces étapes les stades successifs par lesquels on passe quand on est confronté à sa propre mort, cette ultime perte[6]. C'est ce qu'elle appelle travail de deuil.

Depuis, divers professionnels de la santé mentale ont constaté que, confrontés à une perte quelconque, les individus suivaient ce même processus. La perte peut être mineure (un billet de banque égaré, une lettre attendue qui n'arrive pas) ou bien grave (mort du conjoint, divorce, perte d'un emploi). Même les changements positifs entraînent des pertes (par exemple, quand on achète une maison et qu'il faut quitter l'ancienne), et impliquent donc qu'on franchisse un à un les stades énumérés ci-dessous[7].

1. La dénégation

C'est le premier stade. C'est le choc, l'hébétement, la panique et le refus global d'accepter, voire d'admettre la réalité. On fait tout et n'importe quoi pour remettre les choses en l'état, faire comme si de rien n'était. Ce stade s'accompagne d'une forte dose d'angoisse et de crainte. Les réactions de dénégation typiques sont : je refuse de croire en la réalité (« Non, ce n'est pas possible ! »), je nie ou je minimise l'importance de la perte (« Ce n'est pas si grave que ça. »), je prétends ne pas être affecté (« Qu'est-ce que vous voulez que ça me fasse ? »), ou bien je mets en place des stratégies mentales destinées à parer le coup (sommeil, fixations, comportements compulsifs, activité forcenée)[8]. On se sent parfois détaché de soi-même, les réactions affectives sont neutres, pratiquement inexistantes ou bien inappropriées (on rit quand on devrait pleurer, on pleure quand on devrait être heureux).

Pour moi, c'est à ce stade que nous mettons en œuvre la plupart de nos comportements codépendants : fixations, contrôle des autres, refoulement de ses propres sentiments. Je crois aussi qu'il existe un lien entre ce stade et l'impression d'être « fou » : on se ment à soi-même, on croit les mensonges des autres. Or, il n'y a rien de plus efficace que le mensonge pour faire croire à quelqu'un qu'il devient fou. Ajouter foi à un mensonge, c'est être atteint au plus profond de son être, là où, instinctivement, nous connaissons tous la vérité ; mais cette vérité, nous l'écartons en lui disant : « Tais-toi. Tu te trompes. » Si l'on en croit le thérapeute Scott Egleston, nous nous décrétons alors anormaux en raison même de cette suspicion, et nous nous considérons, avec notre être intuitif et profond, comme indignes de confiance.

On n'adopte pas une attitude de déni parce qu'on est stupide, obstiné ou autrement déficient. On n'a même pas conscience de se mentir à soi-même. « La dénégation n'est pas le mensonge », déclare le psychologue Noel Larsen. « Nier la réalité, c'est ne pas vouloir voir ce qu'elle est vraiment. »

La dénégation, c'est le croque-mitaine de la vie. Comme quand on dort : on ne prend conscience de ses actes qu'une fois ceux-ci accomplis. A un certain niveau, on croit sincèrement les mensonges *qu'on se raconte à soi-même*. Là encore, il y a une raison.

« En temps de stress intense, on " éteint " en quelque sorte son champ de conscience sur le plan affectif, parfois sur le plan intellectuel, et en quelques occasions sur le plan physique », dit encore Claudia L. Jewett dans *Helping Children Cope with Separation and Loss**. « Un certain mécanisme intégré se déclenche, qui oblitère l'information dévastatrice et prévient une éventuelle surcharge. Les psychologues disent que la dénégation est un mécanisme de défense conscient ou inconscient que nous utilisons tous pour éviter, réduire ou prévenir l'anxiété quand nous nous sentons menacés, poursuit-elle. Il nous sert à exclure de notre champ de conscience les éléments par trop perturbateurs[9]. »

La dénégation est l'amortisseur de l'âme. C'est une réaction instinctive et naturelle à la douleur, la perte et le changement. Elle nous protège. Elle pare les coups que nous assène la vie jusqu'à ce que nous puissions rassembler les ressources nécessaires pour y faire face.

2. La colère

Une fois qu'on a cessé de nier sa perte, on passe au stade suivant : la colère. Il peut s'agir d'une colère raisonnable ou déraisonnable. On peut avoir de bonnes raisons d'enrager, ou bien déverser son courroux de manière irrationnelle sur tout et tout le monde. On peut reprocher à

Dieu, aux autres ou à soi-même la perte qu'on a subie. Selon la nature de celle-ci, on est légèrement fâché, franchement irrité, carrément furieux ou en proie à une rage qui nous ébranle jusqu'au tréfonds de nous-mêmes.

Voilà pourquoi, quand on remet quelqu'un dans le droit chemin, quand on lui montre la voie, ou quand on affronte un problème grave, on n'obtient que rarement le résultat escompté. Quand on nie l'existence d'une situation donnée, ce n'est pas vers l'acceptation de la réalité qu'on se dirige, mais tout droit vers la colère. C'est aussi la raison pour laquelle il faut aborder avec prudence les grandes confrontations. John Powell dit dans *Why Am I Afraid to Tell You Who I Am*** ?* :

« La tendance qu'ont certains à remettre l'autre dans le droit chemin, à lui arracher son masque, à le forcer à regarder en face la vérité qu'il se cache, est une vocation extrêmement dangereuse et destructrice. Puisque l'autre ne peut vivre dans la conscience de tel ou tel facteur, à sa manière il maintient son intégrité par le biais d'une forme ou une autre d'autoaveuglement [...] Si cette intégrité vole en éclats, qui va ramasser les morceaux et reconstituer le pauvre diable[10] ? »

J'ai vu des gens perdre leur sang-froid et devenir violents au moment où ils font enfin face à une vérité qu'ils niaient depuis longtemps. Si on forme le projet d'intervenir, il faut songer à faire appel à un professionnel.

3. Le marchandage

Une fois calmé, on essaie de conclure un marché avec la vie, avec soi-même, avec une autre personne ou bien sa Puissance supérieure elle-même : si je fais ceci ou cela, moi ou quelqu'un d'autre, alors je ne serai pas obligé(e) de subir cette perte. On ne tente pas de repousser l'échéance inévitable, mais bel et bien de l'empêcher. Le marché est parfois raisonnable, productif : « Si mon mari/ma femme et moi allons consulter, nous sauverons peut-être notre couple. » Mais, parfois aussi, il est absurde : « Autrefois, je me disais que si je tenais bien ma maison, si cette fois-ci je nettoyais enfin le réfrigérateur à fond, alors mon mari cesserait de boire », se souvient une épouse d'alcoolique.

4. La dépression

Quand on se rend compte que le marchandage ne donne rien, qu'on s'épuise à lutter pour ne pas voir la dure réalité et qu'on décide de ne plus se la cacher, on tombe dans la tristesse, voire dans une profonde dépression. L'essence même du chagrin : le deuil dans toute sa puissance. C'est exactement ce qu'on s'était efforcé d'éviter à tout prix. C'est le temps des larmes, et ça fait mal. Pour Esther Olson, conseillère en thérapie familiale spécialisée dans cette période d'affliction ou (selon ses propres termes) dans le « processus de pardon », ce stade survient lorsqu'on baisse les bras en toute humilité. Le chagrin, dit-elle, ne disparaîtra qu'à la dernière phase du processus.

5. L'acceptation

Nous y voilà. Après avoir fermé les yeux sur la réalité, après avoir rué dans les brancards, poussé les hauts cris, négocié et finalement encaissé de plein fouet le choc de la douleur, on parvient au stade de l'acceptation. Elisabeth Kübler-Ross déclare :

« Il ne s'agit pas ici d'" abandonner ", de se résigner et de perdre tout espoir, de se dire " A quoi bon ? " ou " Je n'ai tout simplement plus la force de me battre ", encore que, dans ces cas-là, on entende aussi ce genre de déclarations. Celles-ci marquent également la fin de la lutte, mais pas l'acceptation. On ne doit pas considérer ce stade comme allègre. Au contraire, il est pratiquement dépourvu de sentiments. Tout se passe comme si la douleur avait disparu, comme si la lutte était terminée [...][11]. »

On est en paix avec ce qui est. On est libre de rester, libre d'aller de l'avant, libre de prendre les décisions qui s'imposent. Libre! On a accepté la perte, qu'elle soit mineure ou majeure. Elle est devenue composante acceptable de la situation présente. Elle ne nous gêne plus, elle ne paralyse plus notre vie. On s'est adapté, organisé différemment. On se sent de nouveau à l'aise vis-à-vis de sa condition et par rapport à soi-même.

Non seulement on s'accommode de la situation nouvelle et des changements qui sont intervenus dans sa vie mais, en un sens, on est également persuadé d'avoir retiré quelque chose de la perte, du changement, même si on n'en comprend pas très bien le pourquoi et le comment. On croit sincèrement que tout est bien ainsi, qu'on est sorti grandi de son expérience. On se dit au fond de soi-même que la situation (dans tous ses détails) est en tout point conforme à ce qu'elle doit être. Malgré la peur, les sentiments variés, la lutte et l'impression de ne pas très bien savoir où l'on en est, on sent que tout va pour le mieux, même s'il nous manque encore la lucidité. On accepte l'état de fait. On se calme, on ralentit, on cesse de parer les coups, de contrôler tout et tout le monde et de se voiler la face. Et on sait très bien qu'il faut d'abord atteindre cette phase pour pouvoir continuer.

Voilà comment on en vient à accepter ce qui nous arrive. Nous avons vu qu'Esther Olson appelait aussi ce travail de deuil « processus de pardon », ou de guérison, « influence de Dieu sur l'homme ». Ce n'est pas particulièrement agréable. En fait, à ce stade on ne sait pas très bien ce qu'il faut faire, et c'est parfois douloureux. Souvent, on a l'impression de craquer complètement. Au début, c'est le choc, la panique. A mesure qu'on franchit les étapes, on se sent un peu perdu, vulnérable, seul, isolé. Cela s'accompagne généralement d'une sensation de perte de contrôle, mais aussi d'espoir, un espoir parfois irréaliste.

Nous devrons suivre le même chemin pour tous les éléments de notre vie que nous n'avons pas acceptés. Un codépendant, un chimio-dépendant peuvent en être simultanément à plusieurs stades du processus de deuil en regard de pertes différentes. La dénégation, la dépression, le marchandage et la colère peuvent lui pleuvoir sur la tête tous en même temps. On ne sait pas forcément ce qu'on essaie d'accepter. Parfois, on n'a même pas conscience de lutter pour accepter une situation donnée. On a simplement l'impression de devenir fou.

Mais ce n'est pas vrai. Familiarisez-vous avec ce processus. Il peut se dérouler tout entier en trente secondes dans le cas d'une perte mineure, ou bien durer des années, voire une vie entière, quand la perte est importante. Il s'agit là d'un modèle, aussi se peut-il qu'on ne franchisse pas les étapes dans l'ordre exact que j'ai indiqué. Il arrive qu'on fasse le va-et-vient, que, de la colère, on en revienne à la dénégation, que, de la dénégation, on passe au marchandage, et de là retour à la dénégation. Quel que soit l'itinéraire qu'on suive à travers ces différents stades, et quelle que soit l'allure à laquelle on les franchit, pas moyen d'y échapper. Elisabeth Kübler-Ross affirme que ce processus n'est pas seulement normal, mais aussi nécessaire, comme le sont chacun de ses stades. On doit parer les coups durs par le biais de la dénégation jusqu'à ce qu'on soit mieux armé pour se défendre ; enrager, reprocher jusqu'à ce qu'on ait épuisé son stock de colère et d'accusations ; on va tenter de négocier, puis verser des larmes. Il ne faut pas forcément se laisser dicter sa conduite par ces stades, mais chacun de nous doit, au nom du bien-être et de l'acceptation finale, consacrer individuellement un laps de temps approprié à chacun. Citant Fritz Perls, père de la Gestalt-thérapie, Judi Hollis présente les choses ainsi : « L'issue est au bout du chemin[12]. »

Nous sommes des êtres solides et résistants. Mais, de bien des façons, nous sommes aussi fragiles. Capables d'absorber le changement et la perte, mais à notre propre manière et à notre propre rythme. Et seule notre Puissance supérieure sait quand le moment est venu. Donald L. Anderson, pasteur et psychologue, déclare dans *Better than Blessed**** :

« Sains sont les êtres qui prennent le deuil. Nous n'avons que très récemment commencé à comprendre que nier son chagrin c'est nier une fonction naturelle chez l'homme, et que ce déni a parfois des conséquences très graves. Le chagrin, comme toutes les émotions authentiques, s'accompagne de certaines altérations physiques et d'une décharge d'énergie psychique, sous une forme ou une autre.

Si cette énergie n'est pas dépensée dans le processus normal de deuil, en restant intériorisée elle devient destructrice [...] Le prix à payer pour un deuil non résolu peut aller jusqu'à la maladie somatique [...] Tout événement, toute prise de conscience accompagnée de sensation de perte peut et doit déclencher ce processus. Il n'est pas question ici de vivre toute sa vie entière dans la tristesse. Non, cela signifie qu'on doit être disposé à admettre l'existence d'un sentiment authentique au lieu de se sentir constamment obligé d'écarter la douleur en faisant mine de s'en moquer. Non seulement il est permis d'accepter la tristesse associée à toute perte mais, en plus, c'est la seule option saine[13].

On peut s'autoriser à suivre ce processus chaque fois qu'on se retrouve confronté à la perte et au changement, même mineur. Mais allons-y doucement. Il s'agit d'un processus exténuant. Il peut absorber toute notre énergie et rompre notre équilibre. Regardez-vous franchir les stades, éprouvez ce que vous devez éprouver. Parlez-en autour de vous à des gens qui ne sont pas en danger et qui peuvent donc vous procurer le confort, l'appui et la compréhension dont vous avez besoin. Parlez à cœur ouvert, allez jusqu'au bout. Personnellement, ce qui m'aide c'est de remercier ma Puissance supérieure pour la perte que j'ai subie – pour la situation dans laquelle je me trouve –, sans tenir compte de mon propre sentiment sur la question. Beaucoup de gens trouvent une aide en récitant la prière de la Sérénité. Nous ne sommes pas tenus de nous comporter de manière aberrante, mais il faut absolument que nous en passions par là. Et les autres aussi. Comprendre ce processus, c'est se rendre capable de mieux soutenir les autres et acquérir un pouvoir de décision sur son propre comportement, et sur les démarches qu'on fera pour se prendre en charge au cours du processus.

Apprenez l'art de l'acceptation. Cela ne va pas sans mal.

EXERCICES PRATIQUES

1. Pensez-vous que vous soyez en train de suivre ce processus de deuil suite à une perte importante ? Sinon, est-ce le cas d'un membre de votre entourage ? A quel stade estimez-vous qu'il ou elle se trouve ? Et vous ?

2. Passez votre vie en revue et considérez les pertes et changements majeurs que vous avez subis. Souvenez-vous de vos expériences relatives au travail de deuil. Mettez par écrit vos sentiments tels que vous vous les rappelez.

---

1. Révérend Joseph L. Kellerman. *A Guide for the Family of the Alcoholic*, New York : Al-Anon Family Group Headquarters, Inc., 1984, pp. 8-9. Disponible par l'intermédiaire de Hazelden Educational Materials.

2. Janet Geringer Woitiz. « Co-Dependency : The Insidious Invader of Intimacy », in *Co-Dependency, An Emerging Issue*, Hollywood (Fl.) : Health Communications, Inc., 1984, p. 55.

3. *Ibid.*, p. 59.

4. Harold A. Swift et Terence Williams. *Recovery for the Whole Family*, Center City (Mn.) : Hazelden Educational Materials, 1975.

5. Nathaniel Branden. *Honoring the Self (Personal Integrity and the Heroic Potentials of Human Nature)*, Boston (Ma.) : Houghton Mifflin Company, 1983, pp. 62-65.

6. Elisabeth Kübler-Ross. *On Death and Dying*, New York : MacMillan Publishing Co., 1969. Disponible par l'intermédiaire de Hazelden Educational Materials. *Les Derniers Instants de la vie*, Genève : Éditions Labor et Fides.

7. Melody Beattie. *Denial*, Center City (Mn.) : Hazelden Educational Materials, 1986.

8. Claudia L. Jewett. *Helping Children Cope with Separation and Loss*, Harvard (Ma.) : The Harvard Common Press, 1982, p. 29.

* C'est-à-dire : « Aider les enfants à assumer la séparation et la perte. » *(N.d.T.)*

9. *Ibid.*, pp. 23, 29.

** C'est-à-dire : « Pourquoi ai-je peur de te dire qui je suis ? » *(N.d.T.)*

10. John Powell, *Why An I Afraid to Tell You Who I Am ?*, Allen (Tx.) : Argus Communications, 1969, pp. 116-117. Disponible par l'intermédiaire de Hazelden Educational Materials.

11. Kübler-Ross, cf. note 6, pp. 99-100.

12. Judi Hollis. *Fat Is A Family Affair*, Center City (Mn.) : Hazelden Educational Materials, 1985, p. 80. *Maigrir, une affaire de famille*, Paris : Éditions Jean-CLaude Lattès, 1991.

*** C'est-à-dire : « Mieux que bienheureux. » *(N.d.T.)*

13. Donald L. Anderson. *Better than Blessed*, Wheaton (Il.) : Tyndale House Publishers, Inc., 1981, p. 11.

13

Éprouvez vos propres sentiments

Quand je réprime mes émotions, ce sont mes tripes qui marquent les points.

– John Powell[1].

« Autrefois, j'animais des groupes pour aider les gens à affronter leurs propres sentiments », déclare une épouse d'alcoolique. « J'exprimais ouvertement mes émotions. Mais maintenant, après huit années de vie de couple avec lui, je serais bien incapable de vous dire ce que je ressentais alors, même si ma vie en dépendait. »

Il arrive fréquemment que les codépendants perdent le contact avec le siège de leurs émotions. On peut par exemple se rétracter sur le plan affectif pour éviter un traumatisme. La vulnérabilité affective est une chose très dangereuse. Les blessures s'accumulent, et nul ne semble s'en soucier. Il paraît alors plus sûr de se retirer. En état de surcharge, on se met en court-circuit afin de se protéger de la souffrance.

Cette distance affective peut s'instaurer vis-à-vis de certains êtres — ceux qui peuvent nous faire du mal. On ne leur fait pas confiance, donc, en leur présence, on dissimule son côté affectif.

On se sent parfois forcé de neutraliser ses émotions. Les systèmes familiaux qui pâtissent des effets de l'alcoolisme ou d'autres troubles similaires rejettent l'honnêteté affective et, dans certains cas, semblent même réclamer la malhonnêteté. Représentez-vous en train de dire à un ivrogne ce que ça vous fait qu'il démolisse la voiture, gâche votre soirée d'anniversaire ou vomisse dans le lit. L'expression de ces sentiments pourrait provoquer chez lui des réactions déplaisantes telles que la colère. Votre intégrité physique pourrait même s'en trouver menacée, car ce serait remettre en question un certain équilibre.

Même les familles sans terrain alcoolique rejettent les sentiments : « Tu as tort de ressentir ça. Ta réaction est incorrecte. Et, tant qu'à faire, ne ressens rien du tout. » Voilà le message qu'il nous est parfois donné d'entendre. Très vite nous entrons dans le jeu du mensonge, nous apprenons que nos sentiments ne comptent pas ; que, d'une manière ou d'une autre, ils ne sont pas ce qu'ils devraient être. Puisque personne ne leur prête attention, on cesse soi-même d'en tenir compte.

De temps en temps, il peut paraître plus facile de ne rien ressentir du tout. Nous avons de si lourdes responsabilités (et pour cause : nous prenons en charge tout notre entourage) ! Mais il y a des choses qui doivent être faites. Alors pourquoi prendre le temps de ressentir ? Qu'est-ce que ça changerait ?

Il arrive aussi qu'on tente d'effacer ses sentiments parce qu'on en a peur. S'avouer ses véritables sentiments exigerait une résolution, une action, un changement[2]. On se retrouverait face à face avec la réalité. On prendrait subitement conscience de ce qu'on pense, ce qu'on veut, et de ce qu'on sait devoir faire. Et on n'est pas encore prêt pour cela.

Les codépendants sont des gens oppressés, déprimés, refoulés. Souvent ils sont capables de dire tout de suite ce que ressent telle ou telle personne et pourquoi, si elle est comme cela depuis longtemps, et ce que son état la poussera à faire. Ils peuvent passer toute leur vie à se tracasser à propos des sentiments des autres, essayer de les remettre d'aplomb, de les contrôler. On ne veut pas blesser les gens, ni les perturber, les offenser. On se sent tellement responsable de ce qu'ils ressentent ! Et pourtant, le codépendant ne sait pas ce qu'il éprouve lui-même. Ou alors, il ne sait pas comment s'en dépêtrer. Souvent il a renoncé à prendre en charge sa personnalité affective, à supposer qu'il en ait jamais assumé la responsabilité.

Mais, après tout, ces fameux sentiments ont-ils tellement d'importance ? Avant de répondre à cette question, je tiens à vous parler de ma cure de désintoxication, dans un hôpital du Minnesota. C'était en 1973. Depuis dix ans je prenais régulièrement de l'alcool, de l'héroïne, de la morphine, de la méthadone, de la cocaïne, des barbituriques, des amphétamines, de la marijuana... tout ce qui me tombait sous la main, du moment qu'avec un peu de chance je me sentis mieux dans ma peau. Et puis il a fallu me défaire de cette habitude. J'ai donc demandé, entre autres à ma thérapeute, Ruth Anderson, comment je devais m'y prendre. On m'a répondu : « Demandez-vous ce que vous ressentez. » (On m'a également conseillé de fréquenter les Alcooliques anonymes. Je reviendrai là-dessus.) Je me suis attelée à la tâche. Au début, j'ai cru que je n'en sortirais jamais. J'ai connu des décharges émotionnelles d'une telle violence que ma tête, croyais-je, allait exploser. Mais, finalement, ça a marché. Les premiers jours, les premiers mois de désaccoutumance passèrent. Puis vint le moment d'interrompre le traitement. Je me retrouvais devant la perspective improbable d'une éventuelle réinsertion dans la société. Je n'avais pas l'ombre d'un curriculum vitae ; pour un héroïnomane, trouver et conserver un emploi rémunéré n'est pas chose facile. J'avais été contrainte de cesser tout rapport avec ceux qui, autour de moi, usaient de substances chimiques, c'est-à-dire avec tous les gens que je connaissais. Ma famille considérait encore ma prétendue guérison d'un œil sceptique, et ne m'avait pas encore tout pardonné, ce qui était bien compréhensible. Dans l'ensemble, je ne laissais derrière moi qu'un vaste champ de bataille, et je ne voyais pas très bien où était ma place dans la société. Ma vie future ne me semblait guère renfermer de promesses. Mais, en même temps, ma thérapeute me disait d'aller de l'avant, de commencer enfin à vivre. Une fois de plus, je lui ai demandé ce qu'il fallait que je fasse pour cela. Et de nouveau, elle et les autres m'ont répondu : « Continuez de vous demander ce que vous ressentez, affrontez vos propres sentiments. Allez voir les A.A. Et tout ira bien. »

Je trouvais bien ça un peu simpliste, mais je n'avais pas tellement le choix. A ma grande surprise, et grâce à l'appui de ma Puissance supérieure, cela a marché. En ne jugeant pas indispensable de regarder ses sentiments en face, la codépendante que j'étais s'était mise dans de sales draps. La morale de cette histoire est qu'en ne négligeant pas ses sentiments et en allant trouver les A.A. on peut guérir de la dépendance chimique. Mais elle va aussi plus loin. Elle apporte une réponse à la question que je posais plus haut, à savoir : « Les sentiments ont-ils tellement d'importance ? »

Les sentiments ne sont pas le but suprême de l'existence. Ils ne doivent ni nous dicter notre conduite, ni contrôler nos actes ; mais on ne peut pas non plus ne pas en tenir compte. Ils ne se laisseraient pas faire.

Les sentiments, c'est important. Ça compte. Ça compte même beaucoup. Le côté affectif de chacun est une chose bien particulière. Si on distance ses sentiments, si on les repousse loin de soi, on perd une partie importante de sa vie et de soi-même. Les sentiments sont source de joie comme de tristesse, de peur et de colère. C'est cette facette affective de nous-mêmes qui nous permet de donner et de recevoir la chaude lumière de l'amour, qui nous rapproche des autres, qui nous met à même de jouir du contact sensuel.

Les sentiments sont également des signes. Quand on se sent heureux, à l'aise, plein de chaleur et de contentement, on en conclut généralement que, pour le moment au moins, tout va bien dans notre petit monde. Quand la colère, la peur, le chagrin nous troublent, ce sont nos sentiments qui nous disent : attention : problème ! Un problème qui peut se trouver à l'intérieur de nous (ce que je suis en train de faire ou de penser) ou bien à l'extérieur. Mais, quoi qu'il en soit, il y a quelque chose qui ne va pas.

Les sentiments peuvent aussi motiver des actions positives. La colère nous pousse parfois à résoudre un problème ennuyeux. La peur nous fait fuir le danger. Les blessures répétées et la souffrance morale nous dictent de rester à distance.

Les sentiments nous fournissent des indications sur nous-mêmes : nos désirs, nos besoins, nos ambitions. Ils nous aident à nous découvrir nous-mêmes, à savoir ce que nous pensons réellement de ceci ou cela. Les émotions s'inspirent de ce qui, en nous, cherche et détient la vérité, de ce qui tend vers l'autoconservation, l'autovalorisation, la sécurité et la bonté. Elles sont liées à la pensée cognitive, consciente, et à ce don mystérieux qu'on appelle instinct ou intuition.

Néanmoins, les émotions ont aussi un côté négatif. La souffrance affective est terrible. A tel point qu'on ne voit plus en soi que le côté affectif. La douleur, la tristesse peuvent durer. La peur, elle, est dissuasive; elle nous empêche de faire ce que nous voulons et devons faire afin de vivre notre vie.

Parfois, on s'empêtre dans ses émotions. On se sent tomber dans un puits rempli de sentiments obscurs, et on a l'impression qu'on n'en ressortira jamais. La colère donne naissance à la rancune et à l'amertume, et menace de s'installer définitivement. La tristese peut se muer en une dépression qui nous écrase de tout son poids. Certains êtres vivent très longtemps avec la peur.

On peut aussi se laisser abuser par ses sentiments, se retrouver à cause d'eux dans des situations qu'on aurait évitées en gardant la tête froide. Les sentiments ont un côté « barbe à papa » : ils ont toujours l'air plus volumineux qu'ils ne le sont en réalité.

Si les émotions ont un aspect sinistre (quand elles sont douloureuses, quand elles s'installent durablement ou nous tendent des pièges), la situation est encore plus grave quand on choisit de s'en détacher. Ne pas éprouver ses sentiments, opérer un retrait affectif, prendre ses distances par rapport au siège de ses émotions, voilà une démarche qui peut s'avérer désagréable, voire malsaine et autodestructrice.

Quand on refoule ou qu'on nie ses sentiments, on s'expose à des maux de tête, des troubles de la digestion, des dorsalgies, un affaiblissement de l'état général qui est la porte ouverte à toutes sortes de maladies. Le refoulement des sentiments (surtout s'il intervient au premier stade – la dénégation – du travail de deuil) peut entraîner divers troubles de l'alimentation (boulimie, anorexie), l'abus d'alcool ou d'autres types de drogues, des troubles du sommeil, des fixations, des attitudes dominatrices et autres comportements compulsifs[3].

Les sentiments, c'est de l'énergie. Les refouler, c'est bloquer la source de cette énergie. Et, quand on est bloqué, on ne peut pas vraiment donner le meilleur de soi-même.

Autre problème survenant quand on refoule ses sentiments : ils s'incrustent. Parfois même, ils se renforcent, ils nous font faire des choses curieuses. On est obligé d'aller plus vite qu'eux, de s'agiter constamment, de *faire quelque chose*. On n'ose pas se tenir tranquille, se laisser envahir par la paix, de peur qu'alors ils ne vous assaillent. Mais le sentiment qu'on cherche à fuir montre tout de même son nez, et là on se met à faire des choses qu'on n'avait aucunement l'intention de faire : passer un savon aux gosses, donner un coup de pied au chat, tacher sa plus belle robe ou fondre en larmes au beau milieu de la fête. On s'englue dans ses sentiments parce qu'on essaie de les réprimer et, comme un voisin omniprésent, ils s'accrochent obstinément jusqu'à ce qu'on ait admis leur existence.

Ce qui doit nous inciter à ne pas refouler nos sentiments, c'est le fait que la distanciation cause la disparition des émotions positives. On perd la capacité de ressentir les choses. Cela peut parfois représenter un réel soulagement, quand la douleur devient trop forte ou dure depuis trop longtemps, mais ce n'est pas une solution. En claquemurant ses émotions, il arrive qu'on enfouisse par la même occasion ses besoins les plus profonds (celui d'aimer et d'être aimé par exemple), qu'on ne sache plus se sentir proche des gens; en d'autres termes, qu'on ne connaisse plus l'intimité. On perd l'art de jouir des bonnes choses de la vie.

On perd le contact avec soi-même et son environnement. La communication avec les instincts est interrompue. On n'a plus conscience ni des messages que nous expédient nos sentiments, ni des difficultés qui surgissent autour de nous. Les sentiments eux-mêmes ne sont plus le moteur de nos actes. Quand on ne ressent plus rien, il y a peu de chances pour qu'on examine les pensées qui accompagnent inévitablement le processus; alors, on n'entend plus ce que dit sa voix intérieure. Et quand on ne veut pas voir ses sentiments en face, on ne change plus, on n'évolue plus. On est englué et on le reste.

Les sentiments ne sont peut-être pas une perpétuelle aubaine, mais leur suppression peut entraîner le malheur absolu. Alors, où est la solution ? Que faire de ces maudites émotions qui semblent être à la fois un délice et un fardeau ?

Eh bien, les éprouver, tout simplement. Je vous assure que c'est *possible*. Il n'y a pas de mal à éprouver des sentiments – quels qu'ils soient. Même pour les hommes. Avoir des états d'âme, ce n'est ni mal, ni déplacé. On n'a pas à s'en sentir coupable. Ressentir n'est pas faire ; déborder de fureur meurtrière n'est pas commettre un meurtre. Il faudrait pouvoir ne pas porter sur les sentiments de jugements du type « bon » ou « mauvais ». Les sentiments sont de l'énergie émotionnelle, et non des traits de personnalité.

On dit qu'il existe des centaines de sentiments différents allant de l'agacement à la franche irritation, de l'exubérance à la délectation, et ainsi de suite. Pour certains thérapeutes, ils ne sont en fait qu'au nombre de quatre : colère, tristesse, allégresse et effroi *. Ce sont les quatre groupes primaires, dont les autres sentiments ne seraient que des nuances, des variantes. Par exemple, « se sentir seul » et « avoir le cafard » entreraient dans la catégorie « tristesse » ; « anxiété », « nervosité » seraient des variantes de l'effroi ; « être aux anges » ou « être tout guilleret » relèveraient de l'allégresse. Appelez ça comme vous voudrez ; l'importance, c'est de ressentir des choses.

Cela ne signifie pas que l'on doive se tenir constamment sur ses gardes à guetter l'apparition de tel ou tel sentiment. Ni consacrer une partie importante de sa vie à patauger dans une véritable gadoue d'émotions. En fait, affronter ses sentiments, c'est justement s'extraire de la gadoue. Quand une émotion – c'est-à-dire de l'énergie affective – se présente, il faut l'accueillir, la « goûter ». Prendre le temps d'enregistrer sa présence jusqu'à l'étape suivante. Ne pas censurer. Ne pas bloquer. Ne pas s'enfuir en courant. Ne pas se dire : « Je ne devrais pas ressentir ça. Il y a quelque chose qui ne va pas chez moi. » Nous ne devons pas nous juger sur la base de nos sentiments, mais en faire l'expérience. Laisser affluer l'énergie dans notre corps et l'accepter en tant que sentiment, énergie affective nous appartenant en propre. Dire tout simplement : « O.K. ».

L'étape suivante est la démarche mystérieuse que les gens appellent généralement « affronter ses propres sentiments ». On fournit aux émotions une réponse appropriée. On examine les idées qui les accompagnent, et on les accepte sans refoulement ni censure[4].

Puis on se demande s'il reste une étape à franchir. C'est là que le jugement entre en jeu, là que le code moral intervient. On ne se juge toujours pas pour avoir éprouvé le sentiment en question. Qu'en faire ? On évalue la situation, puis on se choisit une attitude en accord avec son code moral et avec le nouvel idéal qu'on s'est fixé afin de prendre soin de soi-même. On a peut-être intérêt à rectifier un certain nombre de modes de pensée dévastateurs du genre : « Je me sens épouvantablement triste et terrifié(e) parce que la voiture est en panne et que c'est la fin du monde. » Il serait plus juste de dire : « Je suis triste que la voiture soit en panne. » La solution du problème est-elle de mon ressort ? Concerne-t-elle plutôt quelqu'un d'autre ? Est-il nécessaire ou approprié de parler à cette personne de ce que je ressens ? Si oui, quand ? Peut-être est-il suffisant d'éprouver tout simplement cette sensation, d'admettre l'existence de cette pensée. Si vous ne savez pas très bien quoi faire, si le sentiment qui vous perturbe est particulièrement fort ou si la démarche que vous souhaitez entreprendre est de nature radicale, je vous conseille d'attendre un jour ou deux que votre esprit ait retrouvé sérénité et cohérence. En d'autres termes : détachez-vous.

Nous ne sommes pas obligés de nous laisser contrôler par nos sentiments. Ce n'est pas parce qu'on est en colère qu'on doit pousser des hurlements et taper sur tout ce qui bouge. Ce n'est pas parce qu'on est triste ou déprimé qu'on doit passer toutes ses journées au lit. La peur ne doit pas vous empêcher de postuler un nouvel emploi que vous convoitez. Bref, vos émotions ne doivent pas vous mener par le bout du nez. Au contraire. Si nous n'éprouvons pas nos sentiments, si nous ne les prenons pas en compte de manière adulte, c'est *là* qu'ils nous contrôleront. Si nous nous comportons en adultes vis-à-vis de nos émotions, nous les soumettrons à notre intellect, à notre raison, et à l'ensemble des règles d'éthique qui régissent notre morale et notre comportement[5].

Réagir correctement à ses sentiments, c'est en être responsable. Mes sentiments m'appartiennent en propre. Personne ne me contraint à ressentir ceci ou cela ; au bout du compte, les autres ne sont pas responsables de ce que nous éprouvons, *quelle que soit notre insistance à soutenir le contraire.* Ils y contribuent, certes, mais cela s'arrête là. De la même manière, ils ne peuvent pas altérer nos sentiments. Nous sommes seuls à pouvoir le faire. Par ailleurs, on n'est pas non plus responsable des sentiments des autres, encore qu'on ait le choix de les prendre ou non en ligne de compte, ce qui peut parfois constituer une décision responsable. Mais, dans ce domaine, la plupart des codépendants en font trop. Il ne faut pas oublier ses propres sentiments, qui sont autant de réactions à la vie de tous les jours. Donc, lorsque vous évoquez tel ou tel sentiment avec quelqu'un, la règle est de dire : « Quand tu fais ceci ou cela, je ressens ceci ou cela parce que... » et non : « A cause de toi, j'ai le sentiment que...[6] ».

Cela dit, il existe d'autres manières de faire face à ses propres sentiments. C'est particulièrement vrai quand on réagit régulièrement au comportement d'autrui par une forte dose de détresse affective, surtout si cette personne continue de nous faire souffrir après que nous nous sommes ouverts à elle. Nous n'avons pas toujours besoin d'une aide extérieure pour éprouver nos propres sentiments. N'oublions pas que ceux-ci sont des signes, que ce sont eux qui nous poussent à agir. Repérez en vous les sentiments récurrents ; ils sont très révélateurs de votre personnalité et de la nature des relations que vous entretenez avec les autres.

Quand on décide de faire face à ses sentiments, il faut parfois se mettre à penser autrement. Presque toutes les thérapies partent du principe qu'il existe une corrélation directe entre ce que nous pensons et ce que nous ressentons. Il y a un lien. Nos pensées influencent nos sentiments. Parfois c'est un jugement incorrect, disproportionné ou inapproprié qui provoque l'apparition de certains sentiments, ou les maintient en place plus longtemps que nécessaire. Si je juge tel ou tel phénomène épouvantable, insurmontable et totalement injuste, j'éprouverai des sentiments intenses. C'est ce que, personnellement, j'appelle la pensée-catastrophe. Voilà pourquoi il importe d'examiner ses pensées une fois qu'on a ressenti ses émotions. Amenons-les au grand jour. Si nous découvrons qu'elles ne conviennent pas à la situation, nous savons alors ce qui nous reste à faire pour résoudre notre problème.

De temps en temps, il faut parler de ses idées et de ses émotions avec les autres. Il n'est pas sain de vivre dans l'isolement complet. Partager ainsi son côté affectif, c'est faciliter l'intimité. En outre, le fait d'être accepté tel qu'on est aide à s'accepter soi-même. Et c'est toujours une expérience merveilleuse. On peut avoir envie d'évoquer certaines choses devant un ami attentif et muet dans l'espoir d'éclaircir un problème. Les choses qu'on garde pour soi finissent par occuper trop de place, acquérir trop de pouvoir. Quand on arrive à les exprimer, elles reviennent à de plus justes proportions. On prend du recul. Les sentiments positifs sont également excitants à partager : la joie, la réussite, l'exaltation. Quand on souhaite avoir des relations intimes avec quelqu'un, on doit lui révéler ses sentiments. C'est ce qu'on appelle l'honnêteté affective.

Mais attention : la sensation de bonheur intense peut être aussi perturbante, aussi effrayante qu'une profonde tristesse, surtout, comme le dit Scott Egleston, pour les codépendants : ils n'ont pas l'habitude de se sentir heureux. Et, quand c'est le cas, tous ou presque pensent que cela ne va pas durer, qu'ils seront bientôt malheureux. Cela s'est toujours passé ainsi pour eux. Certains croient qu'on ne peut pas, qu'on ne *doit* pas se sentir bien, qu'on ne le mérite pas. Ils vont même jusqu'à faire des choses qui les désespèrent après avoir éprouvé une sensation de bien-être, ou chaque fois que la possibilité d'être heureux se présente. Or, il n'y a pas de mal à se sentir bien. Ni à se sentir mal. Laissez circuler l'énergie affective, recherchez activement la paix et l'équilibre.

Dans certaines circonstances, on ne peut pas faire face à ses propres sentiments sans l'aide d'un professionnel. Quand on s'enlise dans une émotion particulière, il faut s'accorder ce dont on a besoin. Consulter un spécialiste, un thérapeute, un psychanalyste, un directeur de conscience. Prendre soin de soi-même. Nous le méritons. La consultation professionnelle peut également s'imposer lorsqu'on refoule ses sentiments depuis très longtemps, ou bien si l'on a des raisons de croire que l'émotion refoulée est très puissante.

Mais l'éveil de cette facette affective ne nécessite parfois qu'une prise de conscience suivie d'un peu de pratique. Voici les activités qui, personnellement, m'aident à établir le contact avec mes sentiments : faire un peu d'exercice physique, écrire des lettres sans intention de les envoyer, parler à des gens avec qui je me sens en sécurité, me plonger sereinement dans la méditation. La conscience de soi doit devenir une habitude. Nous devons faire attention aux réflexions du genre « Je ne devrais pas ressentir ça, ce n'est pas bien » et, à notre degré de bien-être, nous devons écouter nos pensées, nos déclarations et le ton de notre propre voix. Nous devons nous tenir à l'œil. Nous trouverons ainsi la voie qui mène à nos sentiments, et qui nous mènera à travers eux sans encombre.

Nous devons inviter nos émotions à partager notre vie. Puis nous engager fermement à prendre gentiment, amoureusement soin d'elles. Éprouvons nos propres sentiments. Fions-nous à eux et à nous-mêmes. Nous sommes plus sages qu'on ne pourrait le croire.

EXERCICES PRATIQUES

1. Relisez vos notes. Quels sont les sentiments qui affleuraient timidement ou, au contraire, se déversaient sans retenue à mesure que vous écriviez ?

2. Jouons à imaginer[7]... Qu'arriverait-il si vous pouviez ressentir sur-le-champ tout ce que vous avez envie de ressentir, sans en être pour autant indigne de respect ? Que choisiriez-vous alors de ressentir ? Décrivez ces sentiments.

3. Trouvez quelqu'un de sûr, quelqu'un qui sache vous écouter, vous accepter tel que vous êtes sans essayer de

vous venir en aide, et entreprenez de lui exposer carrément et honnêtement vos sentiments. Écoutez les siens sans le juger ni tenter de le prendre en charge. Ça fait du bien, n'est-ce pas ? Si vous ne voyez personne autour de vous qui vous paraisse assez sûr, joignez-vous à un groupe de soutien.

---

1. John Powell. *Why Am I Afraid to Tell You Who I Am ?* Allen (Tx.) : Argus Communications, 1969, p. 155. Disponible par l'intermédiaire de Hazelden Educational Materials.

2. Jael Greenleaf. « Co-Alcoholic/Para-Alcoholic : Who's Who and What's the Difference ? » In *Co-Dependency, An Emerging Issue.* Hollywood (Fl.) : Health Communications, Inc., 1984, p. 9

3. Scott Egleston ; Powell ; Toby Rice Drews. *Getting Them Sober,* volume I. South Plainfield (NJ) : Bridge Publishing, Inc., 1980. Disponible par l'intermédiaire de Hazelden Educational Materials. Plusieurs autres sources de disponibilité.

* En anglais : « mad, sad, glad, and scared ». (*N.d.T.*)

4. Branden. Cf. chapitre 12, note 5.

5. Powell. Cf. note 1.

6. *Ibid.*

7. Albert Ellis et Robert A. Harper. *A New Guide to Rational Living.* Hollywood (Ca.) : Wilshire Book Co., 1975. Disponible par l'intermédiaire de Hazelden Educational Materials ; William Backus et Marie Chapian. *Telling Yourself the Truth.* Minneapolis (Mn.) : Bethany Fellowship, 1980.

14

La colère

« Mais qu'est-ce que tu détestes donc tant chez moi ? demandait à sa femme tel homme ayant cessé de boire depuis six mois.
– Tout ! » répondit-elle en lui jetant un regard furieux.

– Citation anonyme.

Pendant des années, la colère est restée chez moi un phénomène rare. Je pleurais, j'avais mal, ça oui. Mais la colère ? Non, ce n'était pas pour moi.

Une fois guérie de ma codépendance, je me suis demandé si je réussirais jamais à ne *plus* être en colère.

Janet Woitiz décrit très bier mon cas dans *Marriage on the Rocks* :

« Vous devenez rigide, méfiante. La rage vous consume sans trouver d'échappatoire satisfaisant. Tous ceux qui pénètrent chez vous ressentent les vibrations de cette colère. Pas moyen d'y échapper. Qui aurait cru que vous deviendriez cette sorcière pétrie d'indignation vertueuse[1] ? »

La colère fait partie de notre vie à tous. Les enfants la connaissent, les adolescents et les adultes aussi. Parfois elle ne joue qu'un rôle secondaire et ne pose pas de problème particulier. On laisse échapper le trop-plein et on passe à autre chose. On vaque à ses occupations, et le problème est résolu.

Généralement parlant, ce n'est pas ainsi que les choses se passent chez les codépendants, surtout s'ils vivent avec un alcoolique, un toxicomane ou toute autre personne souffrant d'un trouble persistant. La colère peut occuper une bonne partie de leur vie. Elle peut même *devenir* toute leur vie. L'alcoolique est furieux, ils sont furieux, les enfants aussi, sans oublier le chien. Tout le monde est constamment en colère. Et personne ne laisse jamais échapper le trop-plein, ou en tout cas pas assez. Même si on ne crie pas, si on fait semblant de ne pas être en colère, on enrage. Certains regards, certains gestes en apparence insignifiants nous trahissent. L'hostilité guette juste en dessous de la surface en attendant l'occasion d'éclater au grand jour. Il arrive que la colère explose comme une bombe, mais on n'en a jamais fini avec elle. L'alcoolique dit : « Comment oses-tu être en colère contre moi ? Je suis le roi. Moi, je peux me mettre en colère contre toi, mais pas l'inverse. » A quoi le codépendant répond : « Avec tout ce que j'ai fait pour toi, j'ai bien le droit de me fâcher quand ça me chante. » Mais en son for intérieur, il se demande : « Peut-être a-t-il/elle raison, après tout... Comment ai-je le front de me mettre en colère contre lui/elle ? Si j'ai cette impression, c'est que quelque chose ne va pas chez moi. » Et d'assener un nouveau coup à l'estime qu'il se porte, cette fois agrémenté d'une bonne petite dose de culpabilité. Qui plus est, la colère est toujours là. Rien n'est résolu ; la rage ne s'éteint pas pour autant. Au contraire, elle couve, elle bouillonne en nous.

Même quand le miracle se produit, quand l'alcoolique cesse de boire ou que le malade se remet de son trouble, le plus souvent la colère persiste[2]. En général, elle atteint son comble au moment où il va se faire soigner. Personne, y compris lui-même, ne peut plus supporter de vivre une telle folie. Parfois, la colère empire. Le codépendant se rend compte pour la première fois que ce n'est *pas* de sa faute. Il peut même éprouver un regain de colère à l'idée de s'être accusé si longtemps ! Alors, pour la première fois il ressent et exprime sans danger sa colère. Les choses se sont suffisamment calmées pour qu'il voie enfin la colère qui l'imprégnait en permanence. Ce qui risque d'ailleurs d'entraîner de nouveaux conflits. Maintenant qu'une nouvelle vie s'offre à lui, l'alcoolique a peut-être envie de tout recommencer à zéro – même si le fantôme du passé demeure – et, pour cela, il compte sur le codépendant.

L'alcoolique déclare donc : « Comment oses-tu te mettre en colère maintenant ? Puisque je te dis qu'on recommence tout ! »

Et le codépendant : « C'est ce que tu crois, *toi. Moi,* je ne fais que *commencer.* »

Au fond de lui-même, le codépendant peut aussi se dévaloriser et se culpabiliser encore plus en ajoutant à son fardeau cette notion déchirante : « C'est lui qui a raison. Comment ai-je le toupet de me fâcher maintenant ? Au contraire, je devrais être béat. Éperdu de reconnaissance. Décidément, c'est chez *moi* que quelque chose ne va pas. »

A partir de là, tout le monde se sent coupable parce que tout le monde est furieux. Et on enrage d'autant plus qu'on se sent coupable. On a l'impression d'avoir été floué, et on enrage parce que la guérison n'apporte pas les joies escomptées. Finalement, ce n'était pas le grand tournant à partir duquel on allait enfin voir la vie en rose. Ne vous méprenez pas sur mes propos. La sobriété, c'est beaucoup mieux. Mais cela ne fait pas disparaître d'un coup de baguette magique la colère et les problèmes relationnels. L'ancienne rage qui couvait s'éteint, une autre vient ranimer le brasier. On ne peut plus la mettre sur le dos de l'alcool ou d'une autre substance chimique, encore que ce problème-là ne soit pas encore tout à fait hors de cause. On ne peut plus avoir recours à ceux-ci pour atténuer chimiquement la colère. Souvent les codépendants ne peuvent même plus recevoir de leurs amis la compassion, la chaleur dont ils ont besoin. On se dit : « C'est merveilleux, l'alcoolique a cessé de boire, le problème est résolu. Alors, qu'est-ce que je veux de plus ? Je suis donc incapable d'oublier, de pardonner ? » Une fois de plus, le codépendant se demande : « Qu'est-ce qui ne va pas chez moi ? »

La colère est peut-être une émotion banale, mais elle n'en est pas moins difficile à assumer. La plupart d'entre nous, codépendants, n'avons pas appris à le faire parce que les autres nous ont montré comment ils assumaient la leur au lieu de nous montrer comment assumer la nôtre. Or, la méthode qu'ils nous démontrent est généralement inadéquate parce que, eux non plus, ne savent pas très bien s'y prendre.

Il y a tout de même de bons conseils : « Si vous vous mettez en colère, ne péchez point; que le soleil ne se couche pas sur votre colère[3]. » Ou encore : « Ne crie pas vengeance. » Pour un grand nombre d'entre nous, il n'est pas possible d'adhérer à ces recommandations. On croit qu'elles signifient : « Ne sois pas en colère. » On ne sait pas très bien ce qu'on pense de la colère. Parfois, on croit des choses fausses.

A propos de la colère, très souvent les codépendants (entre autres) croient les mensonges suivants :

- C'est mal d'être en colère.
- La colère est une perte de temps et d'énergie.
- Les gens bien ne se mettent pas en colère.
- Quand je me mets en colère, j'ai tort.
- Si je me mets en colère, je vais perdre la tête.
- Si je me mets en colère contre untel, il va s'en aller.
- Les autres ne devraient jamais se mettre en colère contre moi.
- Si les autres sont en colère contre moi, c'est que j'ai fait quelque chose de mal.
- Si les autres sont en colère contre moi, c'est que j'ai fait quelque chose pour les mettre dans cet état-là, et maintenant j'ai le devoir de réparer.
- Si je me sens en colère, c'est parce que untel m'a mis dans cet état-là, et il a le devoir de réparer.
- Si je suis en colère contre untel, c'est que tout est fini entre nous et qu'il doit s'en aller.

- Si je ressens de la colère à l'égard d'untel, je dois le punir de m'avoir mis(e) dans cet état.
- Si je suis en colère contre untel, il faut qu'il cesse de faire ce qu'il fait afin que je ne sois plus en colère.
- Si je suis en colère, il faut que je frappe quelqu'un ou que je casse quelque chose.
- Si je suis en colère, il faut que je crie et que je houspille quelqu'un.
- Si je suis en colère contre untel, ça veut dire que je ne l'aime plus.
- Si untel est en colère contre moi, ça veut dire qu'il ne m'aime plus.
- La colère est un péché.
- On ne doit se mettre en colère que quand on peut *justifier* ses sentiments[4].

Parmi les adeptes de programmes tels que celui des Alcooliques anonymes, beaucoup croient qu'il leur faudra absolument éviter de se mettre en colère une fois guéris. Le but visé par ces progammes de guérison est d'apprendre aux gens à composer adéquatement et immédiatement avec leur colère avant que celle-ci n'évolue en rancœur destructrice.

En tant que codépendants, nous avons peur de notre propre colère ou de celle des autres. Peut-être ajoutons-nous foi à l'un ou l'autre des mensonges dont j'ai dressé la liste ci-dessus. Mais nous avons peut-être d'autres raisons pour cela. Nous avons peut-être été frappés, maltraités par une personne en colère. Inversement, nous avons peut-être frappé ou maltraité quelqu'un alors que nous étions en colère. La seule décharge d'énergie qui accompagne la colère peut faire peur, surtout quand la personne en question a bu.

On réagit à la colère, à la sienne comme à celle des autres. C'est une émotion provocante. Qui peut aussi être contagieuse. On en renferme parfois une telle quantité! Toute la colère qui accompagne le chagrin. Celle qui provient du stade « persécution » dans la démarche de sauvetage ou de prise en charge. Beaucoup de codépendants restent coincés dans ce coin-là du triangle. Ils éprouvent des sentiments de colère irrationnels, injustifiés, et causés par un mode de pensée désastreux de type « réagissant », celui qui fait intervenir les « si seulement... », les « quelle catastrophe ! », les « toujours » et les « jamais ». La colère est parfois justifiée – n'importe qui en ferait autant, si on lui faisait subir un tel sort. Il y a aussi la colère qui masque la douleur et la peur. La rage qui cache tristesse et crainte, l'emportement qui naît de la culpabilisation. La culpabilité, qu'elle soit justifiée ou non, a tôt fait de se transformer en rage[5]. C'est un phénomène que connaissent bien les codépendants. Croyez-moi si vous voulez, mais les alcooliques aussi. Simplement, ils ont plus de facilité à opérer la transformation.

Et, pour finir, il y a la colère réagissante. On se fâche parce que l'autre est fâché. Il se fâche davantage, et on suit le mouvement. Bien vite tout le monde enrage, et plus personne ne sait comment tout a commencé. Mais le fait est là : on est en colère – et on en ressent de la culpabilité.

Il arrive qu'on préfère rester en colère. Ainsi, on se sent moins vulnérable, moins désarmé. La colère nous sert de bouclier. Elle nous protège de la blessure et de la peur, du moins en apparence.

C'est triste à dire, mais la plupart des codépendants ne savent pas du tout quoi faire de cette colère. Ils la ravalent, se mordent la lèvre, relèvent le menton, repoussent la colère jusqu'au tréfonds d'eux-mêmes, la laissent carillonner dans leur tête, lui tournent prestement le dos, l'endorment à coups de médicaments ou l'amadouent à coups de sucreries. Ils se mettent en accusation, transforment leur rage en dépression, l'emmènent au lit, appellent la mort de leurs vœux et finissent par se rendre malades. En dernier lieu, ils implorent le pardon de leur Puissance supérieure pour avoir osé afficher leur colère.

Souvent la colère nous pose de véritables dilemmes, tout particulièrement si nous vivons au sein d'un système familial dont le message est : « Pas d'états d'âme, et surtout pas de colère. » Quant à l'alcoolique, une chose est sûre : notre rage, il ne veut pas en entendre parler. De toute manière, il la considère probablement comme irrationnelle, et le simple fait de nous voir aborder le sujet l'embête. Cela déclenche chez lui des sentiments de culpabilité. Il va même jusqu'à nous foudroyer de son courroux dans le seul but de nous replonger dans la culpabilité et le refoulement.

Il arrive très souvent qu'on ne veuille ni ne puisse dire à ses parents ce qu'on ressent. Ils nous en voudraient de fréquenter un alcoolique ou un toxicomane. Ou alors, ils ne verraient que ses bons côtés, ils nous trouveraient déraisonnables et incapables de l'apprécier à sa juste valeur. Quant à nos amis, ils en auraient vite assez d'entendre nos jérémiades. Parfois, on a tellement honte qu'on ne peut même pas révéler sa colère à son directeur de conscience, son conseiller spirituel. Peut-être nous traiteraient-ils tout simplement de pécheurs, et ce genre de discours, nous ne l'avons que trop entendu. Nous nous le répétons assez souvent. On n'envisage même plus de se tourner vers sa Puissance supérieure pour exprimer le degré de sa colère.

Alors que fait-on de ce trop-plein qui déborde ? La même chose que d'habitude : on le refoule, on se laisse culpabiliser. A l'instar des autres émotions, la colère refoulée ne donne jamais rien de bon. Il peut se produire une fuite à un moment mal choisi. On s'emportera contre quelqu'un sans le vouloir. On se renfrognera, et les gens rechercheront de moins en moins notre compagnie. On pulvérisera la vaisselle tout en sachant très bien qu'on ne peut pas se permettre de casser quoi que ce soit : on n'a déjà plus grand-chose.

La colère peut prendre d'autres visages. On s'aperçoit tout à coup qu'on n'a plus envie de faire l'amour, qu'on en est incapable ou qu'on s'y refuse tout net[6]. Ou bien on se rend compte qu'on n'a plus envie de rien. Et on renforce encore la haine qu'on se voue (qui était déjà tenace) en se demandant : « Qu'est-ce qui ne va pas chez moi ? » avant de renchérir dans l'hostilité. Quand on nous demande ce qui ne va pas, nous répondons : « Rien. Je vais très bien, merci. » Nous nous laissons même aller à commettre de petites ou de grandes perfidies pour nous venger de ceux qui ont provoqué notre colère.

Lorsque la colère est réprimée trop longtemps, le risque devient plus grand. Les sentiments pénibles sont comme les mauvaises herbes : quand on les ignore, ils ne disparaissent pas pour autant : au contraire, ils prolifèrent et finissent par tout envahir. Un jour, la colère va éclater. On crachera des choses qu'on ne pense pas réellement. Pis encore (c'est le cas le plus fréquent), on livrera le fond de sa pensée. On perdra le contrôle, on se laissera aller à hurler, à donner des coups de pied dans les meubles, à s'arracher les cheveux et à casser des assiettes : une véritable crise de rage. On peut même se blesser délibérément. Autre possibilité : la colère va se muer en profonde amertume, en haine, mépris, révulsion ou rancune.

Et on continue de se demander : « Qu'est-ce qui ne va pas chez moi ? »

La réponse, on peut se la répéter à loisir : rien. Comme s'intitule si justement l'ouvrage de Gayle Rossellini et Mark Worden, *Pas étonnant que vous soyez en colère !*[7]. Si on fulmine, c'est parce que n'importe quel être doué de raison en ferait autant à notre place. Voici un passage particulièrement remarquable de *Marriage on the Rocks* :

« On ne peut pas côtoyer l'alcoolisme actif sans en être profondément affecté. Tout être humain à ce point accablé est digne d'éloges, ne serait-ce que pour avoir survécu jusque-là. Le simple fait d'être encore là pour raconter votre histoire devrait vous valoir une médaille[8]. »

La colère est une des conséquences majeures de l'alcoolisme. C'est aussi un effet de nombreux autres troubles ou perturbations de nature compulsive que sont obligés de vivre les codépendants.

Même si on n'a dans sa vie aucun problème majeur, aucune personne gravement atteinte, il reste souhaitable d'écouter sa colère quand elle se manifeste. La colère est une des conséquences profondes de la vie. Elle fait partie des émotions normales. Quand on la trouve sur son chemin, on doit lui laisser libre cours – sinon on la refoule. « Les gens qui ne se mettent jamais en colère ne m'inspirent aucune confiance, dit mon amie Sharon George, professionnelle de la santé mentale. Soit on se fâche, soit on se venge. »

Nous avons parfaitement le droit de ressentir de la colère. Et les autres aussi. Mais nous avons également le devoir – notamment envers nous-même – de lui réserver un traitement approprié.

Nous voici revenus à ma première recommandation : Occupons-nous de nos propres sentiments. Mais que faire d'une émotion aussi puissante que la colère ? Comment mettre fin à cette fureur ? A quel moment cela nous arrive-t-il ? Où cela nous mène-t-il ? A qui en parler ? Qui voudrait écouter ce genre de chose ? Nous-même nous ne voulons pas l'entendre. Après tout, la personne qui provoque notre colère est bel et bien malade. Alors, ne devrions-nous pas nous sentir pleins de compassion à son égard, ressentir des émotions positives ? Est-il juste d'enrager ainsi contre un malade ?

Oui, nous en avons tout à fait le droit. Nous n'avons pas demandé à rencontrer ce problème. Certes, le sentiment idéal serait la compassion ; mais nous ne serons sans doute pas capable de l'éprouver avant d'en avoir terminé avec la colère. La fureur meurtrière, la colère rentrée et toutes les étapes intermédiaires sont autant de moyens de contourner la rage — ancienne ou récente. Mais ne croyez pas que l'évacuation des émotions refoulées s'accomplisse du jour au lendemain. Il vous faudra peut-être un mois, voire une année entière. Combien de temps vous a-t-il fallu pour vous mettre dans cet état ? Non, la résolution de la colère réprimée en quantité significative demande du temps et des efforts. Quant à la colère récente, il faut de la pratique.

Voici quelques suggestions à cet effet :

- *Considérez tous les mythes auxquels vous avez souscrit à propos de la colère.* Autorisez-vous à vous mettre en colère si nécessaire. Laissez les autres en faire autant.
- *Ressentez à fond l'émotion.* Même s'il s'agit de colère, ce n'est en fait que de l'énergie affective. On ne saurait dire « c'est bien » ou « c'est mal » ; le jugement moral ne s'applique pas ici. La colère n'a pas à être justifiée, ni rationalisée. Si l'énergie est là, ressentez-la. Éprouvez aussi toutes les émotions sous-jacentes, par exemple la douleur et la peur.
- *Admettez l'existence des pensées qui accompagnent ce sentiment.* Exprimez-les de préférence à voix haute.
- *Examinez la pensée qui accompagne le sentiment.* Amenez-la au grand jour. Repérez ses éventuels défauts.

Surveillez les situations récurrentes. Vous en apprendrez beaucoup sur vous-même et votre environnement. Souvent les alcooliques en voie de guérison présentent des raisonnements « rances » connus sous le nom de « pensée malodorante », qui peuvent indiquer un désir de se remettre à boire.

- *Prenez une décision responsable concernant les démarches à entreprendre (s'il y a lieu).* Identifiez le message que votre colère cherche à vous faire parvenir. Désigne-t-elle un problème, en vous ou dans votre entourage, qui réclame votre attention ? Parfois, quand nous demandons à notre Puissance supérieure de nous aider à ne plus être en colère, il se peut qu'elle essaie de nous dire quelque chose. Nous faut-il changer ? Faut-il nous tourner vers quelqu'un d'autre pour obtenir ce dont nous avons besoin ? La colère provient fréquemment de besoins non satisfaits. Si l'on veut rapidement la résoudre, on doit cesser de réprimander la personne qui la suscite, se poser la question de savoir ce qu'on attend d'elle, et le lui demander. Si cette personne ne peut ou ne veut pas nous le donner, nous devons alors chercher le moyen de nous prendre seul en charge.

- *Ne pas se laisser dominer par la colère.* On peut mettre fin à l'emprise de la colère. On n'est pas obligé de continuer à vociférer. Comprenons-nous bien : dans certains cas, les vociférations sont salutaires. Mais pas toujours. Mieux vaut prendre une décision au lieu de laisser la colère décider à notre place. Nous n'avons pas à perdre le contrôle de nos actes. Il s'agit simplement d'énergie, et non d'un mauvais sort qu'on nous aurait jeté. Détachez-vous. Passez dans la pièce d'à côté. Rendez visite à votre voisine. Retrouvez la paix. Puis demandez-vous ce qu'il faut faire. On n'est pas forcé de laisser la colère des autres prendre le pas sur sa volonté. J'entends souvent les codépendants dire : « Je ne peux pas faire ceci ou cela ; il (elle) se mettrait en colère. » Ne mettez pas votre sécurité en danger, mais luttez pour vous libérer du joug de la colère – que ce soit la vôtre ou celle d'autrui. Il n'est pas obligatoire de réagir à la colère. Ce n'est que de l'énergie affective. On n'est même pas obligé de réagir en se fâchant à son tour, si on n'en a pas envie. Essayez, vous verrez.

- *Évoquez librement, honnêtement, le problème de la colère en choisissant votre moment.* Mais ne discutez pas avec l'ivrogne quand il a bu. La décision d'exprimer sa colère librement et en temps voulu peut être salutaire. Mais attention à votre manière d'aborder les gens. Souvent la colère suscite la colère. Au lieu de passer sa colère sur la personne incriminée, on peut éprouver ses propres sentiments, réfléchir à ses propres idées, se demander ce qu'on attend de telle ou telle personne et, à partir de là, lui faire connaître ce besoin, au lieu de la houspiller sans arrêt.

- *Assumez la responsabilité de votre colère.* On peut dire : « Je suis furieux de te voir faire ceci ou cela » et non « Tu me rends fou de rage ». Néanmoins, j'ai coutume de laisser une certaine marge aux gens dans l'exercice de la communication. On ne doit pas se sentir constamment obligé de formuler les choses avec précision, comme si on venait de participer à une séance de thérapie de groupe. Soyez vous-même. Comprenez simplement que nous sommes responsables de nos sentiments de colère – même s'ils représentent une réaction correcte au comportement incorrect d'autrui.

- *Parlez à des personnes de confiance.* Parler de la colère à quelqu'un qui vous écoute et vous accepte tel que vous êtes contribue singulièrement à assainir l'atmosphère. Cela nous aide aussi à nous accepter nous-mêmes. N'oublions pas qu'on ne saurait aller de l'avant sans s'être préalablement accepté. Et non, les autres ne sont pas indifférents. Il faudra peut-être sortir de chez soi pour aller à leur rencontre, ou se joindre aux réunions des Al-Anon, mais ils existent quelque part. Si on a nourri des sentiments de colère qui, avec le temps, se sont transformés en ressentiment tenace, on peut s'en ouvrir à un directeur de conscience, ou bien pratiquer les Quatrième et Cinquième Étapes. La rancœur fait souvent beaucoup plus de mal que de bien.

- *Brûlez l'énergie de la colère.* Nettoyez la cuisine. Allez faire une partie de foot-ball. Prenez de l'exercice. Sortez danser. Pelletez la neige. Ratissez la pelouse. Faites-vous construire un appartement, s'il le faut. La colère est source de stress extrême, et se dépenser physiquement aide à décharger cette énergie.

- *Ne vous mortifiez pas ni ne fustigez les autres parce que vous vous sentez en colère.* Ne laissez pas les gens vous frapper ou vous maltraiter d'une quelconque manière lorsqu'ils sont en colère. Ne leur faites pas de mal quand c'est vous qui êtes furieux. En cas de violences, demandez l'aide d'un professionnel.
- *Écrivez des lettres sans intention de les envoyer.* Si on se sent coupable d'être en colère, cette solution peut s'avérer fort utile. Commencez la lettre en posant la question : « Si je pouvais me mettre en colère à tel ou tel propos, si personne ne devait jamais s'en apercevoir et s'il n'y avait pas de mal à ça, voilà ce qui me mettrait en colère... » Une fois cette colère couchée sur le papier, on arrive à dépasser la culpabilité et à trouver le moyen de composer avec elle. Cet exercice peut également vous faire du bien si vous êtes déprimé.
- *Occupez-vous de votre culpabilité.* Débarrassez-vous de celle qui vous paraît désormais imméritée. Sur votre lancée, évacuez le reste aussi. La culpabilité ne résout rien. Notre Puissance supérieure nous pardonnera tout ce que nous avons jamais fait. D'ailleurs, je suis sûre qu'elle ne nous trouve pas tant de torts que ça.

Une fois qu'on se met à affronter la colère, on se rend compte qu'elle est présente la plupart du temps. C'est un phénomène très courant. On est comme un enfant qui vient de se voir offrir un nouveau jouet. On va finir par s'en contenter. Soyez patient. Vous ne réussirez qu'imparfaitement à la résoudre. Personne n'y arrive jamais tout à fait. On fait des erreurs, mais on en tire des leçons. Si on nous recommande de ne pas chercher à nous venger, c'est que la vengeance est une réaction courante à la colère. Quand (ou si) on fait des choses inappropriées, il faut regarder en face la culpabilité méritée qui en découle et, à partir de là, progresser par tous les moyens.

Si on a refoulé quantité de sentiments agressifs, il faut être clément avec soi-même. Ces choses-là prennent du temps. Pour le moment, on a peut-être besoin d'être à ce point furieux. Quand ce ne sera plus nécessaire, et à condition de le vouloir, on pourra cesser d'être en colère. Mais si vous vous sentez enlisé dans la colère, demandez l'aide d'un professionnel.

Certains pensent qu'on n'est jamais tenu de se mettre en colère ; que, si on contrôle son raisonnement, si on est correctement détaché, on ne réagira pas par ce moyen-là, on ne pataugera pas dans ce genre de sentiment. C'est probablement vrai ; toutefois, pour ma part je préfère me décontracter et attendre la suite plutôt que de me composer une attitude rigide et de me méfier constamment de la colère. Et comme mon amie, je me méfie de ceux qui me disent en souriant qu'ils ne se fâchent jamais. Ne vous y trompez pas : je ne suis pas en train de vous conseiller de vous raccrocher à la colère ou à la rancune. Simplement, je ne crois pas que toute notre vie doive tourner autour de ces sentiments-là, ni qu'il faille se chercher des raisons d'enrager dans le seul but de se mettre à l'épreuve. « Il n'est pas bon d'être perpétuellement en colère », déclare la thérapeute Esther Olson. Il n'est pas sain de se comporter de manière hostile. Il y a bien d'autres choses dans la vie que la colère.

Mais il n'y a pas de mal à enrager un bon coup quand on sent qu'on en a besoin.

EXERCICES PRATIQUES

1. A votre avis, qu'arriverait-il si vous commenciez à éprouver vraiment vos sentiments de colère ?

2. Quelle est votre conviction profonde au sujet de la colère ? Quels sont les mythes auxquels vous avez souscrit en la matière ? Si vous pensez devoir adopter de nouvelles positions par rapport à elle, faites-le. Attaquez-vous aux mythes chaque fois qu'ils s'attaquent à vous.

3. Dans votre situation familiale présente, comment les individus se comportent-ils vis-à-vis de la colère ? Quelle

était l'attitude de votre mère, votre père, vos frères et sœurs ? Quelle est votre méthode personnelle ?

4. Si vous avez le sentiment d'avoir refoulé votre colère, exprimez ce que vous en pensez par écrit. Achetez si besoin est un carnet que vous réserverez à « la colère ».

5. Si la colère est pour vous une émotion perturbatrice, gardez toujours sur vous votre carnet et un stylo, et mettez vos sentiments par écrit à mesure qu'elle se manifeste au cours de la journée.

---

1. Janet Geringer Woitiz. « The Co-Dependent Spouse : What Happens to You When Your Husband Is An Alcoholic », in *Co-Dependency, An Emerging Issue*. Hollywood (Fl.) : Health Communications, Inc., 1984, p. 90. Extrait de *Marriage on the Rocks*.
2. Gayle Rossellini et Mark Worden. *Of Course You're Angry*. [C'est-à-dire : « Pas étonnant que vous soyez en colère ! » (*N.d.T.*)] Center City (Mn.) : Hazelden Educational Materials, 1975.
3. *La Bible*, le Nouveau Testament. Éphésiens 4, 26. Traduction de Louis Segond.
4. Toby Rice Drews. *Getting them Sober*, volume I, South Plainfield (NJ) : Bridge Publishing, Inc., 1980. Disponible par l'intermédiaire de Hazelden Educational Materials ; Rossellini et Worden (cf. note 2) ; et Scott Egleston.
5. Frederick S. Perls. *Gestalt Therapy Verbatim*, New York : Bantam Books, 1969.
6. Claude M. Steiner. *Scripts People Live*, New York : Grove Press, 1979.
7. Cf. note 2.
8. Cf. note 1.

15

Oui, vous pouvez penser !

Car ce n'est pas un esprit de timidité que Dieu nous a donné; au contraire son Esprit nous remplit de force, d'amour et de sagesse.

– Deuxième Épître à Timothée 1-7[1].

« A *votre* avis, qu'est-ce que je dois faire ? Qu'est-ce que *vous* en pensez, *vous* ? » me demande un jour une patiente en proie aux affres de la codépendance. Cette femme avait à prendre une importante décision concernant son mari et ses enfants.

« Et *vous*, qu'est-ce que vous en pensez ? lui dis-je.

– *Moi* ? réplique-t-elle. Il ne faut pas me demander ça à moi. A l'épicerie, il me faut un quart d'heure pour choisir entre la bouteille d'eau de javel à 59 *cents* et celle à 63 *cents* ! Je suis incapable de prendre la plus petite décision. Alors comment voulez-vous que je sache quoi faire dans un cas pareil ? »

Nombreux sont les codépendants qui ne se fient pas à leur propre raisonnement. Comme ils connaissent bien les tourments de l'indécision ! Le plus insignifiant des choix à faire (commander au restaurant, choisir une eau minérale) les paralyse. Quant aux décisions de plus grande envergure (comment résoudre tel ou tel problème, que faire de sa vie, avec qui la partager...), elles les dépassent complètement. Souvent ils baissent les bras et évitent d'y penser. Parfois ils s'en remettent aux autres, ou bien aux circonstances.

Si ce chapitre est plus bref que les autres, il n'en a pas moins son importance. Tout au long de ce livre je vous ai encouragés à réfléchir, à comprendre ce qui se passe autour de vous, à déterminer quels étaient vos besoins, savoir ce que vous vouliez et trouver la solution de vos problèmes. Certains d'entre vous se demandent peut-être si c'est vraiment réalisable. Mon propos ici est de vous assurer que oui, vous pouvez penser, comprendre, et prendre des décisions – des décisions correctes et saines.

On peut avoir, pour un certain nombre de raisons, perdu confiance en sa propre capacité de raisonnement. A force de s'entendre raconter des mensonges et d'y croire, à force de se mentir à soi-même (voir la « dénégation »), à force de vivre dans le chaos, la tension, l'autodépréciation, avec le cœur gros d'émotions refoulées, on finit par se retrouver dans le brouillard. On ne sait plus où on en est, d'accord ; mais cela ne veut pas dire qu'on soit *incapable* de penser.

Quand on réagit excessivement, on entrave le bon fonctionnement de l'esprit. A toujours s'en faire pour ce que vont penser les autres, à se contraindre à la perfection, à vivre dans l'urgence, on ne sait plus prendre de décisions. On croit à tort qu'il est fatal de ne pas faire le bon choix, qu'on n'aura pas de deuxième chance, et que le monde entier est suspendu à notre décision. Pourquoi nous infligeons-nous ce traitement ? Nous n'y sommes pas obligés !

On n'améliore pas non plus sa capacité de réflexion en se vouant une véritable haine, en se persuadant qu'on n'est pas capable de décider correctement, et en repoussant constamment le moment de choisir.

En ne prêtant pas attention à ses propres besoins, en se répétant qu'on a tort de désirer ceci ou cela, on se prive de la source d'information qui nous permettrait d'opter pour la bonne solution. Quant aux spéculations en tout genre, elles n'avancent à rien. Il faut apprendre à s'aimer, à s'écouter, à avoir confiance en soi.

En tant que codépendants, nous n'avons pas su utiliser efficacement notre intellect, sauf pour nous torturer et nous tourmenter ; nos esprits sont fatigués, dégradés, débordant de pensées anxieuses. Là encore, il faut apprendre à ne plus se comporter ainsi.

Peut-être avons-nous perdu confiance en notre faculté de jugement parce qu'on nous a persuadés que nous ne savions ni réfléchir, ni prendre des décisions correctes. Parfois, ce sont les parents qui s'en sont chargés quand nous étions enfants. Ils nous ont traités d'idiots. Ils ont pris toutes les décisions à notre place. Ils ont critiqué tous nos choix. Ou bien ils nous ont embrouillé l'esprit en niant notre faculté de jugement lorsque nous mettions le doigt sur les difficultés qui surgissaient au sein du foyer.

Certains d'entre nous ont eu des problèmes dans certaines matières, à l'école et, au lieu d'essayer de s'en sortir, ils ont baissé les bras en se traitant d'imbéciles.

Peut-être vivez-vous actuellement avec des gens qui vous font savoir, directement ou indirectement, qu'ils ne vous jugent pas capable de réfléchir. Peut-être même vous disent-ils que vous êtes fou ; il faut savoir que les alcooliques traitent souvent ainsi ceux qu'ils côtoient. Vous vous posez vous-même la question ? N'en croyez pas un mot.

Oui, vous pouvez réfléchir. Votre esprit fonctionne normalement. Vous êtes tout à fait capable de comprendre ce qui se passe, de faire des choix raisonnés. Vous pouvez vous demander ce que vous voulez vraiment, ce que vous devez faire et à quel moment. Et vous pouvez prendre des décisions qui vous rehaussent à vos propres yeux.

Vous avez même le droit d'avoir des opinions ! C'est le cas général, d'ailleurs. Vous pouvez vous montrer rationel. Vous avez le pouvoir de porter un jugement sur vous-même et sur votre propre raisonnement, et rectifier celui-ci quand il s'égare ou entraîne des conséquences désastreuses.

Il en va de même de votre comportement. Que voulez-vous ? De quoi avez-vous besoin ? On peut mettre le doigt sur ses problèmes et déterminer la marche à suivre pour les résoudre. Il y aura de petites et de grandes décisions à prendre. Elles s'accompagneront peut-être d'une certaine dose de frustration, mais sachez que c'est parfaitement normal. Il faut parfois en passer par là pour faire un pas en avant. Cela fait partie du processus.

Souvenez-vous, la décision prise n'est pas forcément idéale. Personne n'est parfait. On n'est même pas tenu d'*approcher* la perfection. Contentons-nous d'être ce que nous sommes. Nous commettons des erreurs, c'est inévitable. Mais nous les assumerons. Nous ne sommes tout de même pas si fragiles ! Ce n'est pas la fin du monde. Cela fait partie de la vie. Quand on se rend compte qu'on s'est trompé, on en tire des leçons, ou bien on prend une nouvelle décision, tout simplement. La citation qui suit concerne le monde du travail, mais il me semble qu'elle s'applique également aux autres aspects de la vie.

« Au sein de la culture d'entreprise, si vous prenez une décision, vous devenez un héros. Si 30 % de vos décisions s'avèrent correctes, alors vous serez un champion [2]. »

On peut même changer d'avis. Plusieurs fois s'il le faut. Les codépendants sont de perpétuels indécis [3]. En tant que tels, ils se trouvent dans une situation déstabilisatrice. Ils font souvent marche arrière ; par exemple, ils mettent l'alcoolique à la porte, puis le reprennent avec eux. Ou bien ce sont eux qui partent, puis reviennent avant de repartir à nouveau. C'est leur manière de faire. Il n'y a pas de mal à ça. J'irais même plus loin : c'est bien normal, et souvent nécessaire.

« Oui, objecteront les codépendants, mais vous ne savez pas ce qui se passe dans ma tête. Parfois, il y a des idées affreuses qui me viennent. Des fantasmes inavouables. » Peut-être, mais nous en sommes tous là, et c'est bien compréhensible, surtout quand on vit avec un alcoolique. Cent fois on a, en fantasme, suivi l'enterrement du conjoint alcoolique. Nos idées sont la clef de nos sentiments, et inversement. Il ne faut pas les refouler, mais au contraire les laisser circuler, puis chercher à savoir quelles sont les décisions qui s'imposent si nous voulons nous occuper de nous-même.

Voici quelques conseils qui, j'espère, vous aideront à retrouver confiance en votre faculté de jugement :

- *Votre esprit a droit à la paix.* Détachez-vous. Calmez-vous. Si vous avez une décision à prendre, qu'elle soit capitale ou non, trouvez-vous un endroit calme, et ensuite décidez. Attendez d'avoir mis un peu d'ordre dans vos pensées. Si vous êtes absolument incapable de prendre une décision ce jour-là, de toute évidence, c'est que le moment n'est pas encore venu. Vous y arriverez en temps voulu. Et ce sera le bon choix.

- *Demandez à votre Puissance supérieure qu'elle vous aide à réfléchir.* Tous les matins, je demande à la mienne de me faire bénéficier de son inspiration, de ses conseils. Je lui demande de m'aider à résoudre mes problèmes[4]. Je sais qu'elle m'aide. Je le sais. Mais elle attend de moi que je remplisse mon rôle, et que je réfléchisse de mon côté. Cela ne va pas tous les jours tout seul.

- *Cessez de faire violence à votre esprit.* Les soucis, les obsessions torturent l'esprit. Mettez-y un point final.

- *Nourrissez votre esprit.* Fournissez-lui des informations. Recueillez les données nécessaires sur les difficultés rencontrées, les décisions à prendre, qu'il s'agisse d'un trouble de l'alimentation, de l'alcoolisme, de problèmes relationnels ou du choix d'un nouvel ordinateur. Injectez dans votre esprit une quantité raisonnable de données et laissez-le faire le tri. Il en sortira des réponses et des solutions valables.

- *Alimentez votre esprit en pensées saines.* Autorisez-vous les activités qui élèvent la pensée et procurent une charge positive. Ouvrez tous les matins un livre de méditation. Trouvez ce qui vous permet de dire « Je peux le faire » au lieu de « J'en suis incapable ».

- *Étendez la portée de votre esprit.* Beaucoup de gens deviennent tellement obsédés par leurs problèmes et ceux des autres qu'ils en arrivent à ne plus lire le journal, ne plus regarder de documentaires, ne plus ouvrir un livre, ne plus rien apprendre de nouveau. Intéressez-vous au monde qui vous entoure. Ouvrez-vous à la nouveauté. Inscrivez-vous dans un cours.

- *Cessez d'insulter votre propre esprit.* Ne dites plus : « Je suis stupide », « Je suis incapable de faire le bon choix », « Je ne suis pas très futé(e) », « Je n'ai jamais rien compris à rien » ou « Les décisions, ce n'est pas mon fort ». Il n'est pas plus difficile de porter un jugement favorable sur soi que d'en dire constamment des choses négatives. A la longue, on finit par croire qu'on a réellement des côtés positifs, et on les découvre en soi. Vous ne trouvez pas ça excitant, vous ?

- *Mettez votre esprit à l'œuvre.* Prenez des décisions. Formulez des opinions. Exprimez-les librement. Créez ! Réfléchissez à fond, mais sans vous ronger les sangs ni en faire une obsession. On n'est pas obligé de s'en remettre aux décisions d'autrui, sauf peut-être quand on est sous tutelle ; et encore, même dans ce cas on peut penser et faire des choix personnels. Ceux qui laissent les autres prendre des décisions à leur place sont des gens qui se font secourir, et donc qui se placent en position de victimes. Or, nous ne sommes *pas* des victimes. En outre, on n'a pas le droit de décider à la place d'un autre adulte. Prenons pleinement possession de notre faculté de jugement. Et laissons les autres responsables de la leur. A mesure que nous nous sentirons mieux et que nous nous mettrons à prendre des décisions, petites ou grandes, nous y gagnerons un regain de confiance en nous. Une fois qu'ils se verront autorisés à faire des choix et à commettre des erreurs, les gens qui nous entourent commenceront à s'épanouir.

Il faut faire en sorte de se sentir à l'aise face à son propre esprit. Entretenir des relations suivies avec lui. Il fait partie de nous, et il fonctionne tout à fait normalement. Fions-nous à lui et à notre propre pouvoir de réflexion.

EXERCICES PRATIQUES

1. Qui prend les décisions à votre place ? Qu'en pensez-vous ?

2. Une personne qui compte beaucoup dans votre vie vous a-t-elle dit que vous étiez incapable de réfléchir et de prendre des décisions justes ? De qui s'agit-il ?

3. Décidez de faire chaque jour une démarche qui améliore vos facultés mentales : lisez un article dans le journal et formulez votre opinion. Plus tard, vous aurez peut-être envie de prendre le risque de l'exprimer. Peut-être même susciterez-vous ainsi un débat animé.

---

1. *La Bible*, traduction de Louis Segond.

2. Aron Kahn. « Indecision Decidedly in Vogue ». *St. Paul Pioneer Press and Dispatch*, 1er avril 1986, p. 3C.

3. Toby Rice Drews. *Getting Them Sober*, volume 1, South Plainfield (NJ) : Bridge Publishing, Inc., 1980. Disponible par l'intermédiaire de Hazelden Educational Materials.

4. Tiré de l'ouvrage *Alcooliques anonymes*, 3e édition (dit aussi *le Grand Livre*), New York : Alcoholics Anonymous World Services, Inc., 1976. Disponible par l'intermédiaire de Hazelden Educational Materials.

16

Fixez vos propres objectifs

Croyez que la vie vaut d'être vécue et votre conviction deviendra un fait. N'ayez point peur de vivre.

– William James.

Lorsque j'ai été guérie de mon alcoolisme et de ma codépendance, j'ai fait une découverte passionnante : se fixer des objectifs, c'est accomplir des miracles. Tout à coup, il se passe quelque chose. Tout change. Je mène à bien des projets importants. Je change. Je rencontre d'autres gens. Je fréquente des endroits intéressants. Je me tire de situations difficiles en réduisant le chaos au minimum. Les problèmes trouvent une solution. Mes envies, mes besoins sont satisfaits. Les rêves se réalisent.

Personnellement, je suis une inconditionnelle des objectifs, et j'espère vous communiquer un peu de mon enthousiasme. Il n'y a rien de tel que d'aller où on veut, d'obtenir ce dont on a besoin, de résoudre une difficulté ou de faire ce qu'on a toujours voulu faire.

Beaucoup de codépendants ne connaissent pas cette joie. Pour moi aussi c'est quelque chose de nouveau. Pendant des années je n'ai même pas pris la peine de me demander ce dont j'avais besoin, où je voulais aller et ce que je voulais faire. La vie, il fallait la supporter. Je ne me jugeais pas digne de profiter des bonnes choses. J'estimais qu'elles étaient pour la plupart hors de ma portée. Mon existence ne m'intéressait guère, sauf comme extension de celle des autres. Il ne me venait pas à l'idée de vivre ma vie ; j'étais bien trop concentrée sur les autres, trop occupée à réagir au lieu d'agir.

Je ne veux pas dire par là qu'on puisse contrôler tout ce qui nous arrive. C'est impossible. Dans l'ensemble, ce n'est pas nous qui avons le dernier mot, mais notre Puissance supérieure. Néanmoins, je suis convaincue que nous pouvons coopérer de bonne grâce. Je crois que nous pouvons faire des projets, avoir des exigences, et mettre en route tout un processus.

« Lorsqu'il est maîtrisé, déclare David Schwartz dans son best-seller intitulé *The Magic of Thinking Big* *, le désir c'est *le pouvoir.* » Ne pas obéir au désir, ne pas faire ce qu'on a le plus envie de faire, c'est aller tout droit à la médiocrité. « La réussite se paie au prix d'efforts du cœur et de l'âme, et on ne peut mettre tout son cœur, toute son âme que dans une entreprise qu'on désire réellement mener à bien[1]. »

Les buts qu'on se fixe indiquent la direction à suivre, la destination à atteindre. Je ne monte pas en voiture dans l'espoir d'arriver un jour quelque part. Je me dis : « C'est *là* (ou *par là*) que je veux aller », et je dirige ma voiture en conséquence. C'est aussi de cette manière que je conduis ma vie. Il se peut que, pour un certain nombre de raisons, je n'aboutisse pas où je voulais. Si j'ai changé d'avis, ou si des circonstances indépendantes de ma volonté m'ont barré la route, je me retrouve en train de faire des choses que je n'avais pas envisagées ; tout ne se passe pas toujours comme prévu. C'est parfaitement normal. Au bout du compte, ma nouvelle situation est généralement plus favorable, en ce qui me concerne en tout cas. C'est là qu'entrent en scène l'acceptation, la confiance, le renoncement. Au moins ne suis-je pas toujours en train d'errer sans but sur les chemins de la vie. Les choses que je voulais sont de plus en plus nombreuses à se réaliser. Je m'inquiète moins de résoudre mes problèmes, parce que j'en ai fait des buts à atteindre. Et je commence à me demander sérieusement ce que *moi* je veux.

C'est amusant de se fixer des objectifs. Cela introduit de l'intérêt, voire de l'enthousiasme dans le quotidien. La vie devient attirante, parfois même passionnante.

« ... Laissez faire le désir, et vous y gagnerez de l'énergie, de l'enthousiasme, un élan mental, et même une meilleure santé [...] l'énergie s'accroît, se multiplie, quand on se fixe un but désiré et qu'on décide de tout faire pour l'atteindre. Par millions les gens trouvent une énergie nouvelle en se choisissant un objectif, et en donnant le meilleur d'eux-mêmes pour y parvenir. Se fixer un but, c'est se guérir de l'ennui. C'est même se guérir de certains troubles chroniques[2]. »

Il y a une sorte de magie à se choisir des buts et à les mettre par écrit. Cela réveille une force psychologique, spirituelle et affective immense. Tout à coup, on se rend compte de ce qu'on a besoin d'accomplir, et on s'attelle à la tâche. Et ça marche, les choses commencent à arriver ! Voyez cet autre extrait de *The Magic of Thinking Big*.

« Examinons en profondeur la force des objectifs. Quand vous cédez à vos désirs, quand un but devient pour vous une véritable idée fixe, vous vous découvrez la capacité physique, l'énergie et l'enthousiasme requis pour l'atteindre. Mais vous découvrez également un autre aspect de vous-même, tout aussi précieux : l'" instrumentation automatique " qui vous rend capable d'aller droit au but.

» Ce qu'il y a de plus surprenant quand vous visez un objectif c'est que, grâce à lui, vous maintenez le cap, vous ne perdez pas la cible de vue. Ne voyez là aucune ambiguïté. Laissez-moi vous expliquer. Quand vous vous livrez tout entier à votre but, celui-ci pénètre de lui-même dans votre subconscient. Le subconscient est toujours en équilibre, ce qui n'est pas le cas de la conscience, sauf si elle est en accord avec ce que lui dit le subconscient. Si le subconscient ne coopère pas pleinement, on est indécis, perplexe, embrouillé. Mais si votre but a été absorbé par votre subconscient, vous réagissez automatiquement de manière correcte. La conscience est alors libre de penser clairement et sans encombre[3]. »

Quels sont mes buts ? Quel événement voudrais-je voir arriver dans ma vie – cette semaine, ce mois-ci, cette année, dans les cinq prochaines années ? Quels problèmes doivent être résolus ? Quels biens matériels aimerais-je posséder ? Quels changements opérer en moi-même ? Quelle profession exercer dans la vie ? Quels projets mettre à exécution ?

Je ne vais pas vous faire un cours sur la manière de concevoir des objectifs. Il y a trop longtemps qu'on présente cette démarche comme ennuyeuse. Vous trouverez ci-dessous quelques idées que je juge importantes. A vous de choisir votre voie.

- *Transformez toute chose en un objectif à atteindre.* Si vous avez un problème, sa solution doit devenir votre but. Elle peut vous être inconnue. C'est la démarche qui doit constituer le but. Est-ce que je désire quelque chose de particulier ? Un nouveau lit ? Un pull-over rouge ? Une nouvelle voiture ? Laisser pousser mes cheveux ? Mes ongles ? Voilà mon but. Est-ce que j'ai envie d'aller quelque part ? En Europe ? En Amérique du Sud ? Au cirque ? Est-ce que je recherche une vie de couple où règne l'amour et la sérénité ? Je peux en faire mon but. Y a-t-il une chose que j'ai toujours rêvé de faire ? Retourner à l'école ? Me faire embaucher par telle ou telle société ? Gagner vingt mille francs par mois ? Est-il nécessaire que je me pose sérieusement la question de savoir ce que je veux faire dans la vie ? Le processus de décision peut constituer un but. Ai-je besoin de me rapprocher de ma Puissance supérieure, d'aller à l'église tous les dimanches ou de lire chaque jour un passage de la Bible ? Y a-t-il en moi un aspect que j'aimerais changer – apprendre à dire non, prendre telle ou telle décision, exprimer ma colère ? Là encore, cela peut devenir un but. Est-ce que je souhaite améliorer mes relations avec mon entourage – mes enfants, mes amis, mon conjoint, un parent ? Me lier à des gens nouveaux, perdre du poids, prendre du poids, cesser de m'en faire, cesser de contrôler tout et tout le monde ? Apprendre à me donner du bon temps, à faire l'amour avec plaisir, réussir à accepter une personne en particulier, un événement survenu dans ma vie, apprendre à pardonner ? Pour moi, on peut très bien arriver à transformer en buts tous les aspects de la vie. Si j'ai un problème, je me fixe comme objectif de le résoudre. Même chose si je pense devoir changer tel ou tel côté de mon existence. Quand on veut, on se donne un but.

- *Ne soyez plus velléitaire.* Les velléités de toutes sortes ont contrôlé assez longtemps notre comportement ; elles n'ont pas leur place dans la démarche consistant à se fixer des buts. Donnez-vous pour objectif de vous débarrasser des trois quarts de vos velléités.

- *Ne vous imposez pas de limites.* Visez la totalité : de ce que vous voulez, de ce dont vous avez besoin, des problèmes que vous voulez voir résolus, de vos désirs et même de vos caprices. Ne vous en faites pas. De toute façon, si vous êtes trop gourmand, vous échouerez. Mais si vos requêtes sont raisonnables, vous parviendrez d'autant plus à vos fins que vous vous serez fixé un objectif.

- *Mettez vos objectifs par écrit.* Mettez vos buts noir sur blanc au lieu de les emmagasiner dans un coin de votre tête ; le résultat dépassera vos espérances. Vous vous ferez moins de souci, vous vous concentrerez et vous vous organiserez plus efficacement. Prendre matériellement note de ses buts, c'est aussi mieux diriger son énergie et rester en contact avec sa Puissance supérieure. Nul besoin de les calligraphier avec soin, de rechercher la perfection dans leur formulation ; confiez-les simplement au papier, jusqu'au dernier.

- *Remettez vos buts entre les mains de votre Puissance supérieure.* Dites-lui quelles sont les choses qui vous intéressent, demandez-lui son aide, puis laissez-la faire en toute humilité : « Que ta volonté soit faite, et non la mienne. »

- *Lâchez prise.* Ne vous éloignez pas de vos buts ; ne les perdez jamais de vue (vous en avez besoin), mais n'en faites pas une obsession, ne vous demandez pas constamment : « Comment ? », « Quand ? », « Et si... ? ». Certains conseillent de faire quotidiennement le point. Pour ma part, je crois qu'il ne faut s'y prendre ainsi que quand on se fixe des buts au jour le jour. Faites comme bon vous semblera. Moi, une fois que j'ai mis mes buts noir sur blanc, j'essaie de ne pas contrôler, de ne pas forcer les événements.

- *A chaque jour suffit sa peine.* Accomplissez ce qui vous paraît nécessaire pour chaque tranche de vingt-quatre heures. Suivez votre inspiration. Faites ce qui doit être fait dans une atmosphère de confiance et de paix. Quand on agit ainsi, il se produit parfois des choses merveilleuses. Essayez, vous verrez. Chacun a son rôle à jouer. Mais je crois qu'on le joue mieux au jour le jour. S'il est temps d'entreprendre telle ou telle démarche, vous vous en rendrez compte. Si tel ou tel événement doit se produire parce que le moment est venu, il se produira. Ayez confiance en vous et en votre Puissance supérieure.

- *Fixez-vous régulièrement des buts quand le besoin s'en fait sentir.* Moi, je détermine mes objectifs en début d'années. Cela me montre bien que j'ai envie de vivre ma vie cette année-là. Entendons-nous bien : je ne crois pas aux bonnes résolutions du 1er janvier; ce sont les *buts* auxquels je crois. Je les mets également par écrit tout au long de l'année, à mesure qu'ils se présentent. Si je rencontre un problème, si je me rends compte que j'ai besoin de ceci ou de cela, si une nouvelle envie me vient, j'en fais autant de buts à ajouter à ma liste. Je me sers aussi d'eux en temps de crise, quand je sens ma ténacité faiblir. Dans ces cas-là, je mets sur le papier tout ce que je veux accomplir chaque jour, chaque semaine ou chaque mois.

- *Rayez au fur et à mesure les buts que vous avez atteints.* Vous y arriverez, vous verrez. Vos envies, vos besoins seront satisfaits. Vous obtiendrez les choses qui comptent tant à vos yeux. A ce moment-là, rayez le but atteint de votre liste, félicitez-vous et remerciez votre Puissance supérieure. Vous n'en aurez que davantage confiance en vous, en elle, en votre nouvelle attitude et votre nouveau rythme de vie. Vous vous rendrez compte par vous-même qu'il vous arrive bel et bien des choses positives. Vous aurez peut-être un petit passage à vide après avoir réalisé un but, s'il représentait beaucoup pour vous, s'il vous a fallu dépenser beaucoup d'énergie ou si vous avez cédé en chemin à la « pensée magique ». (« Si je réussis à m'en sortir, je vivrai heureux pour le restant de mes jours », « Quand j'aurai enfin mon nouveau lit, je vivrai heureux pour le restant de mes jours ».) Pour éviter cela, il importe de se fixer une longue liste de buts et d'éviter soigneusement ce mode de pensée. Je n'ai encore jamais atteint d'objectif – ni résolu de problème – qui m'ait permis de vivre heureuse pour le restant de mes jours. La vie continue, et j'essaie de la vivre dans la paix et la joie.

Vous ne manquerez jamais de problèmes à transformer en buts, ni d'envies et de besoins à satisfaire. Mais outre qu'elle rend la vie plus agréable, la décision de sélectionner des objectifs vous aidera à acquérir une certaine foi dans le flux et le reflux des événements, et dans les aspects positifs de l'existence. Des difficultés surviennent, elles sont résolues. Des besoins se manifestent et trouvent satisfaction. Des rêves naissent et se réalisent. Des choses arrivent. De bonnes choses. Puis c'est à nouveau le tour des difficultés. Mais on n'a pas de raison de s'en faire.

- *Soyez patient.* Ce que votre Puissance supérieure a décidé pour vous viendra à point nommé. Fiez-vous à elle. Ne rayez pas de votre liste tel but qui continue à revêtir de l'importance pour vous simplement parce que vous n'avez pas obtenu en temps voulu ce que vous désiriez ; ces sacrées velléités s'infiltrent décidément partout. Il m'arrive de poursuivre un but des années durant. Au moment d'établir ma liste, au début de l'année, je me dis : « Ce problème-là ne sera jamais résolu. Ça fait une éternité qu'il figure sur ma liste. » Ou bien : « Jamais ce rêve ne se réalisera. C'est la quatrième année consécutive que je le mets par écrit. » Et pour finir : « Je n'arriverai jamais à éliminer en moi tel défaut de caractère. » Eh bien, c'est faux. Il se trouve simplement que l'occasion ne s'est pas encore présentée. Voici l'une des meilleures études de la patience qu'il m'ait été donné de lire. Elle est extraite de *The Courage to Change*, ouvrage de Dennis Wholey traitant de l'alcoolisme :

« J'ai fini par comprendre que l'attente était tout un art, et que par elle on obtenait des résultats. Il y a dans l'attente des potentialités extrêmement fortes. Le temps est une chose précieuse. Si on a la patience d'attendre deux ans, on peut parfois accomplir ce qu'on ne pourrait obtenir aujourd'hui, même en y travaillant beaucoup, même en y consacrant des sommes folles, même en se cognant régulièrement la tête contre les murs[4]... »

Les choses se produisent quand le moment est venu – quand vous êtes prêt, quand votre Puissance supérieure est prête, quand le monde est prêt. Laissez-vous aller. Lâchez prise. Mais conservez telle quelle votre liste d'objectifs à atteindre.

Il faut vous fixer des buts. Commencez dès aujourd'hui – dès que vous aurez terminé ce chapitre. Si vous ne vous découvrez pour l'instant aucun but, le premier sur la liste doit être : « Me fixer des buts. » Vous n'en vivrez peut-être pas pour autant heureux jusqu'à la fin de vos jours, mais peut-être vous mettrez-vous enfin à vivre mieux.

EXERCICES PRATIQUES

1. Faites par écrit la liste de vos objectifs. Essayez de trouver au moins dix articles : besoins à satisfaire, problèmes à résoudre, changements à opérer en vous-même. Écrivez tous les buts qui vous passent par la tête.

2. Reprenez la liste de « caractéristiques de la codépendance » figurant au chapitre 4. Fixez-vous pour but de modifier toutes celles qui vous posent personnellement problème.

---

* C'est-à-dire : « Voir grand c'est réussir des miracles. » *(N.d.T.)*

1. David J. Schwartz. *The Magic of Thinking Big,* New York : Cornerstone Library, 1959, pp. 162-163.
2. *Ibid.,* pp. 163-164.
3. *Ibid.,* p. 164.
4. Dennis Wholey. *The Courage to Change,* Boston (Ma.) : Houghton Mifflin Company, 1984, p. 39. Disponible par l'intermédiaire de Hazelden Educational Materials.

17

La communication

Quand vous agissez dans votre propre intérêt, il vaut mieux le dire une bonne fois pour toutes, *en toute simplicité,* puis refuser de discuter davantage.

– *Toby Rice Drews*[1].

Je vous propose de suivre quelques conversations. Peut-être certains dialogues (en gras) ou commentaires (en italique) vous seront-ils familiers ; ils exposent les intentions et les modes de raisonnement des codépendants.

***

Danielle est sur le point d'appeler Stacy au téléphone. Elle souhaite que son amie lui garde ses trois enfants pour le week-end, mais n'a pas l'intention de le lui demander expressément ; elle s'apprête plutôt à la manœuvrer dans ce sens. Regardez bien comment elle va s'y prendre :

Stacy : **Allô ?**

Danielle : **Salut** *(marmonné).* Soupir. *(Qui signifie : « Pauvre de moi. Je ne sais plus quoi faire. Demande-moi ce qui ne va pas. Viens à mon secours. »)*

Stacy : (Après une longue pause.) **Ah, c'est toi Danielle ? Salut. C'est gentil de m'appeler. Tu vas bien ?** *Avant de répondre, Stacy s'est dit : « Oh, non ! Pas elle ! » Nouveau soupir, nouveaux gémissements. « Aïe ! Qu'est-ce qu'elle me veut encore, celle-là ? »*

Danielle : Soupir. Soupir. **Oh, comme d'habitude. Toujours des problèmes, enfin tu sais bien.** *Ce que Danielle dit en réalité, c'est : « Allez, quoi ! Demande-moi ce que j'ai. »*

Stacy : (Encore une fois après avoir observé une longue pause.) **Qu'est-ce qui se passe ? Ça n'a pas l'air d'aller.** *Cette fois-ci, pendant la pause Stacy a pensé : « Je refuse de lui demander ce qu'elle a. Je ne me laisserai pas prendre au piège. Pas question de lui demander ce qui ne va pas. » A cette idée, Stacy a ressenti de la colère, puis de la culpabilité (les sentiments qui accompagnent traditionnellement la démarche de sauvetage). Sur quoi elle a endossé le rôle de sauveteur en demandant à Danielle ce qui n'allait pas.*

Danielle : **Eh bien, mon mari vient d'apprendre qu'il devait partir en déplacement pour son travail ce week-end, et il m'a demandé de venir avec lui. J'aimerais tellement y aller ! Tu sais que je ne vais jamais nulle part. Seulement, je ne sais pas quoi faire des gosses. Ça m'a fait mal au cœur, mais j'ai été bien obligée de dire non. Il n'est pas content. J'espère qu'il ne m'en voudra pas trop. Enfin, c'est comme ça, on n'y peut rien.** Soupir. Soupir. *Danielle insiste lourdement. Elle veut que Stacy ait de la peine pour elle, qu'elle se sente coupable, et qu'elle ait aussi de la peine pour son mari. Elle a soigneusement choisi ses mots. Naturellement, elle a dit à son mari qu'elle l'accompagnerait, qu'elle allait demander à Stacy de garder les enfants.*

Stacy : (Après une très, très longue pause.) **Bon, eh bien je peux peut-être voir ce que je peux faire.** *Avant de répondre, Stacy s'est dit : « Oh, non ! Non, non, non ! Je déteste lui garder ses gosses. Est-ce qu'elle me garde les miens, elle ? Jamais ! Non, je ne veux pas. Pas question. C'est chaque fois la même chose. Qu'elle aille au diable ! Zut ! Mais comment refuser ? Il faut s'entraider, quand même. Ne pas faire aux autres, etc. Et puis, elle a tellement besoin de moi. Il ne faut surtout pas qu'elle se mette en colère contre moi. Si je ne fais rien, qui va lui donner un coup de main ? Sa vie est un tel désastre ! Mais c'est la dernière fois. Je ne céderai plus jamais. » Stacy a éprouvé successivement de la colère, de la pitié, de la culpabilité ; puis elle s'est sentie bonne, et de nouveau irritée. Notez sa façon de rabaisser Danielle en lui collant l'étiquette « en détresse » ; voyez son grandiose sens des responsabilités : « Je suis la seule personne au monde qui puisse l'aider. » Notez aussi la manière dont elle a formulé sa réponse. Elle espérait que Danielle remarquerait son manque d'enthousiasme et viendrait à son secours en lui disant de laisser tomber.*

Danielle : **C'est vrai ? Tu veux bien me les garder ? Oh, merci ! Merci beaucoup ! Tu es formidable. Je n'aurais jamais cru que tu ferais ça pour moi.** *« Ah ! J'ai eu ce que je voulais ! »*

Stacy : **Pas de problème. Ça me fait plaisir de te rendre service.** *« Je n'ai aucune envie de le faire. Pourquoi est-ce que je me retrouve toujours dans des situations pareilles ? »*

⁂

Conversation suivante. Robert veut que Sally, sa femme, appelle son employeur pour dire qu'il est malade. Or, Robert est sorti boire, la veille, et n'est rentré qu'à trois heures du matin. Son alcoolisme pose des problèmes de plus en plus aigus, à la maison et au travail. Tout au long du dialogue, il a mal au cœur, il ressent de la colère, de la culpabilité et du désespoir. Sally aussi.

Robert : **Bonjour, ma chérie. Comment va mon petit lapin, aujourd'hui ?** *« Nom de nom, qu'est-ce que je me sens mal ! Impossible d'aller au boulot. Elle est folle ! Comment veut-elle que je me présente devant le patron dans cet état ? Mieux vaut la caresser dans le sens du poil, qu'elle appelle le boulot et que je puisse retourner au lit. L'idéal, ce serait un verre. Tout de suite. »*

Sally : **Je vais bien.** *(Air de martyre et ton sans réplique suivant un regard glacial, puis un regard malveillant, et un long silence.) Sally pensait en réalité : « J'ai mal. Je t'en veux. Comment peux-tu me faire une chose pareille ? Tu es encore allé boire, hier soir. Tu m'avais promis de ne plus le faire. Tout s'écroule autour de nous et tu t'en fiches. Regarde-toi : tu es une loque. Je ne peux pas supporter ça ! »*

Robert : **Chérie, je ne me sens pas bien du tout, aujourd'hui. Je dois couver la grippe. Je n'ai même pas envie de prendre le petit déjeuner. Appelle le patron, tu veux ? Dis-lui que je serai là demain si je vais mieux. Tu veux bien faire ça pour ton petit mari ? Allez, sois gentille. Ça ne va vraiment pas, tu sais.** *« Je ne sais pas quoi faire, j'ai besoin de toi. Prends soin de moi, et tout de suite. Je sais bien que tu es en colère contre moi, alors je vais essayer de t'apitoyer. »*

Sally : **Franchement, je ne crois pas que ce soit la bonne solution d'appeler ton patron. Quand tu t'absentes, il préfère en discuter directement avec toi. Il a toujours des questions à poser sur ceci ou cela, et moi je ne sais pas y répondre. Tu ne crois pas que ce serait mieux si tu appelais toi-même ? Après tout, c'est toi qui sais quoi dire.** *« J'ai horreur d'appeler ton patron. Horreur de mentir à ta place. Seulement, si je dis non il va se mettre en colère. Je vais essayer de paraître encore plus désemparée que lui. »*

Robert : **Qu'est-ce qui te prend, tout à coup ? Je ne te demande tout de même pas grand-chose ! Je ne peux pas croire que tu sois égoïste à ce point. Tu m'en veux, je sais. D'ailleurs, tu m'en veux toujours... Pas étonnant que je boive, avec une femme pareille ! Très bien, puisque c'est comme ça, n'appelle pas le patron. Mais si je me fais renvoyer, ce sera de ta faute.** *« Comment ose-t-elle me refuser ça à moi ? » se demande-t-il. Là-dessus, il se dit qu'il est temps de se montrer un peu plus autoritaire. Il faut absolument qu'il l'oblige à faire ça pour lui. Il décide de lui jeter à la tête un gros tas de culpabilité et de lui faire un peu peur par-dessus le marché. Il sait bien qu'elle craint de le voir perdre son emploi. Sur sa lancée, il prépare le terrain pour la beuverie à venir.*

Sally : **Très bien. Je vais le faire. Mais ne me le demande plus jamais, tu m'entends ? Et si tu recommences à boire, je te quitte.** *Se sentant prise au piège, Sally appelle l'employeur de Robert. Son mari s'est parfaitement bien fait comprendre. Il a touché les points faibles de Sally. Elle craint de se faire taxer d'égoïsme : elle trouve affreux d'être égoïste ; elle se sent coupable d'être constamment en colère ; elle se sent responsable des beuveries de Robert ; et, pour couronner le tout, elle a peur qu'il se fasse renvoyer. Quant à le quitter, c'était une menace en l'air ; elle n'a pris aucune décision à cet effet. Et la prochaine fois que Robert le lui demandera, elle appellera encore son patron. Une fois le téléphone raccroché, Sally entre dans une rage folle contre son mari et se met à le persécuter. Puis elle finit par s'apitoyer sur son propre sort et par se considérer comme une victime. Elle continue également à se sentir extrêmement coupable. Une idée se précise dans sa tête : malgré ce qu'elle ressent, malgré sa manière de réagir, il y a certainement quelque chose qui ne va pas chez elle, car Robert semble toujours aussi fort alors qu'elle-même faiblit de* *plus en plus, et se sent de moins en moins en sécurité.*

***

Dernière conversation. Un thérapeute s'adresse à un alcoolique et à sa femme dans le cadre d'une séance de thérapie de groupe. Apparemment, ils forment un couple parfait. Ce n'est pas la première fois qu'ils assistent à une séance mais, jusqu'à présent, le thérapeute ne s'était pas occupé directement d'eux.

Thérapeute : **Steven et Joanne, je suis heureux que vous soyez tous deux avec nous ce soir. Comment allez-vous ?**

Steven : **Très bien. Tout va très bien. N'est-ce pas, Joanne ?**

Joanne : *(Elle sourit.)* **Mais oui. Tout va très bien.** *(Rire nerveux.)*

Thérapeute : **Joanne, vous riez mais je sens que quelque chose ne va pas. Ici, vous pouvez tout dire. Parler de vos sentiments, de vos problèmes. C'est à cela que sert le groupe. Que se passe-t-il derrière ce sourire ?**

Joanne : *(Lequel sourire tombe en miettes ; elle fond en larmes.)* **J'en ai assez, assez ! Je ne peux plus supporter qu'il me frappe. J'en ai assez d'avoir peur de lui, assez des mensonges, des promesses jamais tenues, assez de prendre des baffes.**

***

Maintenant que nous avons « écouté » parler quelques codépendants, examinons leur manière de dialoguer. Ils ne sont généralement pas doués pour la communication. Ils choisissent soigneusement leurs termes afin de manipuler les gens, de leur plaire, de les contrôler, leur cacher des choses et atténuer leur propre culpabilité. Leur conversation a des relents de sentiments et de pensées refoulés, de calcul, d'autodépréciation et de honte. Ils rient quand ils ont envie de pleurer, déclarent qu'ils vont bien quand il n'en est rien. Ils se laissent malmener, exclure. Ils réagissent « à côté de la plaque ». Ils se justifient sans arrêt, ils raisonnent, ils compensent, et mènent les autres en bateau. Ils ne savent pas s'affirmer. Ils importunent les autres, ils les menacent, puis ils battent en retraite. Parfois aussi, ils mentent. Ils sont très souvent hostiles. Ils s'excusent beaucoup, et font discrètement allusion à leurs besoins.

Les codépendants sont des gens sournois. Ils ne disent pas ce qu'ils pensent et ne pensent pas ce qu'ils disent[2].

Ils ne le font pas exprès. Simplement, c'est ainsi qu'ils ont appris à communiquer. A un moment ou à un autre, que ce soit dans l'enfant ou, à l'âge adulte, au sein de sa famille, on a appris qu'il ne fallait ni aborder directement les problèmes, ni exprimer ses sentiments, ni formuler d'opinions. On a cru comprendre qu'il était mal de nommer ouvertement ses besoins et, en tout cas, qu'il ne fallait jamais dire non ni se mettre en avant. Le parent ou le conjoint alcoolique n'est que trop heureux d'émettre ce message-là ; quant à nous, nous sommes trop bien disposés à l'apprendre et à agir en conséquence.

Pourquoi ai-je peur de te dire qui je suis ? C'est le titre d'un excellent ouvrage de John Powell traitant de la communication. Oui, pourquoi ? C'est à chacun de nous de répondre. Pour Powell, c'est parce que nous n'avons rien d'autre à proposer que « ce que nous sommes », et que nous craignons d'être rejetés en tant que tels[3]. Mais certains ont peut-être peur parce qu'ils ne savent pas très bien qui ils sont et ce qu'ils ont à dire. Souvent ils ont été inhibés, contrôlés par une ou plusieurs règles de vie familiale telles que je les ai évoquées plus haut. Ils ont été contraints de les observer pour se protéger, survivre. Toutefois, ma conviction est que, pour la plupart, nous avons peur de nous montrer tels que nous sommes parce que nous ne nous trouvons pas « bien ».

Parmi les codépendants, nombreux sont ceux qui ne s'aiment pas, qui n'ont pas confiance en eux. Qui ne se fient pas à leur propre raisonnement, leurs propres sentiments. Qui croient que leurs opinions puent. Qui ne se sentent pas le droit de dire non. Qui ne savent pas ce qu'ils veulent et, quand ils le savent, ont honte de leurs désirs et de leurs besoins. Qui doutent même de leurs capacités à identifier la nature de leurs problèmes, et qui sont prêts à battre en retraite si on leur soutient qu'il n'y a *pas* de problème.

La communication n'est pas un phénomène mystérieux. Les mots que nous prononçons reflètent notre personnalité : nos jugements, nos perceptions, nos valeurs, notre sens de l'honneur, nos sentiments d'amour et de haine, nos peurs, nos désirs, nos espoirs, nos croyances et nos engagements[4]. Si nous nous jugeons inaptes à la vie, notre manière de communiquer le reflétera. Nous déciderons que ce sont les autres qui détiennent toutes les réponses, d'où des réactions de colère, de peur, de peine, de souffrance, de honte, de culpabilité. D'où un désir de contrôler les autres à notre tour, en s'efforçant de leur plaire à tout prix et en évitant qu'ils ne nous désapprouvent et enfin qu'ils ne nous abandonnent. Nous ferons de grands projets tout en continuant à croire que nous ne méritons rien, et que nous n'obtiendrons rien sans donner un coup de pouce aux événements, sans demeurer responsable des sentiments et comportements des autres. Bref, nous débordons de sentiments et d'idées négatifs.

Pas étonnant que nous ayons du mal à communiquer!

Il n'est pourtant pas difficile de s'exprimer clairement et en toute sincérité. C'est même très facile. Et on peut en retirer du plaisir. Commençons par nous dire que nous n'avons pas à nous reprocher ce que nous sommes. Que nos sentiments, nos pensées ne sont pas pires que ceux des autres. Que nos opinions ont leur importance. Qu'il n'y a pas de honte à parler de ses propres problèmes. Et qu'il faut savoir dire non.

Et nous *pouvons* dire non. Chaque fois que nous en avons envie. Rien de plus facile. Commencez tout de suite. Dites-le dix fois de suite. Vous voyez comme c'est facile ? D'ailleurs, les autres le disent bien, eux! Avoir les mêmes droits que les autres, cela rend la vie plus facile. Chaque fois que vous avez envie de répondre non, commencez par prononcer ce mot-là au lieu de dire « Je ne crois pas », « Peut-être » ou tout autre formulation exprimant l'indécision[5].

Il faut dire ce qu'on pense et penser ce qu'on dit. Si on ne sait pas très bien que penser, il vaut mieux se donner le temps de réfléchir tranquillement. Si la réponse doit être « Je ne sais pas », allez-y. Apprenez l'art de la concision. N'emmenez plus les gens en bateau. Allez droit au but et, quand vous y serez, arrêtez-vous.

Parlez de vos problèmes. Se dévoiler, expliquer ses problèmes, ce n'est pas faire preuve de déloyauté envers les autres. En prétendant être autre chose que ce qu'on est, on passe sa vie à faire semblant, voilà tout. Partagez vos secrets avec des amis sûrs qui ne les utiliseront ni pour vous nuire, ni pour augmenter votre honte. Nous sommes tout à fait capables de trouver par nous-mêmes la personne à qui nous adresser, de définir jusqu'où nous pouvons aller dans la confidence, et de choisir notre moment.

Exprimez vos sentiments. Sincèrement, en toute honnêteté, de manière responsable et appropriée. Et laissez les autres faire de même. Apprenez à dire : « Je sens que... » et à écouter les autres le dire sans chercher à leur prouver qu'ils se trompent.

On doit dire ce qu'on pense. Dites : « Moi, je crois que... » On a le droit de ne pas avoir la même opinion que les autres. Cela ne veut pas forcément dire qu'on a tort. On n'est pas obligé de changer d'opinion, et les autres non plus, à moins de le vouloir vraiment.

On a même le droit d'avoir tort.

On peut faire comprendre aux gens ce qu'on attend d'eux sans exiger qu'ils changent pour correspondre à nos besoins. Les autres peuvent en faire autant sans qu'on soit contraint de changer pour aller dans leur sens – sauf si c'est ce qu'on veut sincèrement.

On peut exprimer ses envies et besoins. Apprendre à dire : « Voilà ce que j'attends de toi, parce que j'en ai besoin. Voilà ce que je veux que tu fasses. »

On peut dire la vérité aux gens. Dire le contraire de ce qu'on pense, de ce qu'on ressent et de ce qu'on souhaite, ce n'est pas faire preuve de politesse. C'est tout simplement mentir.

On n'a pas à se laisser mener par le bout du nez par ce que disent les autres, on n'a pas à s'efforcer de les contrôler à notre tour à grand renfort de phrases et d'effets. On n'a pas à se laisser manipuler, culpabiliser, contraindre à faire ceci ou cela. On peut parler en son nom et s'occuper de soi-même ! Apprenez donc à dire : « Je t'aime, mais je m'aime aussi. Voilà ce qu'il faut impérativement que je fasse pour prendre soin de *moi-même.* »

Comme dit Earnie Larsen, on peut apprendre à refuser ce qui ne tient pas debout. Refuser de prendre la maladie des gens pour interlocuteur, qu'il s'agisse de l'alcoolisme ou de tout autre trouble compulsif. Ne perdons pas notre temps à y chercher une cohérence quelconque, ni à vouloir convaincre untel que ce qu'il dit ne tient pas debout. Apprenons plutôt à dire : « Je refuse d'en discuter. »

On peut s'affirmer, se mettre en avant sans se montrer caustique ou agressif. Sachons dorénavant dire : « Je n'irai pas plus loin. J'ai atteint mes limites. Je ne saurais en tolérer davantage. » Et non seulement le dire, mais aussi le penser.

On peut témoigner aux autres une compassion et un souci véritables sans pour autant se comporter en sauveteur. Dites : « On dirait que tu as des ennuis. Puis-je faire quelque chose pour toi ? » Ou bien : « Je suis désolé que les choses aillent mal pour toi. » Et passer à autre chose. On n'est pas forcé de réparer les dégâts des autres.

On peut évoquer ses sentiments, ses difficultés sans compter sur les autres pour voler à notre secours. On peut très bien se contenter d'être écouté. De toute manière, c'est probablement ce qui nous manquait.

D'après mon expérience, la récrimination la plus fréquente des codépendants est : « Personne ne me prend au sérieux ! » Eh bien, prenons-nous nous-même au sérieux, en compensant par un sens de l'humour mesuré, et nous n'aurons plus à nous inquiéter de ce que font les autres – ou de ce qu'ils ne font pas.

Apprenons à écouter ce que disent les gens, et aussi ce qu'ils ne disent pas. Apprenons à nous écouter nous-mêmes, à écouter les termes que nous employons, notre manière de nous exprimer (sans oublier le ton de notre voix), et les idées qui nous passent par la tête.

La parole est un outil, mais c'est aussi une jouissance. Parler, c'est s'exprimer. Et quand on parle, on veut être écouté. En parlant, on arrive à se comprendre soi-même et à comprendre les autres. On leur expédie des messages. Le but est parfois de se rapprocher des gens, de parvenir à l'intimité avec eux. Ce qu'on a à dire n'est pas forcément révolutionnaire ; ce qu'on veut, c'est établir le contact. Franchir le fossé qui nous sépare des autres. Partager quelque chose, se sentir proche d'eux. Parfois on parle pour s'amuser – pour jouer, jouir, plaisanter et distraire. Parfois encore, on parle pour se prendre en charge – pour bien faire comprendre autour de soi qu'on ne se laissera pas bousculer, maltraiter ; qu'on a de l'amour-propre et que c'est lui qui nous dicte nos décisions. Et, le reste du temps, on parle pour parler.

Il faut assumer la responsabilité de la communication. Laissons nos mots refléter l'estime que nous nous portons et que nous portons aux autres. Soyons honnête. Direct. Ouvert. Soyons doux et aimant quand les circonstances s'y prêtent. Mais soyons aussi fermes quand elles demandent de la fermeté. Et, par-dessus tout, soyons nous-mêmes et disons ce que nous avons à dire.

Avec amour, avec dignité, disons la vérité telle que nous la concevons, telle que nous la ressentons, selon notre conviction, et de la vérité viendra la liberté.

---

1. Toby Rice Drews. *Getting Them Sober*, volume I, South Plainfield (NJ) : Bridge Publishing, Inc., 1980, pp. 77-78. Disponible par l'intermédiaire de Hazelden Educational Materials.
2. *Ibid.*, p. 76.
3. John Powell. *Why Am I Afraid to Tell You Who I Am ?*, Allen (Tx.) : Argus Communications, 1969, p. 12. Disponible par l'intermédiaire de Hazelden Educational Materials.
4. *Ibid.*, p. 8.
5. Jean Baer. *How to Be an Assertive (Not Aggressive) Woman in Life, Love, and on the Job*, New York : New American Library, 1976. Disponible par l'intermédiaire de Hazelden Educational Materials.

18

Entreprendre un programme en Douze Étapes

« Comment ça marche, les Douze Étapes ?
– Très bien, merci. »

– Citation anonyme des A.A./Al-Anon.

Je hais la maladie qu'on appelle alcoolisme. La dépendance chimique et les autres troubles compulsifs détruisent les êtres humains – des êtres par ailleurs beaux, intelligents, sensibles, créatifs, aimants, attentionnés, qui ne méritent pas d'être détruits. Cette maladie anéantit l'amour et les rêves, fait du mal aux enfants et déchire les familles. L'alcoolisme laisse dans son sillage des victimes désarticulées, disloquées, hébétées. Parfois, la mort prématurée du buveur cause dans son entourage une souffrance bien moins aiguë que n'en a entraînée de son vivant l'horrible maladie. C'est là une infirmité affreuse, sournoise, stupéfiante, dévastatrice et pour finir mortelle.

Je voue une adoration sans réserve aux programmes en Douze Étapes. Tous autant qu'ils sont, ils ont droit à mon plus grand respect : les Alcooliques anonymes, pour ceux qui veulent arrêter de boire ; les Al-Anon, pour ceux qui souffrent de l'alcoolisme d'autrui ; Alateen, pour les adolescents atteints par l'alcoolisme d'un proche ; et les Narcotiques anonymes pour les toxicomanes.

Mon respect va également à d'autres programmes en Douze Étapes tels que *Nar-Anon*, pour ceux qui subissent les effets de la toxicomanie par personne interposée ; *Overeaters Anonymous*, pour ceux qui souffrent de troubles de l'alimentation, et *O-Anon*, pour leur entourage ; *Families Anonymous*, pour ceux qui s'inquiètent de voir un ami ou un parent faire usage de substances chimiques ou présenter tel ou tel trouble du comportement ; les *Ex-Enfants d'Alcooliques*, pour les adultes ayant connu ce problème dans leur enfance ; et *Emotions Anonymous*, pour les gens qui souhaitent résoudre leurs problèmes affectifs.

Il existe d'autres bons programmes en Douze Étapes : *Sex Addicts Anonymous*, pour les gens atteints de troubles sexuels de nature compulsive, et *Co-SA*, pour les victimes vivant dans leur entourage ; *Gamblers Anonymous*, pour ceux qui veulent arrêter de jouer aux jeux d'argent, et *Gam-Anon*, pour ceux qui souffrent de leur comportement ; *Parents Anonymous*, qui s'adressent aux parents abusifs, négligents, ou qui craignent de le devenir, ou bien aux adolescents en difficulté pour cause de mauvais traitements passés ou présents ; et les *Sex Abusers Anonymous*. Il existe sans doute d'autres formules, soit qu'elles m'aient échappé, soit qu'elles aient vu le jour pendant la rédaction de ce livre.

Les programmes en Douze Étapes ne sont pas seulement des groupes d'autosoutien aidant les gens atteints de troubles compulsifs à se débarrasser de leur manie, qu'il s'agisse de boire ou d'aider le buveur, entre autres cas de figure. Ce sont des programmes qui apprennent aux gens à vivre – à vivre en paix, à vivre dans la joie et dans la réussite. Ils apportent la sérénité. Ils visent la guérison. A leurs membres ils font cadeau de la vie – une vie très souvent plus riche, plus saine que celle qu'ils connaissaient avant que leur problème ne se manifeste. Les Douze Étapes sont un véritable mode de vie.

Je me concentrerai, dans le présent chapitre, sur les programmes destinés aux gens qui ont été affectés par les troubles compulsifs d'autrui, puisqu'il s'agit ici de codépendance, et que la codépendance, c'est ça. Si je choisis de me référer au programme des Al-Anon, c'est parce que programme, je le « suis ». (J'expliquerai plus loin ce que j'entends par « suivre un programme »). Toutefois, pourvu que vous y mettiez un peu du vôtre, les informations fournies ici peuvent s'appliquer à n'importe quel programme en Douze Étapes.

Les Douze Étapes

Elles forment le cœur des programmes ainsi nommés. Dans leur formulation de base (ci-dessous en italique), elles figurent dans de nombreux programmes, mais qui ont tous pris pour point de départ les Étapes des Alcooliques anonymes.

L'interprétation que j'en donne représente mon opinion personnelle et ne comporte aucune espèce de lien avec quelque programme des Douze Étapes que ce soit. Les programmes ont également des Traditions, qui préservent leur pureté afin de garantir leur efficacité à long terme. La Onzième Tradition du programme des Al-Anon est d'ailleurs formulée ainsi : « Notre politique de relations publiques se fonde sur l'attraction plutôt que la promotion. » Sachez bien que je ne me fais pas le chantre de ce programme, ni d'aucun autre d'ailleurs. Je me contente de dire ce que je pense, et il se trouve que je pense beaucoup de bien des Douze Étapes.

1. *Nous avons admis que nous étions impuissants devant l'alcool — que notre vie était devenue impossible.*

Ceci est une Étape importante. C'est la première que nous ayons à franchir. C'est pourquoi elle porte le nom de Première Étape. La lutte que nous avons menée pour accepter ce que nous devions accepter (alcoolisme ou troubles de l'alimentation chez l'être aimé, par exemple) nous dépose généralement sur ce seuil. Après le refus, les tentatives de marchandage, de contrôle ou de sauvetage, après la colère, la souffrance et le chagrin, c'est là que j'en suis moi-même arrivée. Non pas une, mais deux fois dans ma vie j'avais tenté l'impossible : contrôler l'alcool. D'abord, je me suis battue contre mon propre alcoolisme et ma façon de mener ma vie ; puis je suis repartie en guerre lorsque j'ai vu des gens que j'aimais user et abuser de l'alcool. Dans les deux cas j'ai échoué. Quand cesserai-je de me battre contre plus fort que moi ? Chaque fois l'alcool a eu raison de moi – la première fois directement, par le biais de ma propre intoxication, et la seconde indirectement, à travers l'usage qu'en faisait une autre personne. La question de savoir comment l'alcool en est venu à me contrôler n'a pas d'importance. C'est un fait. Mes pensées, mes émotions, mon comportement – ma vie tout entière – étaient régulés, dirigés par l'alcool et ses effets sur la vie d'une autre personne. Les gens me contrôlaient, mais ils étaient eux-mêmes contrôlés par l'alcool. Le jour où j'y ai enfin vu clair, il ne m'a pas été très difficile de comprendre qui commandait : la bouteille. Après cette prise de conscience, je n'ai pas tardé à constater que ma vie m'échappait complètement. Et comment ! Sur le plan spirituel, affectif, mental, comportemental, j'avais totalement perdu pied. Ma carrière était en roue libre. Je n'arrivais même plus à tenir ma maison propre.

Si vous avez l'impression qu'aborder cette Étape c'est baisser les bras, vous avez tout à fait raison. C'est à ce moment-là qu'on s'incline devant la vérité. On est impuissant devant l'alcool, cette maladie, devant l'abus qu'en fait telle personne et la vie qu'elle en vient à mener. On est absolument sans pouvoir sur les gens – sur ce qu'ils font, ce dont ils s'abstiennent, sur ce qu'ils disent ou ce qu'ils taisent, sur ce qu'ils pensent ou ne pensent pas, ressentent ou sont incapables de ressentir. On a tenté l'impossible. Puis on s'en rend compte, et on prend la décision logique de ne plus chercher à faire ce que, avec la meilleure volonté du monde, on ne réussira jamais. Alors, on tourne son regard vers l'intérieur de soi, vers les dommages qu'on a subis, les caractéristiques qu'on présente désormais, vers la souffrance. Cette démarche peut paraître défaitiste, dénuée d'espoir, mais il n'en est rien. Elle est au contraire acceptation de la réalité. Les choses qu'on ne peut pas contrôler, on ne peut pas non plus les changer ; à s'y efforcer, on perdrait la raison. Cette Étape implique une dose calculée d'humiliation. C'est aussi le pont qui mène à la Deuxième Étape. Car, par cet aveu d'impuissance devant une situation à laquelle nous ne pouvons véritablement rien, nous nous voyons conférer un pouvoir qui nous revient en toute légitimité : le pouvoir de nous changer nous-mêmes et de vivre notre vie. Quand on cesse de tenter l'impossible, on se met à même d'entreprendre le possible.

2. *Nous en sommes venus à croire qu'une Puissance qui nous dépasse pouvait nous rendre notre intégrité*.*

Si nous sommes sortis désespérés de la Première Étape, la suivante nous apportera l'espoir. Dès que j'ai cessé de me comparer aux fous furieux qui m'entouraient, je n'ai plus douté une seconde de ma propre folie. J'avais vécu une vie insensée, et ma façon de ne pas la vivre l'était tout autant. J'avais besoin de croire que je pouvais retrouver la santé mentale, que d'une manière ou d'une autre mes souffrances pouvaient s'atténuer. En écoutant des gens qui s'étaient trouvés dans la même misère que moi, en leur parlant, en les voyant en chair et en os, en m'apercevant qu'ils avaient trouvé la paix dans des situations parfois pires que la mienne, j'en suis venue à croire. Il n'y a rien de tel que de visualiser les choses. Comme dit l'autre : il faut le voir pour le croire.

Naturellement, il s'agit là d'un programme spirituel. Tout à coup, heureusement, on n'est plus abandonné à soi-même. Le principe n'est pas « faites-le vous-même ». Ce n'est pas non plus le cas de ce livre. Si vous choisissez cette option, c'est à vos risques et périls. Nous sommes des êtres spirituels ; il nous faut donc un programme adapté, qui réponde à nos besoins dans ce domaine. Il n'est pas question ici de religion ; je n'emploie pas d'autre terme que *spirituel.* Nous devons nous choisir une Puissance qui nous dépasse, et parvenir à un accord avec elle.

3. *Nous avons résolu de remettre notre sort entre les mains de cette Puissance supérieure,* **telle que nous l'entendons.**

Personnellement, j'avais confié ma destinée à l'alcool (entre autres), remis mon sort entre les mains d'autres individus (le plus souvent alcooliques), et passé des années à tenter d'imposer ma propre vision des choses à la marche des événements. Il était grand temps d'échapper à ce qui me contrôlait (y compris moi-même), et de me remettre entre les mains d'une Puissance infiniment aimante. « Prends tout », ai-je dit alors. « Je te donne tout – ce que je suis, ce que j'ai vécu, ce que je vais devenir, et le chemin que je suivrai pour y arriver. » J'ai prononcé ces mots une première fois. Je les prononce désormais chaque jour. Parfois toutes les heures. La Deuxième Étape n'implique pas qu'on se résigne à tout un ensemble d'impératifs et d'interdits, qu'on fasse son acte de contrition. Ce n'est en aucun cas un prolongement du martyre. Dans son aspect le plus passionnant, elle implique qu'il existe dans notre vie à tous un but, un plan – un plan grandiose, merveilleux en tout point, un plan qui en vaut la peine et procure généralement du plaisir, qui prend en compte nos désirs et nos besoins, nos capacités, nos talents et nos sentiments. Pour moi, ce fut une sacrée bonne nouvelle. Personnellement, je me considérais comme une erreur. Je ne pensais pas qu'il y eût quoi que ce soit d'important dans ma vie qui s'inscrive dans un plan. Jusqu'alors, je me contentais d'errer çà et là en essayant d'en profiter au maximum ; et puis j'ai appris ceci : on vit ici-bas tant qu'on a une vie à y vivre, et c'est le cas de chacun d'entre nous.

4. *Nous avons entrepris, scrupuleusement et sans peur, de faire notre examen de conscience.*

Ici, on détourne son regard de l'autre pour le reporter sur soi-même. On fait le compte de ce qui reste, on estime les dégâts, on cherche à savoir ce qu'on est en train de faire, quelles sont ses *propres* caractéristiques, et on couche le tout par écrit. On ouvre les yeux, sans crainte, sans haine de soi ni autopunition, mais dans une attitude générale d'amour, d'honnêteté et de respect de soi. On en arrive même à comprendre qu'en se haïssant, ou en ne s'aimant pas assez, on se crée un véritable problème moral en déracinant tous les autres par la même occasion, y compris la culpabilité justifiée. On examine également ses bons côtés. Puis ses blessures, ses rancœurs. On s'examine soi-même, ainsi que le rôle qu'on a joué dans sa propre vie. Cette Étape est aussi l'occasion de remettre en question les critères selon lesquels on se juge, de retenir ceux qu'on estime appropriés et d'éliminer les autres. On s'apprête désormais à oublier la culpabilité imméritée, à s'en débarrasser une bonne fois pour toutes, à accepter la totalité de ce qu'on appelle « je » et à s'embarquer sur la voie de l'évolution et du changement.

5. *Nous avons reconnu devant nous-mêmes, devant autrui et devant notre Puissance supérieure, la nature exacte de nos égarements.*

La confession profite à l'âme. Il n'y a rien de tel. On n'est plus obligé de se cacher. On révèle ses pires secrets, ses pires hontes à une personne de confiance ayant l'habitude d'écouter ceux qui abordent la Cinquième Étape. On s'ouvre à elle, on lui dévoile sa souffrance, sa colère. Et elle écoute. Elle n'est pas indifférente. Elle pardonne. Les blessures commencent à se refermer. On pardonne. La Cinquième Étape est une étape de libération.

6. *Nous étions entièrement disposés à laisser notre Puissance supérieure nous délivrer de nos défauts de caractère.*

On se rend compte que, parmi les attitudes autoprotectrices qu'on avait adoptées, certaines nous ont nui, sans compter le mal qu'elles ont pu faire aux autres. On se déclare prêt à prendre le risque de renoncer à ces comportements désormais sans objet. On souhaite être changé et coopérer au processus de changement. Cette Étape et la suivante me servent quotidiennement à évacuer tous les défauts qui se manifestent en moi. L'autodépréciation en fait partie, et la Sixième Étape s'applique aussi à elle.

7. *Nous avons humblement demandé à notre Puissance supérieure de nous débarrasser de nos imperfections.*

Si j'en crois mon expérience, c'est le mot « humblement » qui est ici la clef de tout.

8. *Nous avons dressé la liste des personnes à qui nous avons fait du mal, et nous nous sommes disposés à faire amende honorable devant chacune d'entre elles.*

Ici, c'est le terme « disposé » qui compte même si, pour moi, il est sans doute lié à la notion d'humilité. N'oubliez pas de vous faire figurer sur la liste. Notez bien cette remarque de Jael Greenleaf : « A la Huitième Étape, gardez-vous de comprendre : " Nous avons dressé la liste de toutes les personnes à qui nous avons fait du mal, et nous nous sommes disposés à nous en sentir coupables[1] ". » C'est l'occasion de se montrer équitable devant sa propre culpabilité justifiée. Il s'agit là d'une Étape importante, un outil qui restera toute notre vie à notre disposition afin que nous ne soyons plus contraints de nous sentir coupables.

9. *Nous nous sommes excusés auprès de ces personnes chaque fois que c'était possible, sauf si cette démarche devait leur nuire, à elles ou à d'autres personnes.*

Voilà une Étape simple intervenant dans un programme simple. Ce sont parfois les choses les plus simples qui nous conduisent au bonheur.

10. *Nous avons continué à faire notre examen de conscience, et, chaque fois que nous avons eu tort, nous l'avons promptement reconnu.*

On se tient à l'œil. On évalue continuellement et régulièrement son propre comportement. On cherche ce qu'il y a de positif en soi, les actes justes et bons qu'on a commis. Puis on s'en félicite, on en ressent de la joie, on remercie sa Puissance supérieure, ou les trois à la fois. On repère les actes négatifs qu'on a commis, on trouve le moyen de les accepter et de les réparer sans pour autant se détester soi-même. C'est là le plus difficile ; si on a *réellement* eu tort, on le dit. Si on a franchi avec succès les Huitième et Neuvième Étapes et éliminé tous ses sentiments de culpabilité, on saura quand dire « J'ai tort » et « Je regrette ». On saura repérer la culpabilité méritée. Néanmoins, si nous continuons à nous sentir coupable en permanence, il nous sera difficile de voir que nous ne faisons pas le nécessaire :

puisqu'on se sent *tout le temps* coupable, on ne voit pas la différence. Ce n'est qu'une pelletée supplémentaire de culpabilité jetée sur le tas déjà accumulé. La morale de l'histoire est : débarrassez-vous de la culpabilité. Si vous la sentez poindre, occupez-vous-en sans tarder.

11. *Nous avons cherché, par la méditation et le recueillement, à améliorer notre contact conscient avec notre Puissance supérieure* **telle que nous l'entendons,** *afin de puiser en nous-mêmes la force de trouver sa voie.*

Pratiquée quotidiennement et selon les besoins de chacun, cette Étape nous aidera considérablement à faire notre chemin dans la vie. Elle exige que nous apprenions à faire la différence entre *ruminer* et *méditer.* Il nous faudra aussi nous demander si cette Puissance veut ou non notre bien, si elle est « concernée », comme dit un autre de mes amis. Trouvez la sérénité. Détachez-vous. Recueillez-vous. Méditez. Demandez à cette Puissance supérieure ce qu'elle attend de vous. Demandez-lui le pouvoir de répondre à cette attente. Puis laissez-vous aller et restez vigilant. Il s'agit habituellement de parvenir à une vision de la vie qui soit adéquate et pleine de bon sens. On a parfois des surprises. Apprenons à nous fier à la Puissance aux mains de laquelle nous avons remis notre sort, à ressentir son influence. Apprenons à nous fier à nous-même. C'est aussi à travers nous qu'elle s'exerce.

12. *Ayant reçu l'éveil spirituel de ces étapes successives, nous nous sommes efforcés de transmettre le message à d'autres et d'appliquer ces principes dans tous les aspects de notre vie***.

Nous connaîtrons l'éveil spirituel. Nous apprendrons à prendre spirituellement soin de nous-mêmes – spirituellement, et non religieusement, encore que cela aussi fasse certainement partie de la vie. Le programme nous rendra capable de nous aimer nous-mêmes et d'aimer les autres, au lieu de les secourir et de nous faire secourir par eux. Transmettre le message ne nous transforme pas en évangélistes ; cela transforme notre vie en lumière. Nous apprendrons à rayonner. Si nous appliquons ce programme dans tous les aspects de la vie, alors il portera ses fruits dans tous les aspects de la vie.

Suivre un programme

Maintenant que nous avons fait connaissance avec les Étapes, voyons ce que signifie au juste « suivre un programme » et « pratiquer les Étapes ». Dans le monde entier, des gens se réunissent dans toutes sortes de locaux – églises, maisons individuelles ou salons de coiffure. Les réunions peuvent avoir lieu une fois par jour, deux fois par semaine ou tous les soirs de la semaine. Il n'y a ni sélection, ni inscription. On repère simplement le lieu où se réunit un groupe concerné par tel ou tel phénomène posant problème à ses membres. Durant la discussion, on n'a pas à donner son nom de famille, son lieu de travail ou celui de son conjoint; on n'est pas obligé de parler si on n'en a pas envie. Il n'y a pas d'argent à débourser, encore qu'on puisse faire des dons plus ou moins importants pour payer le café ou le loyer du local – *si on le désire.* Personne ne signe quoi que ce soit, personne ne remplit de fiche. On n'est pas tenu de répondre à des questions. On vient et on s'assied avec les autres, c'est tout. Voilà ce qu'on appelle « aller à une réunion ». C'est une composante essentielle de l'accomplissement du progamme.

Ce qu'il y a de bien dans ces réunions, c'est qu'on peut s'y montrer sous son vrai jour. Nul besoin de faire comme si on n'avait pas de problème particulier, puisque tous ceux qui y assistent ont le même. Sinon, ils ne seraient pas là.

La forme varie selon les groupes. Certains demandent à leurs membres de prendre place autour d'une table; là, ceux qui veulent s'exprimer évoquent leurs impressions ou abordent leurs problèmes. Les séances prennent parfois l'aspect de conférences : un orateur se lève et parle d'une Étape ou d'une expérience précise. Dans certains groupes, la discussion tourne autour des Étapes; les participants disposent alors leurs sièges en cercle, et chacun à son tour dit ce qu'il a à dire sur l'Étape dont il est question ce jour-là. Les variantes sont en nombre infini, mais le centre des débats est généralement les Étapes, les Traditions ou autres sujets apparentés. C'est là qu'on apprend ce que sont les Étapes et ce qu'elles signifient pour les autres. On y entend également des slogans. Chez les A.A. et les Al-Anon circulent de petites formules faciles à mémoriser telles que : *Lâchez la bride et suivez le guide, En douceur, tout en douceur* et *Chaque chose en son temps*. Si elles sont devenues des slogans, c'est parce qu'elles sont vraies. Et même quand on s'en lasse, on continue de les écouter et de les répéter parce que, décidément, il n'y a rien de plus vrai. Et grâce à elles, on se sent mieux. Une fois la séance levée, on s'attarde un peu pour bavarder, ou bien on va prendre ensemble un jus de fruit ou un café. Apprendre les Étapes et les slogans, prêter attention au vécu des autres, partager son expérience personnelle et se serrer les coudes, tout cela fait partie de l'accomplissement du programme.

Pendant les réunions, on vend des livres et des brochures contenant des informations sur les difficultés communes aux membres du groupe. On y trouve parfois des ouvrages de méditation offrant des conseils pour aborder chaque journée qui commence. Ces lectures font également partie du programme. On a quelque chose à rapporter chez soi et à mettre en application. On garde en mémoire ce qu'on a appris pendant la séance; parfois même, on acquiert de nouvelles connaissances.

Tout en se livrant à leurs activités quotidiennes, les participants repensent aux Étapes et aux slogans. Ils cherchent à savoir comment ceux-ci s'appliquent à leur cas particulier, à comprendre ce qu'ils ressentent, ce qu'ils font, ce qui se passe dans leur vie à ce moment précis. Ils le font de manière régulière, et aussi quand un problème surgit. Ils appellent parfois une personne rencontrée en réunion pour lui demander son avis ou lui dire comment ils s'en sortent ce jour-là. Ils suivent les conseils des Étapes, en dressant l'inventaire des gens à qui ils ont fait du mal ou en faisant amende honorable. S'ils y pensent suffisammment souvent et s'ils s'y conforment, les Douze Étapes deviennent pour eux une habitude de pensée, un code de comportement, une attitude face à telle ou telle situation – de la même manière que les caractéristiques de la codépendance se transforment vite en habitude. Alors les Étapes deviennent un mode de vie. Voilà ce qu'on appelle suivre le programme et pratiquer les Étapes.

Et c'est tout. Les programmes en Douze Étapes sont fort simples. On ne passe pas d'examen menant à un quelconque niveau supérieur. On s'en tient aux bases. C'est d'ailleurs pour cela que ça marche.

Personnellement, le simple fait d'assister à une réunion ou de pratiquer les Étapes me remplit d'excitation. Je veux bien essayer de vous expliquer pourquoi, mais les mots ne peuvent rendre compte que d'une toute petite partie du concept central. Si on se rend à ces séances, si on suit un programme, il se passe quelque chose. Une sensation de paix s'installe, on se met à progresser sur la voie de la guérison. On change, on se sent mieux. On travaille ses Étapes, mais les Étapes nous travaillent aussi de l'intérieur. Durant les réunions, il se passe quelque chose de magique.

On n'est jamais obligé d'agir contre son désir, contre sa pudeur, contre son intérêt. Quand le moment est venu d'entreprendre telle ou telle démarche ou d'opérer tel ou tel changement, on s'en rend compte et on est prêt. L'action est juste et appropriée. Cela s'applique à la vie tout entière : la guérison — l'évolution — devient naturelle. Les Douze Étapes puisent dans le processus de guérison naturel des êtres humains, et en tirent une recette[2]. A les lire, on n'est guère impressionné ; en tout cas, pas assez pour ressentir la même excitation que moi ; mais, quand on les pratique, tout change. Elles deviennent évidentes, ainsi que leur pouvoir. Pour le comprendre, il faut parfois attendre que cela nous arrive.

La meilleure description des Douze Étapes qu'il m'ait été donné d'entendre est l'histoire du « bateau invisible », racontée par un participant d'une réunion à laquelle j'ai récemment assisté. Il faisait référence aux A.A., mais la parabole s'applique également aux Al-Anon et autres groupes. J'ai modifié certains de ses termes afin que le concept colle à celui des Al-Anon, mais le fond reste le même.

« Imaginez-vous debout sur le rivage. Au large se trouve une île nommée Sérénité où, loin du désespoir engendré par l'alcoolisme et les autres troubles, règnent la paix, le bonheur et la liberté. Vous désirez ardemment gagner cette île, mais il vous faut trouver le moyen de franchir cette étendue d'eau – ce vide immense qui se tient entre vous et l'endroit où vous désirez aller.

» Deux solutions s'offrent à vous : sur l'océan se trouve un paquebot, un de ces navires de croisière où tout a l'air confortable et luxueux. Il s'appelle Traitement, Thérapie. Non loin de là, sur la plage, un groupe de gens à l'allure bizarre. Ils font mine d'actionner les rames d'une barque, mais on ne voit ni l'embarcation, ni les rames ; seulement ces gens hilares, assis sur le sable, qui actionnent les rames invisibles d'un bateau invisible. Ce bateau s'appelle Al-Anon (ou A.A., ou n'importe quel programme en Douze Étapes). Le paquebot fait entendre sa sirène : tout le monde à bord, on embarque pour la croisière Traitement et Thérapie ! Vous voyez les passagers sur le pont ; ils vous font de grands signes enjoués. Et il y a ces espèces d'excentriques qui vous enjoignent à grands cris de monter dans leur bateau invisible. Naturellement, vous embarquez sur le paquebot, vous choisissez la croisière de luxe. Et c'est parti pour l'île de la Félicité.

» Mais voilà : à mi-parcours, le paquebot s'arrête, vire et rebrousse chemin en direction du rivage. Retour au point de départ. Là-dessus, le commandant de bord fait descendre tout le monde à terre. Vous demandez pourquoi, et il vous répond : " La croisière s'arrête là. La seule manière d'atteindre l'île, c'est d'embarquer sur le bateau invisible (celui qui s'appelle Al-Anon). "

» Vous haussez les épaules, et vous vous dirigez donc vers les occupants de la barque. " Montez ! vocifèrent-ils.

– Mais je ne vois aucun bateau où monter, vociférez-vous en retour.

– Montez quand même ! " Vous vous exécutez, et les voilà bientôt qui disent : " Prenez une rame et attelez-vous à la tâche (c'est-à-dire aux Étapes).

– Je ne vois pas de rames ! hurlez-vous.

– Tant pis, ramassez-en une et ramez quand même ! " Là encore vous obtempérez, et très vite vous commencez à voir le bateau. En moins de temps qu'il ne faut pour le dire, vous commencez à voir aussi les rames. Et, tout à coup, vous êtes tellement content de ramer avec les autres excentriques que vous ne vous souciez plus d'atteindre l'autre bord[3]. »

Voilà la magie des programmes en Douze Étapes : ça marche. Loin de moi l'idée d'affirmer ou d'insinuer que l'approche thérapeutique ne sert à rien. Au contraire, beaucoup d'entre nous ont besoin de ce petit coup de pouce pour *entreprendre* le voyage. Mais la croisière finit par s'achever, et quand on souffre d'un désordre compulsif ou qu'on aime une personne qui se trouve dans ce cas, on s'apercevra sans doute qu'on a intérêt à embarquer dans le bateau invisible avec les joyeux lurons du conte.

J'ai fait figurer à la fin de ce chapitre quelques tests qui vous aideront à déterminer si vous pouvez chercher secours auprès des Al-Anon, d'Alateen ou d'O-Anon. Vous y trouverez également des questions propres aux Ex-Enfants d'Alcooliques (E.E.A.). Sachez bien que les groupes de type « anon » et E.E.A. ne s'adressent pas à ceux qui boivent, mais aux gens qui souffrent de ce problème dans leur entourage. On a souvent tendance à les confondre. De la même manière, les chimio-dépendants qui fréquentent les A.A. se rendent souvent compte de la nécessité de se joindre aussi aux Al-Anon ou aux E.E.A. afin d'éliminer leurs caractéristiques codépendantes. Si vous avez des raisons de croire que l'un ou l'autre de ces programmes en Douze Étapes vous concerne (ne serait-ce que si vous soupçonnez chez vous la présence d'un problème commun à tous les groupes décrits en début de chapitre), trouvez celui qui vous convient et prenez l'habitude de vous rendre à ses réunions. Cela vous aidera certainement à vous sentir mieux.

Je n'ignore pas les inconvénients. Je sais bien qu'il n'est pas évident de se présenter devant un groupe d'inconnus et de brandir son problème au grand jour. Je sais aussi qu'*a priori*, aux yeux de certains, la fréquentation des réunions ne sert pas à grand-chose – surtout si la personne en difficulté, c'est *l'autre*. Mais vous verrez, cela aide. Vous ne pouvez pas savoir à quel point j'étais folle de rage en commençant à fréquenter les réunions des Al-Anon. Je suivais déjà un programme pour mon alcoolisme. Je n'avais aucune envie d'en entreprendre un autre, ni de découvrir qu'il y avait dans ma vie un nouveau problème auquel j'allais devoir m'attaquer. En outre, j'avais le sentiment d'en avoir déjà assez fait pour aider les alcooliques autour de moi. Pourquoi est-ce que je devais, *moi*, assister à d'autres réunions ? C'étaient les alcooliques qui avaient besoin d'aide. Pendant ma première séance là-bas, une petite bonne femme toute guillerette est venue me parler. Au bout d'un moment, elle m'a souri et m'a dit : « Quelle chance vous avez ! Vous gagnez sur les deux tableaux : vous allez devoir pratiquer les deux programmes ! » Je l'aurais étranglée sur place. Mais maintenant, je reconnais qu'elle avait raison. C'est vrai, j'ai de la chance. J'ai gagné sur les deux tableaux.

Certains d'entre vous envisageront peut-être avec réticence la perspective de fréquenter des réunions, convaincus qu'ils sont d'avoir déjà suffisamment fait pour les *autres*. Eh bien, ils ont raison. C'est probablement vrai. C'est justement pour cela qu'ils ont intérêt à y aller. Parce que c'est pour *eux-mêmes* qu'ils doivent y aller.

D'autres éprouveront le besoin de s'y rendre uniquement pour aider *les autres*, et seront sans doute déçus en s'apercevant qu'on leur demande de se prendre eux-mêmes en considération. Là encore, c'est tout à fait normal. La santé engendre la santé. Si vous vous mettez à traiter votre propre cas, la bonne santé qui en résultera rejaillira sur votre entourage de la même manière que leur maladie a rejailli sur vous.

D'autres encore ressentiront de la gêne. Personnellement, le jour de ma première séance, je n'ai rien pu faire d'autre que pleurer comme une madeleine. Je me sentais terriblement mal à l'aise. Mais, pour une fois, cela me faisait du bien de pleurer. Mes larmes représentaient un début de guérison. J'en avais besoin. Quand elles se sont enfin taries et que j'ai commencé à regarder autour de moi, j'ai vu d'autres gens pleurer comme moi. Aux Al-Anon, on peut se montrer sous son vrai jour en toute sécurité. Là-bas, les gens vous comprennent. Et vous aussi, vous comprendrez.

Il me semble avoir répondu à la plupart des objections courantes portant sur la fréquentation de ces réunions. Vous en aurez sans doute d'autres, mais si vous correspondez au profil d'un programme, allez-y tout de même. Je n'en démordrai pas, les Douze Étapes sont un véritable don du ciel pour les gens qui souffrent de troubles compulsifs, ou ceux qui les aiment. Si vous avez l'impression de devenir fou, si vous réagissez aux gens et aux événements au lieu d'agir, allez-y. Si le premier groupe auquel vous vous joindrez ne vous plaît pas, essayez-en un autre. Chacun de ces groupes est doté de sa propre personnalité. Allez et venez entre les groupes jusqu'à ce que vous en trouviez un où vous vous sentiez bien. Si vous avez cessé de fréquenter vos réunions, retournez-y. Si vous n'en êtes qu'au début, continuez jusqu'à la fin de vos jours. L'alcoolisme est une maladie qui vous suit toute votre existence, et qui nécessite un traitement à vie. Quant aux caractéristiques de la codépendance, elles finissent par prendre force d'habitude, et on ne s'en débarrasse jamais complètement. Que l'état de votre malade empire ou s'améliore, n'abandonnez pas.

Persistez jusqu'à vous féliciter de pouvoir assister à vos réunions. « Quel bonheur que ces réunions existent et que ces gens me *permettent* de me joindre à eux ! Quand je me mets à faire n'importe quoi, plus personne ne veut entendre parler de moi. Tandis que ces gens-là, eux, se contentent de sourire, de me serrer la main en disant : " Nous sommes contents de vous voir. Revenez quand vous voudrez. " »

Persévérez jusqu'à apercevoir enfin le bateau et les rames invisibles, jusqu'à trouver le bonheur. Jusqu'à ce que la magie opère sur vous. Et ne vous en faites pas : si vous tenez bon, cela ne manquera pas d'arriver.

EXERCICES PRATIQUES

1. Passez aux pages suivantes ; répondez aux tests ou lisez la liste des caractéristiques.

2. Si vous vous sentez concerné par l'un des programmes décrits dans ce chapitre, consultez l'annuaire ou toute association d'entraide ayant une antenne dans votre région. Renseignez-vous sur l'endroit où ont lieu les réunions, et jetez-vous à l'eau.

LES AL-ANON : EST-CE LA SOLUTION POUR VOUS ?

Des millions de gens sont affectés par l'abus de boisson d'un proche. Les vingt questions qui suivent ont pour but de vous aider à savoir si vous avez ou non besoin des Al-Anon.

1.	La quantité d'alcool consommée par une personne de votre entourage est-elle pour vous un sujet de préocupation ?	Oui	Non
2.	Avez-vous des difficultés d'argent à cause de la consommation d'alcool de cette personne ?	Oui	Non
3.	Vous arrive-t-il de mentir pour cacher sa consommation d'alcool ?	Oui	Non
4.	Avez-vous l'impression que, pour lui, l'alcool compte plus que vous ?	Oui	Non
5.	Pensez-vous que le compagnon/la compagne du buveur soit responsable de son comportement ?	Oui	Non
6.	L'heure des repas est-elle fréquemment retardée à cause de celui qui boit ?	Oui	Non
7.	Proférez-vous des menaces du genre : « Si tu ne cesses pas de boire, je te quitte » ?	Oui	Non
8.	Lorsque vous embrassez celui qui boit pour lui dire bonjour, reniflez-vous discrètement son haleine ?	Oui	Non
9.	Évitez-vous de le froisser de peur que cela ne déclenche une beuverie ?	Oui	Non
10.	Avez-vous déjà été blessé, gêné par le comportement d'une personne qui buvait ?	Oui	Non
11.	Avez-vous l'impression que toutes vos vacances sont gâchées par l'alcool ?	Oui	Non
12.	Avez-vous déjà songé à appeler la police à cause du comportement d'un buveur ?	Oui	Non

13. Vous surprenez-vous à chercher les bouteilles cachées ?	Oui	Non
14. Êtes-vous persuadé(e) que s'il/elle vous aimait, il/elle arrêterait de boire pour vous faire plaisir ?	Oui	Non
15. Vous est-il déjà arrivé de refuser des invitations parce que vous avez peur ou que vous vous sentez angoissé(e) ?	Oui	Non
16. Ressentez-vous parfois de la culpabilité à l'idée des extrémités auxquelles vous en êtes arrivé pour essayer de contrôler celui/celle qui boit ?	Oui	Non
17. Pensez-vous que vos propres problèmes seraient résolus s'il/elle cessait de boire ?	Oui	Non
18. Vous arrive-t-il de menacer de vous faire du mal afin d'amener celui qui boit à dire « Je te demande pardon » ou encore « Je t'aime » ?	Oui	Non
19. Vous arrive-t-il de vous montrer injuste envers les gens (enfants, employés, parents, collègues) parce que vous êtes en colère contre celui/celle qui boit ?	Oui	Non
20. Avez-vous l'impression que personne ne comprend vos problèmes ?	Oui	Non

Si vous avez répondu Oui à trois au moins de ces questions, les Al-Anon ou Alateen peuvent peut-être quelque chose pour vous.

ÊTES-VOUS CODÉPENDANT D'UNE PERSONNE SOUFFRANT DE TROUBLES DE L'ALIMENTATION ?

Ce questionnaire extrait de *Maigrir, une affaire de famille* vous aidera à déterminer dans quelle mesure vous êtes impliqué dans les problèmes d'un boulimique ou d'un anorexique.

– Imposez-vous un régime à quelqu'un ?

– Menacez-vous de le quitter à cause de son poids ?

— Vous assurez-vous qu'il le suit bien ?

— Lui faites-vous des promesses liées à la perte ou au gain d'un certain nombre de kilos ?

— Cachez-vous la nourriture à celui qui mange trop ?

— Vous faites-vous constamment du souci pour celui qui ne mange pas assez ?

— Vous arrive-t-il de « marcher sur des œufs » afin de ne pas déranger celui qui mange trop/trop peu ?

— Jetez-vous la nourriture pour que celui qui mange trop ne la trouve pas ?

— Vous est-il arrivé d'excuser les sautes d'humeur erratiques et parfois violentes qui suivent les accès de consommation de sucres ?

— Modifiez-vous vos activités sociales afin que celui qui mange trop ne soit pas tenté ?

— Trafiquez-vous le budget familial afin de contrôler les sommes consacrées à la nourriture et aux vêtements ?

— Achetez-vous et préconisez-vous un certain type d'aliments que vous considérez comme « bons » ?

— Préconisez-vous la gymnastique, la thalassothérapie et les cures miracles ?

— Vous lancez-vous dans de grandes tirades passionnelles quand vous surprenez le boulimique en flagrant délit ?

— Êtes-vous perpétuellement déçu quand vous constatez une rechute ?

— Avez-vous honte de l'apparence de celui qui mange trop/trop peu ?

— Le consolez-vous hypocritement quand il a honte de son apparence ?

— Mettez-vous sa volonté à l'épreuve dans le seul but de le tourmenter ?

— Avez-vous rabaissé vos exigences ?

— Votre propre poids varie-t-il en fonction de celui de la personne que vous aimez (il augmente quand le sien diminue) ?

- Avez-vous cessé de vous préoccuper de votre propre apparence ?
- Avez-vous des douleurs, des ennuis de santé ?
- Faites-vous une grosse consommation d'alcool, de somnifères ou de tranquillisants ?
- Essayez-vous de le soudoyer au moyen de nourriture ?
- Parlez-vous de son physique avec lui ou avec d'autres ?
- Pensez-vous que la vie serait idéale s'il rentrait dans le droit chemin ?
- Remerciez-vous le ciel de ne pas être aussi « mal en point » que lui ?
- Son trouble de l'alimentation vous fournit-il une excuse pour fuir ?
- Son trouble de l'alimentation vous fournit-il une excuse pour rester ?
- Laissez-vous « discrètement » traîner çà et là des documents « qui pourraient l'aider » ?
- Lisez-vous des ouvrages de régime alimentaire sans avoir vous-même de problème de poids ?
- Estimez-vous vivre dans un foyer idéal, mis à part la présence de celui qui mange trop/trop peu ?
- Prenez-vous des médicaments pour dormir et oublier vos soucis ?
- Au cours de votre thérapie, avez-vous passé beaucoup de temps à parler de celui qui mange trop/trop peu ?

ÉVOLUTION DE LA PERSONNALITÉ CODÉPENDANTE

La liste suivante est également tirée de *Maigrir, une affaire de famille* et a pour but de vous permettre d'évaluer votre propre évolution.

Phase liminaire

La personnalité codépendante :

- a souvent vu le jour au sein d'une famille dysfonctionnelle et a appris l'« investissement en autrui » comme mesure de l'estime qu'elle se porte ;
- n'ayant pas réussi à guérir ses parents, essaie donc de « guérir » le boulimique ou l'anorexique ;
- se trouve un boulimique/anorexique « en difficulté », et se met à le contrôler ;
- commence à mettre en doute ses propres perceptions et décide de contrôler l'alimentation de l'autre afin de prouver sa propre force de caractère ;
- voit sa vie sociale perturbée. S'isole de la communauté afin d'« aider » le boulimique/l'anorexique.

Obsession

La personnalité codépendante :

- multiplie menaces et suppliques à propos du comportement alimentaire de l'autre ;
- se considère et se ressent comme étant la cause de la sur/sous-alimentation ;
- cache la nourriture ;
- tente de contrôler la consommation de nourriture en la cachant, en menaçant l'autre, en le harcelant et en le réprimandant ;
- témoigne de la colère et de la déception vis-à-vis des promesses faites par le boulimique/l'anorexique.

Vie intérieure

La personnalité codépendante :

- se fait une véritable obsession de la surveillance et de la dissimulation ;
- prend sur elle les responsabilités du boulimique/anorexique ;
- occupe un rôle central dans la communication en excluant tout contact entre le boulimique/anorexique et les autres ;
- manifeste une colère disproportionnée.

Perte de contrôle

La personnalité codépendante ;

- fait de violentes tentatives pour contrôler la consommation de nourriture de l'autre. Se bat en permanence contre le boulimique/l'anorexique ;
- se laisse aller physiquement et mentalement ;
- a des activités extra-conjugales telles que : infidélités, acharnement au travail, préoccupation obsessionnelle pour des centres d'intérêts extérieurs ;
- devient rigide, possessive. Semble en permanence fâchée, prudente et cachottière vis-à-vis de ce qui se passe chez elle ;
- présente des troubles associés et abuse des médicaments (ulcères, éruptions, migraines, dépression, obésité, usage de tranquillisants) ;
- perd fréquemment son calme ;
- finit par se lasser d'être toujours malade et fatiguée[4].

LES EX-ENFANTS D'ALCOOLIQUES

Êtes-vous un ex-enfant d'alcoolique ? Voici une liste de quatorze questions. Peut-être éveilleront-elles un écho dans votre vie et votre personnalité.

1. Est-ce que je me sens souvent isolé(e), est-ce que j'ai peur des gens, particulièrement des figures d'autorité ?
2. Me suis-je rendu compte que je recherchais sans cesse l'approbation des autres, au point de perdre ma propre identité en cours de route ?
3. Est-ce que je ressens une peur excessive quand quelqu'un se met en colère ou quand on me critique ?
4. Ai-je souvent l'impression d'être une victime dans mes relations intimes ou professionnelles ?
5. Ai-je parfois l'impression d'être doté(e) d'un trop grand sens des responsabilités grâce auquel il m'est plus facile de me préoccuper des autres que de moi-même.
6. Ai-je du mal à regarder en face mes propres défauts et mes propres responsabilités envers moi-même ?
7. Est-ce que je me sens coupable quand je fais valoir mes droits au lieu de céder ?
8. Ai-je l'impression de ne pas pouvoir me passer de l'agitation constante ?
9. Ai-je tendance à confondre amour et pitié, à aimer ceux qui m'inspirent de la pitié et à qui je porte secours ?
10. Ai-je du mal à éprouver ou exprimer des sentiments, même la sensation de joie ou de bonheur ?
11. Est-ce que je porte un jugement très dur sur moi-même ?
12. Ai-je l'impression de me tenir en piètre estime ?
13. Est-ce que je me sens fréquemment abandonné(e) dans le cadre de mes relations amoureuses ?
14. Ai-je plus tendance à réagir qu'à agir, à être plus « réagissant(e) » qu'« agissant(e) » ?

LES DOUZE ÉTAPES DES A.A.***

1. Nous avons admis que nous étions impuissants devant l'alcool – que notre vie était devenue impossible.

2. Nous en sommes venus à croire qu'une Puissance qui nous dépasse pouvait nous rendre notre intégrité.

3. Nous avons résolu de remettre notre sort entre les mains de cette Puissance supérieure **telle que nous l'entendons.**

4. Nous avons entrepris, scrupuleusement et sans peur, de faire notre examen de conscience.

5. Nous avons reconnu devant nous-mêmes, devant autrui et devant notre Puissance supérieure, la nature exacte de nos égarements.

6. Nous sommes entièrement disposés à laisser notre Puissance supérieure nous délivrer de nos défauts de caractère.

7. Nous avons humblement demandé à notre Puissance supérieure de nous débarrasser de nos imperfections.

8. Nous avons dressé la liste des personnes à qui nous avons fait du mal, et nous nous sommes disposés à faire amende honorable devant chacune d'entre elles.

9. Nous nous sommes excusés auprès de ces personnes chaque fois que c'était possible, sauf si cette démarche devait leur nuire, à elles ou à d'autres personnes.

10. Nous avons continué à faire notre examen de conscience, et, chaque fois que nous avons eu tort, nous l'avons promptement reconnu.

11. Nous avons cherché, par la méditation et le recueillement, à améliorer notre contact conscient avec notre Puissance supérieure **telle que nous l'entendons,** afin de puiser en nous-mêmes la force de trouver sa voie.

12. Ayant reçu l'éveil spirituel de ces étapes successives, nous nous sommes efforcés de transmettre le message à d'autres, et d'appliquer ces principes dans tous les aspects de notre vie.

---

* A propos de la religion, du spirituel et de Dieu, les responsables de la version française du présent ouvrage ont choisi de se fonder sur le passage suivant du livre de Judy Hollis, *Maigrir, une affaire de famille*, p. 122 :

« En dix-sept ans de traitement des personnalités victimes d'une forme quelconque d'assuétude, au nombre des critiques qu'il m'a été donné d'entendre il en est une qui se détache nettement du lot. Qu'il s'agisse de toxicomanes, de boulimiques ou de membres de la profession, le reproche le plus fréquent est : « Vous parlez trop de Dieu. Je ne suis pas croyant. » En réalité, [il s'agit ici] d'un programme *spirituel*, et non religieux. Imaginez que vous soyez en fait très croyant. Jusqu'à présent, vous avez idolâtré une substance extérieure dont vous pensiez qu'elle pouvait soulager vos maux et résoudre vos problèmes. La nourriture était votre dieu. Au cours de votre guérison, vous chercherez à croire en quelque chose de moins destructeur. Vous n'êtes pas obligé d'adopter le concept de Dieu. Vous pouvez, si vous le préférez, chercher et écouter votre propre « petite voix intérieure ». C'est là votre dieu à vous, celui dont, jusqu'à présent, vous vous êtes efforcé de ne tenir aucun compte. Quand on se maintient constamment dans un état d'abrutissement et de dégoût de soi, on est mal placé pour prêter attention aux messages particuliers qui viennent de l'intérieur. Voilà pourquoi je dis qu'on est aussi gros qu'on est malhonnête. Plus on refuse de suivre les indications émises par son petit central personnel, plus on est contraint d'idolâtrer la nourriture. En fréquentant ces réunions, vous renoncerez à votre obsession de la nourriture et vous trouverez le moyen de vivre en communication plus étroite avec votre voix intérieure. Appelez-ça « Dieu » ou « bifteck haché ». Donnez-lui un joli nom ou un nom repoussant, pourvu que cela marche. »

1. Jael Greenleaf. « Co-Alcoholic/Para-Alcoholic : Who's Who and What's the Difference ? » In *Co-Dependency, An Emerging Issue*, Hollywood (Fl.) : Health Communications, Inc., 1984, p. 15.

** Ces Douze Étapes sont celles des Al-Anon, lesquelles tirent leur substance des Douze Étapes des Alcooliques anonymes telles qu'elles figurent dans l'ouvrage intitulé *Alcoholics Anonymous* (New York : A.A. World Service, pp. 59-60), et sont reproduites ici par autorisation.

2. George E. Vaillant. *The Natural History of Alcoholism*, Cambridge (Ma.) : Harvard University Press, 1983.

3. Warren W. a rapporté cette histoire le 23 août 1985 à Minneapolis. Il la tenait de l'orateur itinérant Clancy Imislund, qui gère la Midnight Mission et vit à Venice, Californie.

4. Judy Hollis. *Fat Is A Family Affair*, Center City (Mn.) : Hazelden Educational Materials, 1985, pp. 49-52. *Maigrir, une affaire de famille*, Paris : Éditions J.-Cl. Lattès, 1991.

*** D'après *Alcoholic Anonymous*, publié par A.A. World Service, New York, pp. 59-60. Reproduit par autorisation.

19

Remarques et commentaires

« Quand le Prince Charmant arrivera, je serai probablement au bord d'une mare en train d'embrasser un crapaud[1]. »

Vous trouverez dans ce chapitre une série de remarques concernant la codépendance et l'autosoutien.

Les intoxiqués du drame

Il arrive souvent que les codépendants deviennent ce qu'on appelle des intoxiqués du drame ou de la crise. Aussi bizarre que cela puisse paraître, on peut développer une véritable accoutumance aux difficultés. Quand on est environné de malheur, de crises et de bouleversements depuis suffisamment longtemps, la peur et le stimulus engendrés par les problèmes finissent parfois par constituer une expérience affective confortable. Dans le volume II de son excellent ouvrage *Getting Them Sober*, Toby Rice Drews donne à ce sentiment le nom de « détresse passionnée[2] ».

Avec le temps, on s'accoutume si bien à s'investir affectivement dans les problèmes qui surgissent, les crises qui éclatent, qu'on finit par s'investir durablement dans des situations qui ne nous concernent pas. On en arrive même à s'attirer volontairement des ennuis ou exagérer l'importance de ses soucis réels dans le but d'en retirer une stimulation. Cela se produit tout particulièrement quand on a négligé sa vie et ses sentiments. Tant qu'on est confronté à un problème, on a conscience d'être en vie. Lorsqu'il trouve sa solution, on peut se sentir vide et insensible. Désœuvré. Les situations de crise paraissent alors offrir un certain confort et nous sauver de la monotonie. On pourrait comparer cela à la consommation effrénée de feuilletons sentimentaux, excepté que, dans ce cas, les crises quotidiennes surviennent dans notre propre vie et celle de nos parents et amis. « Virginie va-t-elle quitter John ? » « Réussirons-nous à empêcher qu'Herman perde son emploi ? » « Comment Henriette va-t-elle se dépêtrer de ce dilemme ? »

Une fois qu'ils se sont détachés, qu'ils ont pris leur vie en main et connaissent enfin la sérénité, les codépendants regrettent quelque peu l'agitation d'*avant*. Leur nouveau mode de vie leur paraît parfois un peu terne. Ils sont tellement habitués à l'hystérie ambiante que, au premier abord, la paix présente une certaine monotonie. Mais on s'adapte. A mesure que nous nous épanouirons, que nous nous fixerons des buts à atteindre et que nous trouverons des centres d'intérêt, le calme deviendra un état confortable — en tout cas plus que le chaos. Nous n'aurons plus besoin, ni envie, de la détresse passionnée.

Il faut apprendre à identifier cette recherche de la crise, à en reconnaître les signes. Comprendre qu'on n'a pas à se créer des ennuis, ni à s'impliquer dans les problèmes des autres. Ce besoin de drame, comblez-le de manière créative. Investissez-vous dans un travail qui vous plaise. Mais laissez la détresse passionnée en dehors de votre vie.

Les grandes espérances

Voilà un sujet qui peut prêter à confusion. Nous avons tous des espérances. A un certain niveau de conscience, nous nourrissons tous l'espoir informulé de voir les événements tourner à notre avantage et les gens se comporter comme nous l'entendons. Pourtant, mieux vaut renoncer à ses grandes espérances afin de réussir son détachement. Mieux vaut ne pas les imposer aux autres, ne pas essayer de contrôler l'issue des événements : on ne fait généralement que s'attirer des ennuis, sans jamais parvenir au résultat escompté. Alors, que faire de ses grandes espérances ?

Certaines personnes s'efforcent de renoncer à toutes leurs espérances et de vivre dans l'instant. Elles méritent l'admiration. Néanmoins, je pense que l'important est d'assumer la responsabilité de ses espérances. Exposez-les au grand jour. Examinez-les. Parlez-en autour de vous. Si elles concernent certains individus bien précis, discutez-en avec eux. Voyez s'ils ont les mêmes que vous, si elles sont réalistes. Selon Earnie Larsen, il est vain d'espérer un comportement sain de la part d'un individu malade, et « insensé » de croire qu'un même comportement puisse engendrer un résultat différent. Ensuite, lâchez prise. Attendez de voir comment les choses se présentent. Laissez les événements se produire tout seuls – sans les provoquer. Si vous êtes invariablement déçu, c'est sans doute que vous avez un problème à résoudre, que ce soit vis-à-vis de vous-même, d'une autre personne ou d'une situation donnée.

Entretenir des espérances n'a rien de répréhensible. Celles-ci peuvent, à l'occasion, nous fournir des indices sur ce que nous désirons vraiment, ce dont nous avons besoin, ce sur quoi nous comptons et ce qui nous fait peur. Nous sommes en droit d'espérer de la vie qu'elle nous apporte de bonnes choses, et des gens qu'ils se comportent correctement. Quand on s'attend en permanence à ce que les choses se passent bien, on n'est habituellement pas déçu. Si nous avons des espoirs qui ne se réalisent pas, nous nous en rendrons également compte. Mais nous saurons que, justement, ce ne sont que des espoirs. Mes espoirs dépendent de moi, et ce n'est pas toujours moi qui commande. Nous devons nous assurer que nos espérances sont réalistes, raisonnables, et ne pas les laisser interférer avec la réalité ni gâcher les événements positifs qui surviennent dans notre vie.

La peur de l'intimité

La plupart des gens ont besoin d'amour, ils recherchent l'amour. Le plus souvent, on a envie et besoin d'être proche des autres. Mais la peur est une pulsion également puissante, et qui peut entrer en conflit avec le besoin d'amour. Pour être plus précis, il s'agit de la peur de l'intimité.

Pour beaucoup de gens, il paraît plus sûr de rester seul ou de ne pas entretenir de lien affectif réel avec autrui. Nouer des relations intimes et avouer des sentiments profonds, c'est se rendre vulnérable. C'est compréhensible. Malgré tout l'éventail de besoins qui restent insatisfaits, ne pas aimer peut être plus sécurisant. On n'a à redouter ni les incertitudes et la vulnérabilité qu'entraîne l'intimité, ni les tortures associées à l'amour – et, pour beaucoup d'entre nous, l'amour a engendré une réelle torture. On n'a pas à craindre de se prendre soi-même au piège de liaisons conflictuelles, ni de devoir se montrer tel qu'on est (ce qui implique l'honnêteté affective, avec le risque éventuel de rejet que cela comporte). Et on n'a pas à endurer les angoisses qui règnent dans les premiers temps d'une liaison. Quand on s'abstient de se rapprocher des autres, au moins on sait à quoi s'attendre : à rien. La négation du sentiment amoureux protège des affres de l'amour. Quand on aime quelqu'un et qu'on se sent proche de lui, on a souvent l'impression de perdre le contrôle. Ce sont là des sentiments qui entrent en conflit avec nos peurs les plus profondément ancrées : Qui suis-je ? Est-ce bien ou mal d'être ce que je suis ? Qui sont les autres, et que faut-il en penser ? L'amour et l'intimité (l'investissement en autrui) représentent le plus grand risque qu'un homme ou une femme puissent courir. Il faut de l'honnêteté, de la spontanéité, de la vulnérabilité, de la confiance, de la responsabilité ; il faut s'accepter soi-même et accepter les autres. L'amour procure joie et chaleur, mais on doit aussi se disposer à se sentir de temps en temps blessé et rejeté.

Parmi nous, beaucoup ont appris à fuir l'intimité au lieu de courir les risques qu'elle entraîne. Il y a bien des façons d'éviter l'amour, de prévenir l'intimité. On repousse les gens, on leur fait du mal pour qu'ils n'aient plus l'idée de se rapprocher de nous. Mentalement, on se livre à des actes ridicules pour se persuader qu'on ne veut pas de l'intimité. On trouve des défauts à tous les gens qu'on rencontre ; on les rejette avant qu'ils n'aient le temps de nous rejeter. On arbore un masque et on fait semblant d'être autre chose que ce qu'on est. On éparpille son capital d'énergie et d'affectivité entre des liaisons si nombreuses qu'on n'est jamais proche de personne — évitant ainsi la vulnérabilité : c'est la technique dite de « dilution ». On se contente de liaisons superficielles où le partenaire ne désirera ni n'exigera de nous l'intimité. On joue des rôles au lieu de se comporter en individu authentique. On maintient une certaine distance affective par rapport à son partenaire. Parfois, on évite l'intimité en refusant purement et simplement de se montrer honnête, sincère. Il arrive qu'on reste là, paralysé par la peur, incapable d'établir un lien ou d'apprécier l'intimité dans le cadre d'une relation existante. Quelques-uns prennent la fuite ; ils se tiennent matériellement à l'écart de toute situation pouvant éventuellement mener à l'amour, à la vulnérabilité affective et au danger. Comme dit un de mes amis : « On a tous chez soi une paire de chaussures de course. »

Il existe un certain nombre de raisons à cette fuite. Certains d'entre nous (surtout ceux qui ont grandi dans une famille où sévissait l'alcoolisme) n'ont peut-être jamais su ni entreprendre une liaison ni, par la suite, être proche de leur partenaire. Dans ces familles-là, on n'enseigne pas l'intimité ; c'est une chose dangereuse qui ne doit pas s'installer. Souvent la prise en charge abusive de l'autre ou bien l'usage de substances chimiques deviennent alors des substituts d'intimité.

Quelques-uns d'entre nous ont plongé une fois ou deux et en sont sortis blessés. Ils ont peut-être décrété (à un certain niveau) qu'il était préférable de ne pas nouer de liens pour ne pas souffrir à nouveau.

Certains ont appris à fuir les relations négatives. Mais, dans certains cas, la fuite devant l'intimité ou les stratégies d'évitement sont devenues une habitude, une habitude destructrice qui les empêche de recevoir l'amour et l'intimité dont ils ont en réalité envie et besoin. On en arrive parfois à s'abuser soi-même, au point de ne plus se rendre compte qu'on fuit, de ne plus savoir ce qu'on fuit. On se sauve en courant alors que les circonstances ne l'exigent pas.

L'intimité fait peur et déroute. Pourtant, on peut voir les choses différemment. Et c'est plus facile qu'on ne l'imagine. J'irais même jusqu'à dire que cela fait du bien de se détendre et de se laisser emporter.

Il est normal de craindre l'intimité et l'amour, mais normal aussi d'y prétendre. Normal de donner et de recevoir de l'amour. Nous sommes tout à fait capables de savoir qui nous devons aimer et quand. Il n'y a pas de mal à être soi-même dans ses relations avec les gens. Prenez le risque. Vous pouvez avoir confiance en vous, supporter sans mal les hésitations et les frictions qui accompagnent les débuts d'une liaison. On peut trouver des gens à qui faire confiance sans danger. S'ouvrir, choisir l'honnêteté, être soi-même. On peut même assumer les vexations, les rebuffades. Aimer sans se perdre soi-même ni se laisser envahir, aimer sans renoncer à sa propre personnalité. Oui, on peut laisser de côté ses chaussures de course.

Demandez-vous si, actuellement, vous évitez l'intimité. Comment vous y prenez-vous ? Est-ce vraiment nécessaire ? Pourquoi ? Connaissez-vous quelqu'un dont vous souhaiteriez être proche – quelqu'un avec qui ce serait sans danger ? Pourquoi ne pas essayer ? Avez-vous envie de rencontrer des gens nouveaux ? Que devez-vous faire pour cela ? Avez-vous envie et besoin d'une plus grande intimité dans vos relations ? Avez-vous l'impression de vous contenter de peu ? Pourquoi ?

La responsabilité financière

Certains codépendants finissent par dépendre financièrement des autres. C'est parfois le fait d'un accord tacite ; par exemple, l'épouse reste à la maison pour élever les enfants tandis que le mari travaille et rapporte l'argent du ménage. Mais, dans certains cas, il ne s'agit pas du tout d'une entente entre les deux personnes. Parfois, les codépendants se posent tellement en victimes qu'ils se croient incapables de se prendre en charge financièrement. Très souvent ils ont été par le passé financièrement responsables, mais à mesure que l'alcoolisme (ou tout autre problème similaire) accomplissait ses ravages chez l'être aimé, ils sont devenus perturbés au point de ne plus pouvoir travailler. Il arrive qu'ils baissent les bras en disant : « Si tu te fiches de l'argent, alors moi aussi. »

Certains codépendants prennent en charge d'autres adultes sur le plan financier. Il m'est arrivé fréquemment de rencontrer des épouses codépendantes qui menaient de front deux ou trois emplois alors que le mari ne ramenait pas un sou à la maison – ce qui ne l'empêchait pas de manger, de regarder la télévision, bref, de vivre en pique-assiette.

Aucune des deux formules n'est préférable à l'autre. Chaque individu doit être responsable de lui-même, que ce soit financièrement ou dans les autres domaines. Ce qui ne veut pas dire que les femmes au foyer doivent prendre en plus un emploi rétribué. La tenue d'un ménage est un travail à part entière, qui demande beaucoup de courage et mérite l'admiration. Si c'est là votre choix, que vous soyez homme ou femme, je suis convaincue que vous accomplissez votre part. Être financièrement responsable ne signifie pas non plus que l'égalité doive régner sur tous les plans. Se prendre en charge dans ce domaine, c'est tout un comportement. C'est déterminer scrupuleusement ses responsabilités et se disposer à les assumer. C'est aussi permettre aux autres de faire de même – en insistant si besoin est. Cela implique de se familiariser avec tous les aspects de la question financière, et de se répartir les tâches. Quelles sont les factures impayées ? Quand faut-il s'en acquitter ? Quelle est la date limite de paiement des impôts ? Quelle est la somme d'argent dont je dispose pour tenir jusqu'à telle ou telle date ? Quel rôle ai-je à jouer dans tout cela ? Est-ce que j'en fais plus que ma part, moins que ma part ? Si ce n'est pas à moi qu'il incombe d'avoir un emploi rémunéré, ai-je au moins conscience qu'un jour il me faudra peut-être travailler ? Ou bien cela m'effraie-t-il démesurément ? Les gens qui m'entourent assument-ils correctement leurs responsabilités face à l'argent, ou bien est-ce moi qui le fais à leur place ?

Les questions d'argent font partie de la vie. Prendre soin de soi-même, c'est aussi toucher un salaire, payer les factures, se sentir financièrement responsable. Souvent, les codépendants ayant quitté leur emploi pour contrôler les agissements du conjoint, ou voué toute leur vie à autrui au mépris de leur propre carrière, se rendent ultérieurement compte à quel point un travail, même à temps partiel, même mal payé, contribue à les revaloriser à leurs propres yeux. On oublie qu'on a une certaine valeur sur le plan financier, qu'il y a des gens qui nous donneraient de l'argent en échange de nos compétences. Nous autres codépendants qui avons dépendu financièrement de notre conjoint goûtons également la liberté de posséder nos propres ressources. Cela nous fait du bien. Pensez-y quand vous entreprendrez de vivre votre vie.

La dépendance financière peut entraîner la dépendance affective, et inversement[3]. En devenant financièrement responsable — de quelque manière qu'on s'y prenne —, on prépare le terrain de la non-dépendance.

Le pardon

Les troubles compulsifs tels que l'alcoolisme pervertissent et déforment un grand nombre de nos qualités, y compris le grand principe du pardon. Nous pardonnons toujours aux mêmes personnes. Nous entendons leurs promesses, nous ajoutons foi à leurs mensonges, et nous nous efforçons encore une fois de pardonner. Parfois, on en arrive au point où on ne peut plus pardonner. On s'y refuse parce que ce serait préparer le terrain des souffrances à venir, et on sent qu'on ne pourra pas le supporter. Le pardon se retourne contre nous et devient une expérience douloureuse de plus.

Parfois, on essaie de tout son cœur de pardonner encore ; on croit y être arrivé, et voilà que le chagrin, la colère, refusent de s'en aller.

Il arrive qu'on ait trop à pardonner : on ne peut plus fournir. Les problèmes s'enchaînent à un rythme tel qu'on ne comprend plus rien à ce qui se passe. Avant même qu'on ait eu le temps d'encaisser et de dire : « Je te pardonne », une autre vilenie nous tombe sur la tête.

Alors on se sent coupable en s'entendant demander : « Tu ne peux donc pas fermer les yeux, pardonner ? » Ceux qui ne sont pas au fait de cette maladie qu'est l'alcoolisme ont très souvent tendance à tenir ce genre de discours. Pour beaucoup d'entre nous, le problème ne se situe pas à ce niveau. L'oubli et le pardon viennent alimenter notre système de dénégation de la réalité. Nous devons réfléchir à ce que nous pardonnons, à ce qui peut être oublié et à ce qui demeure problématique ; nous devons nous en souvenir, essayer de comprendre et prendre les décisions qui s'imposent. Par ailleurs, pardonner à quelqu'un ne veut pas dire le laisser nous faire du mal. Les alcooliques n'ont pas besoin d'être pardonnés mais de se faire soigner ; pardonner à l'alcoolique, ce n'est pas une solution – du moins au départ. Ce qu'il faut, c'est se tenir un peu en retrait de manière à ne pas se faire marcher sur les pieds.

Je ne dis pas qu'il faille adopter une attitude implacable. Nous avons tous besoin du pardon. La rancune, la colère nous font du mal et n'aident pas l'autre à s'en sortir. Le pardon est une chose merveilleuse. Il permet de passer l'éponge, de remettre à zéro le compteur de la culpabilité. Il apporte la paix et l'harmonie. Il est prise de conscience et acceptation de ce qu'il y a d'humain en nous, et son message est : « Ça ne fait rien, je t'aime quand même. » Mais ce que je crois, moi, c'est que les codépendants doivent d'abord se montrer cléments, aimants et conciliants avec eux-mêmes avant de pardonner aux autres. Je crois que lorsqu'on distribue le pardon autour de soi, on doit se demander comment, quand et pourquoi.

Par ailleurs, le pardon est étroitement lié au processus d'acceptation, ou travail de deuil. On ne saurait pardonner tel ou tel acte à autrui si l'on n'a pas accepté l'acte lui-même. Il ne sert à rien de pardonner sa dernière beuverie à un alcoolique si l'on n'a pas encore accepté sa maladie en tant que telle. Paradoxalement, le pardon qu'on accorde souvent à l'alcoolique pour atténuer ses remords de « lendemain de cuite » peut le pousser à continuer à boire.

Le pardon vient avec le temps – en son temps – si l'on s'efforce de prendre soin de soi-même. Ne laissez pas les gens se servir de ce principe contre vous. Ne laissez pas les autres vous culpabiliser parce qu'ils pensent que vous devriez pardonner davantage. Surtout si vous n'êtes pas prêt, ou si vous considérez que le pardon n'est pas la bonne solution. Assumez la responsabilité du pardon. Vous pouvez le distiller de manière appropriée en vous fondant sur des décisions mûrement réfléchies, sur l'estime que vous vous portez et sur une connaissance approfondie du problème auquel vous êtes confronté. Ne faites pas mauvais usage du pardon : ne vous en servez pas pour justifier à vos propres yeux le mal que vous vous faites, ni pour pousser les autres à continuer de se faire du mal. Vous pouvez suivre votre programme, vivre votre vie et pratiquer les Quatrième et Cinquième Étapes. Si vous prenez bien soin de vous-même, vous saurez ce que vous devez pardonner et quand le moment sera venu de le faire.

Et, tant que vous y êtes, n'oubliez pas de vous pardonner à vous-même.

Le syndrome du crapaud

Une anecdote circule dans les groupes de codépendants : « Connaissez-vous l'histoire de la dame qui voulut embrasser un crapaud ? Elle espérait qu'il se transformerait en prince. Eh bien non. En fait, c'est *elle* qui s'est transformée en crapaud. »

Nombreux sont les codépendants qui se plaisent à embrasser des crapauds. Après en avoir embrassé un nombre suffisant, certains d'entre eux se retrouvent même attirés par eux de manière chronique. Les alcooliques et les êtres souffrant de troubles compulsifs sont souvent des gens attirants. Ils irradient le pouvoir, l'énergie, le charme. Ils promettent la terre entière. Qu'importe s'ils ne procurent en fait que chagrin, douleur et angoisse. Les mots qu'ils prononcent rendent un son si agréable !

Si nous ne faisons rien pour éliminer nos caractéristiques codépendantes, il y a toutes les chances pour que nous continuions à être attirés par les crapauds et à les embrasser. Même si nous parvenons à nous en débarrasser, nous conserverons un penchant pour eux ; mais on peut au moins apprendre à ne pas sauter dans la mare avec eux.

Prendre du bon temps

Voilà qui ne va pas de pair avec la codépendance. Comment prendre du bon temps quand on se déteste soi-même ? Difficile de jouir de la vie quand il n'y a plus d'argent pour les courses parce que l'alcoolique a tout bu. Presque impossible de s'amuser de temps en temps quand on déborde d'émotions refoulées, qu'on se fait du souci pour autrui à s'en rendre malade, qu'on est saturé de culpabilité et de désespoir, qu'on exerce un contrôle impitoyable sur soi-même et sur l'autre ou qu'on s'inquiète de savoir quelle opinion les autres ont de nous. De toute manière, les autres ne pensent pas à nous ; ils se font du souci pour eux-mêmes et se demandent ce que nous pensons d'eux.

En tant que codépendants, nous devons apprendre à jouer, à nous amuser. Quand on décide de s'occuper de soi-même, il importe de s'autoriser à prendre du plaisir, du bon temps, et à tout faire pour cela. Cela nous aide à demeurer sains. A fonctionner de manière plus satisfaisante. Cela introduit un équilibre dans notre vie. Nous avons bien le droit de nous amuser. Cela fait partie de toute existence normale. Prendre du bon temps, c'est célébrer le simple fait d'être en vie.

On peut programmer les moments de plaisir dans sa routine quotidienne. Quand on a envie de s'amuser, il faut apprendre à en reconnaître les signes, et savoir quelles sont les activités qui nous plaisent. Si ce n'est pas votre cas, fixez-vous comme objectif immédiat d'« apprendre à vous distraire ». Commencez à faire des choses pour vous seul, simplement parce que vous en avez envie. Cela s'accompagnera peut-être d'un certain malaise au début, mais, avec le temps, il cédera la place au plaisir.

On peut et on doit se permettre de profiter de la vie. S'il y a un objet que vous désirez et qui soit dans vos moyens, achetez-le. S'il y a une démarche que vous ayez envie d'entreprendre et qui soit légale et sans danger, foncez. Quand vous êtes en train de vous livrer à une activité distrayante, ne vous inventez pas de remords. Laissez-vous aller, jouissez de la vie. On peut trouver des activités plaisantes et s'autoriser à en retirer du plaisir. On peut apprendre à se détendre, à apprécier ses activités quotidiennes, et non seulement les distractions. Les tortures que nous avons subies peuvent continuer d'entraver notre bien-être longtemps après que l'alcoolique a cessé de nous rendre malheureux. Souffrir peut devenir une habitude, mais mordre la vie à belles dents et se faire du bien aussi. Essayez, vous verrez.

Limites/Frontières

On a dit que les codépendants avaient des problèmes de frontières. Je suis bien d'accord. Pour la plupart, nous ne savons pas ce que c'est.

Les frontières sont des limites dont le message est : « Je n'irai pas plus loin. Voici ce que je veux bien faire pour toi, voici ce que je refuse de faire. Et voici ce que je ne saurais tolérer de ta part. »

La plupart d'entre nous connaissent leurs limites lorsqu'ils entament une relation avec quelqu'un. Nous entretenons alors certaines espérances, certaines idées sur ce que nous sommes ou non prêts à supporter de la part de l'autre. L'alcoolisme et les autres troubles compulsifs se moquent bien des limites. Non seulement ces maladies font pression sur nos frontières, mais elles les enfoncent hardiment. Et, chaque fois, nous cédons. Nous reculons nos frontières d'un cran, donnant ainsi à la maladie un espace supplémentaire où s'épanouir. Plus la pression s'exerce, plus on cède, jusqu'à tolérer ce qu'on s'était juré de ne jamais accepter, faire des choses qu'on s'était juré de ne jamais faire[4]. Ultérieurement, ce processus de « tolérance accrue » face à des comportements inacceptables pourra s'inverser. On deviendra alors totalement incapable de tolérer quoi que ce soit, même les comportements les plus humains. Au début, on trouve des excuses au comportement inadéquat de l'autre ; à la fin, il n'aura plus aucune excuse.

Non seulement nous sommes nombreux à tolérer des attitudes anormales, malsaines et inappropriées, mais nous allons encore plus loin : nous nous persuadons qu'elles sont normales, et que c'est tout ce que nous méritons. On peut si bien s'habituer aux injures et aux mauvais traitements qu'on ne les identifie même plus quand on en est victime. Mais, au tréfonds de nous-mêmes, il y a quelque chose qui sait la vérité ; cette chose, c'est notre *moi*, et il nous la fera entendre si seulement nous voulons bien l'écouter. Parfois, il est plus grave pour le moi d'être confronté à un problème subtil (un alcoolique qu'on ne voit pas boire, mais qui ne suit pas non plus de traitement, par exemple) qu'à une difficulté plus évidente. On sent que quelque chose cloche. On a l'impression de devenir fou, mais on n'arrive pas à savoir pourquoi, puisqu'on ne peut identifier le problème.

Les codépendants ont besoin de restaurer leurs frontières. Il faut se fixer des limites dans ce qu'on est prêt à faire aux autres et pour les autres, dans ce qu'on est prêt à supporter des autres. Les gens qui nous entourent doivent connaître ces frontières. Cela les aidera autant que nous. N'entendez pas par là qu'il faille devenir des tyrans. Je déconseille aussi l'inflexibilité totale ; mais il faut comprendre ses limites. A mesure que nous évoluerons, nous aurons peut-être envie de les modifier aussi. Voici quelques exemples de limites que se fixent les codépendants en voie de guérison :

- Je ne laisserai personne me faire violence, que ce soit verbalement ou physiquement.
- Je ne croirai ni n'étayerai plus les mensonges des autres.
- Je ne tolérerai pas l'abus de substances chimiques chez moi.
- Je ne tolérerai pas les comportements délictueux dans ma maison.
- Je ne porterai pas systématiquement secours aux gens qui se sont attiré des ennuis suite à leur consommation excessive d'alcool ou leur comportement irresponsable.
- Je ne financerai pas l'alcoolisme ou le comportement irresponsable d'autrui.
- Je ne mentirai pas dans le but de *me* ou de *te* protéger de ton alcoolisme.

- Je ne transformerai pas ma maison en centre de désintoxication pour alcoolique repentis.
- Si tu veux te comporter de manière aberrante, libre à toi, mais pas devant moi. Si ce n'est pas toi qui t'en vas, c'est moi qui te quitterai.
- Si tu veux gâcher ton plaisir, ta journée ou ta vie entière, libre à toi; mais je ne te laisserai pas en faire autant de mon plaisir, ma journée, ma vie à moi.

Il est parfois nécessaire de fixer des limites dans le cadre d'une relation donnée; par exemple : « Je refuse de garder les enfants de Mary Lou, parce que je n'en ai aucune envie et que, dans ce domaine, elle abuse de moi. »

Instaurez donc des frontières, mais assurez-vous que ce sont bien les vôtres. Quand vous vous apercevrez qu'il y a des choses que vous ne supportez plus, qui vous rendent malade, qui vous poussent à proférer des menaces, c'est peut-être qu'il vous faut fixer des limites. Ou bien opérer certains changements en vous-même. Dites ce que vous pensez et pensez ce que vous dites. Les gens vous en voudront sans doute de fixer ces limites : ils ne pourront plus se servir de vous. Ils essaieront peut-être de vous culpabiliser pour vous inciter à baisser votre garde et revenir ainsi à l'ancien système en vigueur, qui leur permettait d'user et d'abuser de vous. Ne vous laissez pas faire. Vous êtes tout à fait capable de vous accrocher à vos frontières et de les faire respecter. Soyez ferme. Vos frontières seront certainement mises à l'épreuve à mesure que vous les dresserez. Les autres testeront leur solidité pour savoir si vous êtes sérieux, surtout si, par le passé, vous aviez l'habitude de dire des choses que vous ne pensiez pas. Codépendants, nous avons multiplié les menaces en l'air et perdu ainsi notre crédibilité; il ne faut pas s'étonner alors que les autres ne nous prennent pas au sérieux. Dites-leur franchement quelles sont les limites à ne pas dépasser – dites-le leur une bonne fois pour toutes, sans vous énerver, sereinement. Surveillez votre niveau de tolérance afin que le balancier n'aille pas trop loin dans un sens ou dans l'autre.

Certains codépendants (surtout ceux qui vivent les dernières étapes de leur vie avec un alcoolique) auront peut-être du mal à instaurer et faire respecter certaines frontières vis-à-vis de leurs enfants ou des adultes à problèmes sévissant dans leur entourage. Cette démarche exige du temps et de la réflexion, de l'énergie et de la persévérance.

Mais cela en vaut largement la peine. En fin de compte, les frontières qu'on se fixe nous vaudront un supplément de temps et d'énergie.

Alors, quelles sont vos limites ? Et quelles sont celles qui vous restent à établir ?

Les soins corporels

Il arrive qu'aux derniers stades de la codépendance nous négligions notre santé et notre présentation. Il n'y a rien de répréhensible à vouloir paraître à son avantage ! Par exemple, on peut changer de coiffure, se faire couper les cheveux. Rien de plus normal. On peut s'habiller de manière à se sentir mieux dans sa peau. Regardez-vous dans la glace ; si vous ne vous plaisez pas, remédiez-y. Si vous n'y arrivez pas, vous pouvez au moins cesser de vous détester et accepter telle quelle votre apparence.

Ne négligez pas l'exercice. Si vous êtes malade, allez consulter un médecin. Si vous souffrez d'un excès de poids, demandez-vous ce que vous devez faire pour prendre soin de vous-même. Moins on se préoccupe de son corps, plus on se sent mal dans sa peau. Le mieux-être passe parfois par de petits détails. Établissez le contact avec les différentes parties de votre corps. Écoutez-les. Donnez-leur ce qu'elles réclament. Prendre soin de soi-même, c'est aussi s'occuper de son physique. Faites-en une démarche quotidienne.

La prise en charge de soi sur le plan affectif est également liée au corps. Plus on progressera dans cette prise en charge – plus on ira dans le sens de la satisfaction de ses besoins –, moins on aura de chances de tomber malade. Si vous refusez suffisamment longtemps de vous occuper de vous-même, votre corps finira par se rebeller et tomber malade, obligeant ainsi votre entourage à vous prendre en charge ainsi que vous en avez besoin. Mieux vaut prendre soin de soi que de tomber malade.

Le recours à un professionnel

Vous devez rechercher l'aide d'un spécialiste si :

- Vous êtes déprimé, vous avez des idées de suicide.
- Vous êtes décidé à intervenir et à affronter sans détour l'alcoolique ou la personne perturbée.
- Vous avez été victime de violences corporelles ou sexuelles.
- Vous avez violenté quelqu'un, physiquement ou sexuellement.
- L'alcool ou d'autres drogues vous posent des problèmes.
- Vous n'arrivez pas à résoudre vos problèmes ou « débloquer » la situation par vous-même.
- Vous avez toute autre raison de croire que vous pourriez retirer un bénéfice certain de l'aide d'un professionnel.

Quand vous irez voir un professionnel et que vous accorderez votre attention à vos propres sentiments, n'oubliez pas d'avoir confiance en vous. Si vous ne vous sentez pas à l'aise face à l'organisme ou à la personne qui travaille avec vous sur votre cas, si vous n'êtes pas d'accord avec l'orientation des conseils que vous recevez ou si l'aide dont vous bénéficiez (ou ne bénéficiez pas) ne vous inspire pas confiance, adressez-vous ailleurs. Il peut s'agir d'un phénomène normal de résistance au changement, mais c'est peut-être aussi que la personne en question ne vous convient pas, tout simplement. Tous les professionnels ne sont pas également capables dans le domaine de la codépendance, des troubles compulsifs ou de la dépendance chimique.

Voici l'histoire d'une femme qui était allée consulter un thérapeute libéral parce que les troubles du comportement et la dépendance chimique dont souffrait sa fille perturbaient la vie de la famille. Le thérapeute convoqua tous les membres de la famille, puis entreprit, durant la majeure partie de la séance, de convaincre les parents que si leur fille se tenait mal c'était parce qu'eux-mêmes fumaient. Il se trouve qu'il était contre le tabac. Alors le but de la thérapie se déplaça, passant de « ma fille fait des bêtises » à « papa et maman doivent arrêter de fumer ». Les parents furent légèrement interloqués et embarrassés par cette mise en accusation, mais ils avaient grand besoin d'aide. Par ailleurs, ils pensaient que le thérapeute en savait plus qu'eux sur la question. Au bout de trois mois passés à dépenser cinquante dollars par semaine pour cette absurdité, ils finirent par se rendre compte qu'ils tournaient en rond et que tout cela leur coûtait une petite fortune. Je ne dis pas qu'il ne soit pas bon d'arrêter de fumer... Seulement, ce n'était pas pour résoudre ce problème-là que ces gens étaient venus chercher de l'aide.

Si la solution que vous avez trouvée ne paraît pas vous convenir, changez de voie. Si vous vous efforcez sincèrement d'obtenir des résultats mais que vous n'arrivez à rien, essayez autre chose. Vous n'êtes pas tenu d'abdiquer votre pouvoir de réflexion et de décision en faveur de quiconque — même si cette personne fait suivre son nom de la formule : « Docteur en... ».

Nous sommes tout à fait capable de trouver les soins qui nous conviennent le mieux.

Les caresses

Il ne s'agit pas ici des caresses entre amants ou de celles qu'on prodigue à un chat. « Caresse » est un terme issu de l'Analyse transactionnelle* apparu il y a des années dans les milieux thérapeutiques. La plupart des gens ont besoin des autres. La plupart des gens entretiennent au moins un petit nombre de relations à autrui. Quand on est en compagnie, on peut émettre des sentiments chaleureux et aimants, pas de sentiments du tout ou des sentiments froids et hostiles. On peut dire des choses sincères, tendres, élogieuses, et se voir retourner le compliment. On peut aussi mentir et s'entendre raconter des mensonges. Avoir une conversation superficielle et s'attirer le même genre de discours. Ou encore, proférer des méchancetés et s'en entendre débiter en retour. Nous y cédons tous de temps à autre dans une certaine mesure.

L'objectif premier doit être la recherche active de relations satisfaisantes. Si vous n'avez personne à qui tenir un discours sincère, tendre, aimant et élogieux, trouvez quelqu'un avec qui ce soit possible. Si les gens vous insultent et vous incitent ainsi à vous venger d'eux, n'en faites rien ; essayez plutôt de les en dissuader. Si cela s'avère impossible, trouvez quelqu'un d'autre à qui parler. Nous avons tous besoin d'être bien traité. Cela nous aide à nous épanouir, et cela nous fait du bien.

Cela s'applique aussi à votre intégrité physique. Vous n'avez pas à laisser les autres vous taper dessus. Et vous n'avez pas à les frapper non plus. Au lieu de cela, prenez-les dans vos bras. Si ce n'est pas le moment, ayez envers eux des gestes doux et aimants qui leur communiquent une énergie positive. Pour ceux qui considèrent l'étreinte comme une perte de temps ou une attitude superflue réservée aux gens excessivement sentimentaux, voici un passage de *Maigrir, une affaire de famille* qui devrait leur donner matière à réflexion.

« [...] Dans les années 1970, les médecins se sont mis à étudier certain mécanisme du système nerveux produisant une hormone ayant un effet comparable à celui de la morphine et contribuant à atténuer la douleur, les traumatismes et les chocs.

» Ces substances apparentées à la morphine portent le nom d'endorphines, et leur sécrétion a pour but d'apaiser la souffrance, d'arrondir les angles et de favoriser le bien-être général. Certaines études montrent que les gros mangeurs et les alcooliques sécrètent ces endorphines en quantité moindre que les individus normaux [...] De ce fait, on se sent souvent à cran. Or, la consommation de sucres accroît la production d'endorphines ; d'où la disparition de cette sensation quand on mange [...]

» L' « ivresse » du jeûne a sur les anorexiques le même type d'effet apaisant. Cette sensation exubérante provient de l'ivresse suscitée par l'endurance, le fait de dépasser ses propres limites, comme chez les coureurs de fond [...] Il existe une autre façon d'accroître la sécrétion d'endorphines. Cette méthode consiste à serrer quelqu'un dans ses bras. Mais oui, vous avez bien lu. Quand deux êtres humains se tournent l'un vers l'autre et se prennent mutuellement dans les bras, cela déclenche un afflux d'endorphines dans le sang, et les angles se trouvent arrondis dans la chaleur prodiguée par un ami aimant. Quand votre chien se dresse sur les pattes de derrière pour se faire caresser le poitrail ou tapoter affectueusement la tête, il n'est pas en train de faire l'idiot. C'est sa manière à lui de maintenir dans son sang un taux d'endorphines élevé, ce qui lui permet de demeurer pacifique[5]. »

Par ailleurs, les codépendants ont souvent du mal à accepter les compliments – les « caresses ». Il faut cesser de résister à l'idée qu'on est quelqu'un de bien, qu'on a des côtés positifs. Si quelqu'un dit du bien de moi, je peux considérer son opinion comme acceptable, sauf si je soupçonne derrière le compliment des intentions douteuses. Mais même si on essaie de me manipuler, je peux prendre le compliment et rejeter la manipulation. Laisser l'éloge m'aller droit au cœur, me faire chaud au cœur. Nous méritons des compliments. Nous en avons besoin, tous tant que nous sommes. Ils nous aident à croire ce que nous nous efforçons si fort de croire : que nous sommes des gens bien. Ce qu'il y a de plus beau dans les compliments, c'est que plus on en accepte, plus on devient quelqu'un de bien.

On peut soi-même distribuer des compliments, répandre autour de soi une énergie positive. Dire aux autres ce qu'on apprécie chez eux et partager avec eux ce sentiment. Faites-le en toute sincérité, mais faites-le.

On peut apprendre à reconnaître son propre besoin de dispenser une « caresse », apprendre à savoir quand on a besoin d'être entouré et de recevoir des caresses. Choisissez-vous des amis qui sachent vous faire du bien. Il arrive que les codépendants fréquentent des gens qui les considèrent comme des victimes, des individus impuissants qui ne savent pas se prendre en charge. Ces amis-là offrent de la compassion, ce qui vaut mieux que rien. Mais ce n'est pas la même chose que de faire des caresses. Le message qu'émet l'amour vrai est : « Tu as des ennuis. Cela ne m'est pas indifférent, et je suis prêt à t'écouter. Mais je ne peux ni ne veux résoudre tes problèmes à ta place. » L'amitié véritable, elle, dit : « Je te tiens en si haute estime que je vais te laisser chercher le moyen de t'en sortir par toi-même. Je suis sûr que tu en es capable. »

La confiance

Souvent les codépendants ne savent pas très bien en qui avoir confiance, et à quel moment.

« Hervé se fait soigner pour son alcoolisme depuis quinze jours. Il m'a déjà menti 129 fois. Et maintenant, il m'en veut de ne pas lui faire confiance. Que dois-je faire ? »

J'ai entendu mille variantes de cette histoire dans la bouche des codépendants. En général, ma réponse, elle, est invariable : Il y a une différence entre confiance et stupidité. Il est bien naturel que vous ne fassiez pas confiance à Hervé. Cessez donc de vous contraindre à faire confiance à quelqu'un en qui vous n'avez en réalité aucune confiance.

Laissez-moi vous redire ce que j'ai répété tout au long de ce livre : nous pouvons avoir confiance en nous. Nous sommes tout à fait capables de savoir à qui nous devons faire confiance. Souvent nous avons pris de mauvaises décisions dans ce domaine. Il n'est pas sage de croire avec confiance que l'alcoolique ne boira plus jamais s'il n'a pas été soigné pour cela. Et même s'il s'est fait soigner, en matière de comportement humain on ne peut rien garantir. Mais on peut faire confiance aux gens pour être ce qu'ils sont. Apprendre à se montrer lucide.

Demandez-vous si le discours de l'autre coïncide vraiment avec son comportement. Ce qu'il *dit* correspond-il vraiment à ce qu'il *fait* ? Comme me le disait telle femme : « Il présente bien, mais il ne se comporte pas mieux pour autant. »

Si nous prêtons attention à ce qui vient de nous-mêmes et aux messages que nous recevons du monde, nous saurons à qui faire confiance et à quel moment, et pourquoi nous pouvons nous fier à telle ou telle personne en particulier. Nous découvrirons peut-être que nous l'avons toujours su — simplement, nous n'étions pas à l'écoute.

Le sexe

En un souffle, une codépendante va me dire que son mariage tombe en morceaux. Très vite, elle va ensuite me demander s'il est normal d'avoir des problèmes sexuels quand les choses se détériorent à ce point.

Eh bien oui, c'est normal. C'est le cas de beaucoup de gens. Beaucoup de codépendants, en particulier, ont des problèmes de ce côté-là. Comme tout l'éventail des troubles compulsifs, l'alcoolisme s'attaque à tous les domaines de la vie privée[6]. L'expression physique de l'amour est parfois la dernière perte qu'on ait à subir – le dernier choc, celui qui nous prouve bien que le problème ne va pas s'en aller tout seul, même si on ferme assez longtemps les yeux.

C'est parfois l'alcoolique qui est touché. Il devient impuissant, elle perd tout désir sexuel. Le cas peut se produire indifféremment avant ou après la guérison. Mais il est très fréquent que ce soit le codépendant qui connaisse des difficultés dans ce domaine. Celles-ci peuvent être de toutes sortes. On ne parvient plus à l'orgasme, on craint de perdre le contrôle de soi, on n'a plus confiance en son partenaire. On reste à distance de lui sur le plan affectif, on redoute de se rendre vulnérable face à lui, on n'éprouve plus aucun désir pour lui. Cela peut aller jusqu'à la répulsion. Ou bien on reste insatisfait parce qu'on ne lui demande pas de contenter nos besoins. Il y a peu de chances pour que les relations de couple soient meilleures au lit qu'ailleurs. Si on se comporte en nounou à la cuisine, on répercutera probablement cette attitude dans la chambre à coucher. Si l'on éprouve de la colère ou du chagrin alors qu'on s'apprête à faire l'amour, ces sentiments demeureront ensuite. Quand on ne tient plus à quelqu'un, on n'a pas envie de coucher avec lui. Les rapports sexuels se feront l'écho du ton d'ensemble de la relation.

Les problèmes d'ordre sexuel peuvent se manifester de manière inattendue. Le sexe peut demeurer quelque temps la planche de salut d'une vie de couple perturbée. Il peut aussi être le moyen de recoller les morceaux après une dispute. La discussion paraît nettoyer l'atmosphère, et le sexe arrange tout. Néanmoins, à partir d'un certain stade la discussion n'a plus le même effet ; elle semble au contraire tout envelopper de brume. Quant au sexe, il n'arrange plus rien. Il aggrave plutôt la situation.

Dans certains cas, le sexe peut prendre la forme d'un acte purement mécanique, dont on retire en gros la même satisfaction affective qu'en se brossant les dents. Parfois aussi, c'est un moment humiliant, dégradant : une corvée supplémentaire, un devoir de plus, encore une chose dont on se passerait bien. C'est encore un domaine où plus rien ne marche, un problème qui fait naître en nous la culpabilité et la honte et qui nous donne l'occasion de nous mentir à nous-même une fois de plus. Une raison de plus de nous demander : « Mais qu'est-ce qui ne va pas chez moi ? »

Je ne suis pas sexologue. Je ne préconise pas de traitements, je ne dispense pas de conseils techniques. Mon arme, c'est le bon sens. Pour moi, se prendre en charge c'est appliquer au lit les mêmes principes qu'ailleurs. Il faut d'abord cesser de s'accuser soi-même et de se détester.

Une fois qu'on a compris cela, on se montre plus honnête avec soi-même. On arrête de fuir, de dissimuler, de nier la réalité. On se demande avec ménagement ce qu'on ressent, ce qu'on pense, et on se fie aux réponses qu'on se fait. On se prête une oreille respectueuse. On ne se fait pas violence, on ne se punit pas. On en arrive à comprendre que le problème en question est une réaction normale au système à l'intérieur duquel on a vécu jusqu'à présent. On se dit : Il est normal que j'aie des ennuis de ce côté-là – cela fait logiquement partie du processus. Ce qui serait anormal, ce serait de ne pas ressentir de répulsion, de ne pas me tenir à distance, de ne pas perdre confiance en mon partenaire, de ne pas avoir de sentiments négatifs à son égard. Ce n'est pas chez moi que ça cloche.

Une fois qu'on a les idées plus claires, on se montre honnête envers son partenaire. On lui dit ce qu'on pense, ce qu'on ressent, et ce qu'on attend de lui. On explore les possibilités, on négocie, on fait des compromis quand les circonstances s'y prêtent. Si on ne réussit pas à résoudre les problèmes par soi-même, on peut alors faire appel à un spécialiste.

Certains d'entre nous ont pu rechercher une consolation dans les aventures extra-conjugales. Il faut alors se pardonner à soi-même et se demander ce qu'il faut faire pour se prendre en charge. Pratiquer les Quatrième et Cinquième Étapes ; aller trouver un conseiller, un directeur de conscience. Nous pouvons essayer de comprendre que nos actions étaient en réalité des réactions fort banales aux problèmes auxquels nous étions quotidiennement confronté.

Certains tentent de fuir leurs difficultés en multipliant les expériences sexuelles insatisfaisantes. Ceci survient fréquemment au cours du stade de la dénégation, lorsque les comportements compulsifs tendent à s'installer. Or, nous ne sommes pas obligés de nous comporter ainsi. Nous pouvons très bien affronter et résoudre autrement nos problèmes. Nous pouvons nous pardonner et cesser de nous faire du mal.

Certains partent en quête d'amour et trouvent le sexe à la place. Comprenez vos besoins et demandez-vous comment les satisfaire au mieux.

Certains manifestent soudain le besoin de réclamer ce qui leur manque. D'autres apprennent à dire non. Certains essaient de ramener de force un peu d'amour dans une relation de couple devenue inexistante en imposant la jouissance sexuelle. Cette méthode ne donne pas toujours des résultats. Le sexe n'est pas l'amour. Le sexe, c'est le sexe. Il n'engendre pas l'amour si celui-ci n'est pas présent au départ. Le sexe ne peut qu'exprimer un amour préexistant.

Certains ont baissé les bras et décrété que le sexe n'avait finalement pas tant d'importance. Pour ma part, je n'en crois rien. Ce n'est peut-être pas ce qui compte le plus dans ma vie, mais c'en est un aspect important.

Le sexe est une pulsion puissante, une source inépuisable d'intimité et de plaisir. Si votre vie sexuelle ne vous donne pas toute satisfaction, vous pouvez vous prendre en charge de ce côté-là aussi. Nous sommes responsables de notre comportement sexuel, du plaisir (ou de l'absence de plaisir) que nous prenons à faire l'amour. Nous devons nous demander : qu'est-ce que ma vie sexuelle révèle de mes relations à autrui ?

---

1. Je cite ici le texte d'une carte de vœux et d'une affiche qu'on trouvait il y a quelques années, et dont l'auteur m'est inconnu.

2. Toby Rice Drews. *Getting Them Sober*, volume II, South Plainfield (NJ) : Bridge Publishing, Inc., 1983, p. 52. Disponible par l'intermédiaire de Hazelden Educational Materials.

3. Penelope Russianoff. *Why do I Think I am Nothing Without A Man ?*, New York : Bantam Books, 1982.

4. Kathy Kapell-Sowder. « On Being Addicted to the Addict : Co-Dependent Relationships. » In *Co-Dependency, An Emerging Issue*, Hollywood (Fl.) : Health Communications, Inc., 1984, pp. 20-21.

* ***Caresse*** : Unité de reconnaissance, telle que « Bonjour ». Voir Dr Eric Berne, *Que dites-vous après avoir dit bonjour ?* Paris : Tchou, 1983, p. 367 *(N.d.T.)*.

5. Judi Hollis. *Fat Is A Family Affair*, Center City (Mn.) : Hazelden Educational Materials, 1985. *Maigrir, une affaire de famille*, Paris : J.-Cl. Lattès, 1991.

6. Les idées évoquées ici ont leur source dans un certain nombre d'articles contenus dans l'ouvrage *Co-Dependency, An Emerging Issue* Hollywood (Fl.) : Health Communications, Inc., 1984.) Il s'agit de : « The Co-Dependent Spouse : What Happens to You When Your Husband is an Alcoholic » (Janet Gerringer Woitiz) [*Ce qui vous arrive quand vous avez un mari alcoolique*]; « Sexuality and Recovery : Impact on the Recovering Couple » (Gerald Shulman) [*Sexualité et guérison : impact sur le couple en voie de guérison*]; « Bodies and Beings : Sexuality Issues During Recovery for the Dependent and Co-Dependent » (Marilyn Mason) [*les Corps et les êtres : la question du sexe pendant la guérison, chez le dépendant et le codépendant*]; et « Co-Dependency : The Insidious Invader of Intimacy » (Janet Gerringer Woitiz) [*la Codépendance : l'insidieux envahisseur de la vie privée*].

20

Réapprendre à vivre et à aimer

« Au moins, je ne m'agite pas en tous sens en recherchant activement mon propre anéantissement. »

– Un membre des Al-Anon.

Au départ, j'avais ici prévu deux chapitres : Réapprendre à vivre et Réapprendre à aimer. Puis je me suis dit que traiter séparément de la vie et de l'amour était se placer hors sujet. Le problème que rencontrent beaucoup de codépendants est justement d'apprendre à combiner les deux.

Si l'on en croit Earnie Larsen, entre autres, les deux désirs les plus profonds que nous partagions tous sont : aimer et être aimé, d'une part, et, d'autre part, croire que nous valons réellement quelque chose et connaître une personne qui en soit également convaincue[1]. J'ai aussi entendu formuler plus simplement cette théorie, à laquelle vient alors s'ajouter un élément : Pour être heureux, il nous faut quelqu'un à aimer, quelque chose à faire, et un but à atteindre.

Je ne chercherai pas à couper les cheveux en quatre pour savoir si ces désirs sont des besoins ou des exigences. Pour moi, ils sont capitaux. Que nous en ayons pris conscience ou non, ils ont sans doute représenté dans nos existences des pulsions motrices. A un certain niveau, nous avons tous essayé de satisfaire ces besoins-là. Pour se protéger, certains ont pu les faire taire. Mais qu'on les reconnaisse pour ce qu'ils sont ou qu'on les refoule, ils n'en sont pas moins en nous. La compréhension de soi et de ses propres désirs constitue une source d'information puissante. Ce que nous autres codépendants devons apprendre à faire, c'est combler ces désirs, ces besoins, satisfaire ces exigences sans nous faire du mal ni nuire aux autres, en nous assurant la pleine jouissance de la vie.

Pour beaucoup d'entre nous, cela implique une approche différente des choses puisque, jusqu'à présent, les chemins que nous avons suivis pour satisfaire nos besoins ne nous ont menés nulle part. Nous avons évoqué dans ces pages certains concepts qui pourront nous aider à y arriver : le détachement, la volonté de ne pas « voler au secours » des gens, de ne pas « contrôler » l'objet de notre attention, d'être direct, de prendre soin de nous-mêmes, d'entreprendre un programme en Douze Étapes et de parvenir à la non-dépendance. Ma conviction est que, à mesure qu'on met de l'ordre dans sa vie, l'amour change de visage. Qu'il sera meilleur, peut-être même meilleur qu'avant pourvu qu'on ne s'y oppose pas et qu'on s'en fasse une priorité.

L'amour ne doit pas forcément être aussi douloureux que par le passé. Nous ne devons pas le laisser nous faire autant de mal, et surtout pas nous détruire comme il a pu le faire. Ainsi que l'exprime si bien une codépendante : « J'en ai assez de dépendre du chagrin et de la douleur, assez de laisser les hommes se venger sur ma propre vie de leurs expériences inachevées ! » Être malheureux dans la vie et malheureux en amour n'est pas notre destin. C'est une torture que nous nous sommes infligée à nous-mêmes. Nous ne sommes pas obligés de perpétuer une relation qui nous fait souffrir. Nous sommes libres de prendre soin de nous-mêmes.

Nous pouvons apprendre à reconnaître la différence entre les rapports qui marchent et ceux qui ne marchent pas. A laisser tomber ceux qui nous détruisent et à jouir de ceux qui nous font du bien. Nous pouvons acquérir des comportements nouveaux qui amélioreront encore nos rapports positifs.

Pour moi, ce n'est pas par hasard si certaines personnes se trouvent à un moment ou à un autre sur notre chemin. Mais je crois aussi qu'on est responsable de ses choix et de ses attitudes quand on amorce une liaison, quand on la maintient à flot et quand, le moment venu, on y met un point final. Certes, nous avons besoin d'amour, mais pas d'un amour destructeur. Et quand on en est persuadé, on le fait savoir sans ambiguïté.

Je crois aussi que la vie peut être différente et meilleure sur le plan professionnel. Au travail aussi, on doit apprendre à s'occuper de son sort et de ses propres besoins. Quand on prend soin de ne pas se laisser absorber par les autres, quand on est convaincu de sa propre importance, on est libre de se fixer des buts et de réaliser ses rêves. On est capable de faire ce qu'on veut de sa vie. Et c'est passionnant parce que, ce faisant, on s'autorise à vivre des choses positives – qui ne manqueront pas d'arriver –, pourvu qu'on ne leur barre pas le chemin, qu'on s'ouvre à elles et qu'on aie conscience de les mériter. Cela ne se fera sans doute pas sans une certaine part de lutte et de douleur, mais au moins lutterons-nous, au moins tendrons-nous vers une chose qui en vaut la peine, au lieu de souffrir pour rien.

Il n'y a pas de mal à réussir, à vivre des choses positives et à avoir une vie de couple qui marche. Mais cela ne viendra pas tout seul. Il faudra se battre, résister à l'envie de se cacher la tête dans le sable. C'est normal. C'est cela, évoluer. Quand les choses arrivent toutes seules, trop facilement, c'est qu'on n'évolue pas. On continue à s'y prendre de la même façon, on fait ce qu'on a toujours fait, d'où l'impression de confort.

Réapprendre à vivre et à aimer, c'est trouver un équilibre : apprendre à aimer tout en vivant sa propre vie ; apprendre à aimer sans s'enliser affectivement dans l'objet de son affection ; et apprendre à aimer les autres sans renoncer à son amour-propre. Nous devons apprendre à vivre, à aimer et à prendre du bon temps de telle manière que chacune de ces activités n'affecte pas démesurément les autres.

Guérir, c'est principalement rétablir l'équilibre dans tous les aspects de sa vie. Il faut constamment garder un œil sur la balance afin qu'elle ne penche pas trop d'un côté ou de l'autre quand on évalue ses responsabilités envers soi-même et envers les gens. Les besoins affectifs, physiques, mentaux et spirituels doivent coexister de manière équilibrée. L'équilibre doit également régner entre ce qu'on donne et ce qu'on reçoit. Il faut trouver le juste milieu entre lâcher prise et jouer son rôle. Mettre en équilibre la résolution des problèmes et le fardeau des problèmes non résolus. L'anxiété provient en grande part de l'obligation de vivre dans la souffrance des problèmes non résolus et de voir ses espoirs déçus. Il faut trouver un équilibre entre renoncer à ses espérances et savoir au fond de soi qu'on est quelqu'un d'important, quelqu'un de bien qui mérite de vivre correctement sa vie.

Comment s'y prendre

Souvent on me demande : par où commencer ? Comment m'y prendre ? Comment le trouver, ce fameux équilibre ?

J'ai proposé dans ce livre beaucoup de solutions, beaucoup d'idées ; certains d'entre vous se sentent peut-être un peu dépassés.

Trouver votre équilibre peut vous paraître impossible. Vous avez peut-être l'impression d'être étendu sur le dos dans une cave obscure et sans issue. Mais il y a une issue. Les Alcoliques anonymes et les Al-Anon offrent à cet effet la formule en trois parties appelée HOW : Honnêteté, Ouverture d'esprit et Bonne Volonté*. J'ai dit plus haut que le changement passait avant tout par la prise de conscience et l'acceptation. La troisième étape est l'action dans un contexte d'affirmation de soi[2]. Pour nous, cela signifie : s'y prendre autrement. Devenez honnête, conservez un esprit ouvert, ayez la volonté d'essayer de faire les choses différemment, et vous commencerez à changer.

Choisissez de travailler sur tel ou tel comportement, et quand vous aurez l'impression d'avoir avancé, passez au suivant. J'ai entendu dire qu'il fallait réitérer vingt et une fois un acte pour que celui-ci devienne une habitude. C'est un bon principe. La liste du chapitre 4 vous fournira peut-être des points de départ. Les exercices pratiques figurant en fin de chapitres vous donneront sans doute des idées. Demandez-vous par où vous souhaitez commencer, et lancez-vous. Partez de ce que vous vivez en ce moment. Si vous n'arrivez pas à démarrer, il y a toujours les réunions des Al-Anon ou autres groupes. Si vous avez l'impression d'être dans une cave, rampez jusqu'à la sortie. Vous apprendrez à marcher; vous trouverez votre équilibre.

Se jeter à l'eau est à la fois difficile et excitant. Quand j'ai entrepris de soigner ma codépendance, je me sentais emprisonnée dans mes propres filets et dans ceux des autres. J'étais perdue et la dépression semblait devoir me confiner au lit pour le restant de mes jours. Un matin, comme toujours malheureuse d'être éveillée et vivante, je me traîne dans la salle de bains pour m'habiller et me coiffer; là-dessus, mon fils vient me demander avec insistance de le suivre dans une autre pièce. J'y vais et je découvre qu'un incendie est en train de consumer ma chambre à coucher, dévorant les rideaux, le plafond et la moquette. Comme par le passé, j'ai cru que je pouvais m'en sortir toute seule; je me suis dit que l'incendie n'était pas aussi désastreux qu'on pouvait le croire, et j'ai attrapé un extincteur que j'ai vidé sur le brasier. C'était insuffisant, et il était déjà trop tard. Nous sommes sortis de la maison, et le feu a continué de faire rage.

Quand les pompiers sont arrivés, il ne restait plus que les murs. C'était quinze jours avant Noël, et toute la famille a dû emménager, sans rien à se mettre, dans un petit appartement pourvu du confort minimum. J'ai touché le fond de l'abattement et de l'anxiété. J'avais déjà tant perdu, y compris moi-même. Ma maison, c'était mon nid, mon ultime source de sécurité affective, et voilà que cela aussi je le perdais. J'avais vraiment tout perdu.

Les semaines passèrent, la vie se mit à exiger de moi une certaine activité. Il fallait dresser un inventaire pour l'assurance, négocier, tout mettre en ordre et faire des projets de reconstruction. Je me sentais anxieuse, peu sûre de moi, mais je n'avais pas le choix. Il fallait bien que je réfléchisse, que je m'attelle à la tâche. Certaines choses devaient être faites. Une fois les travaux commencés, j'ai dû m'activer encore plus. J'ai fait des choix pour les milliers de dollars que j'avais à dépenser. J'ai travaillé main dans la main avec les ouvriers, faisant mon possible pour limiter les frais et accélérer le processus. Tout cela entraînait une certaine dépense physique, chose que j'en étais venue à négliger complètement. Or, plus je m'affairais, mieux je me sentais. Petit à petit, j'ai fini par me fier à mes propres décisions. J'ai évacué des tonnes de colère et de peur. Quand nous avons enfin pu réintégrer notre maison, j'avais retrouvé mon équilibre. J'avais commencé à vivre ma vie et, désormais, rien ne pourrait plus m'en empêcher. Comme je me sentais bien !

Le message que je tiens à vous communiquer à travers cette histoire est : lancez-vous. Allumez un incendie sous vos pas.

Aller de l'avant

Une fois qu'on a pris le départ, si l'on continue sur sa lancée il deviendra naturel d'aller constamment de l'avant. A l'occasion, on aura peut-être à faire marche arrière. Mais cela aussi, c'est normal. Et parfois même nécessaire. C'est aussi comme cela qu'on avance.

Vous vous trouverez peut-être confronté à des décisions difficiles à prendre, mettre fin à une liaison malheureuse et destructrice, par exemple. Comme dit Earnie Larsen, si votre vie de couple est morte, enterrez-la. Prenez votre temps, cherchez à vous changer vous-même, et vous verrez que, le moment venu, vous saurez prendre les décisions qui s'imposent.

Vous vous efforcez peut-être de recoller les morceaux d'une liaison détériorée mais bien vivante. Soyez patient. L'amour et la confiance sont des entités vivantes, fragiles, qui ne se régénèrent pas forcément sur commande quand elles ont eu à souffrir. Elles ne refont pas automatiquement leur apparition quand l'autre cesse de boire ou résout son problème, quel qu'il soit[3]. Il faut les laisser guérir à leur rythme. Dans certains cas, elles n'y parviennent jamais.

Vous n'avez peut-être personne de particulier à aimer. C'est sans doute difficile à vivre, mais ce n'est pas une situation désespérée. Certes, on a besoin d'aimer, mais, à mon sens, quand on s'aime suffisamment soi-même, on ne s'en porte que mieux. Il n'y a pas de mal à vivre en couple, mais on peut aussi rester seul. Faites-vous des amis à aimer, des amis qui vous aiment et ont du respect pour vous. Ayez de l'amour-propre, ayez conscience de votre propre valeur. Profitez de votre solitude pour respirer un peu. Lâchez prise. Apprenez les leçons qu'il vous faut apprendre. Évoluez. Développez-vous. Progressez afin que l'amour engendre une existence pleine et passionnante quand il croisera votre chemin. L'amour ne doit représenter ni une préoccupation exclusive, ni une fuite devant une vie sans attrait. Efforcez-vous d'atteindre vos buts. Prenez du bon temps. Faites confiance à votre Puissance supérieure, et les choses arriveront en temps voulu. Elle connaît et comprend vos besoins.

Quelle que soit la situation dans laquelle on se trouve, on peut toujours avancer lentement. Nous nous laisserons peut-être guider par notre cœur là où la logique nous déconseille d'aller, et inversement. Parfois, notre attirance pour les crapauds peut nous faire prendre une direction que ni le cœur, ni la tête ne veulent suivre. C'est tout à fait normal. Qui aimer? Qui éviter? Il n'y a pas de règle. On peut aimer la personne qu'on aime, quelle qu'elle soit et de quelque manière que ce soit. Mais allons-y doucement, prenons le temps de choisir une voie sans danger pour nous. Restons vigilants. Bâtissons notre amour sur nos forces, et non sur nos faiblesses, et exigeons la même chose des autres. Jour après jour, prenons des décisions : que faut-il que je fasse pour prendre bien soin de moi-même? Avec l'aide de notre Puissance supérieure, nous y verrons clair. J'espère sincèrement que vous trouverez des gens qu'il vous plaira d'aimer – des gens qui auront envie de vous aimer et de vous mettre au défi d'évoluer.

Mais prudence! Il se peut que, de temps en temps, vous perdiez votre équilibre. Si vous vous mettez à courir et sauter en tout sens, vous vous retrouverez peut-être le nez par terre. Alors les sentiments anarchiques d'antan reviendront à toute allure. Ne craignez rien. C'est normal. Les caractéristiques codépendantes, les modes de pensée et les sentiments qui leur sont associés ont force d'habitude. Ils pourront resurgir à l'occasion. Le changement (même positif), le stress ainsi que certaines circonstances rappelant la folie de l'alcoolisme peuvent susciter la codépendance. L'aberration peut revenir sans crier gare. Restez ferme, allez jusqu'au bout. N'ayez pas honte, ne courez pas vous cacher. On s'en relève. On s'en sort. Ouvrez-vous-en à des gens de confiance, des amis. Faites preuve de patience et de clémence envers vous-même. Attachez-vous à faire ce que vous savez devoir faire. Les choses s'arrangeront un jour. Quoi qu'il arrive, ne cessez jamais de prendre soin de *vous*.

Trouver son équilibre et le conserver, c'est le secret de la guérison. Si cela vous paraît vraiment infaisable, ne vous inquiétez pas. Vous en êtes capable. Vous pouvez réapprendre à vivre. Réapprendre à aimer. Vous pouvez même apprendre à prendre du bon temps par la même occasion.

---

1. Abraham H. Maslow, éd. *Motivation and Personality*, New York : Harper and Row, 1970 ; Benjamin Wolman, éd. *International Encyclopedia of Psychiatry, Psychology, Psychoanalysis, & Neurology*, volume 7, New York : Æsculapius Publishers, Inc., 1977, pp. 32-33.

* Intraduisible. Le mot « HOW » (en français : COMMENT) est ici composé des trois initiales de « Honesty », « Openness » et « Willingess to try ». Cf. chapitre 5 *(N.d.T.)*.

2. Nathaniel Branden, *Honoring the Self (Personal Integrity and the Heroic Potentials of Human Nature)*, Boston (Ma.) : Houghton Mifflin Company, 1983, p. 162.

3. Janet Gerringer Woitiz, « Co-Dependency : The Insidious Invader of Intimacy ». In *Co-Dependency, An Emerging Issue*, Hollywood (Fl.) : Health Communications, Inc., 1984, p. 59.

Épilogue

Je n'enseigne pas, j'éveille.

– Robert Frost.

Lorsque j'ai entrepris la rédaction de ce livre, je désirais l'écrire depuis des années.

A l'origine, je voulais réaliser un ouvrage sur la codépendance parce que, à l'époque où j'en souffrais moi-même, je n'avais pas trouvé de textes qui m'expliquent ce qui m'arrivait. Je voulais m'adresser aux gens en difficulté, leur exposer ce qu'était la codépendance, les aider à comprendre et soulager leurs souffrances.

Cette motivation s'est éteinte d'elle-même : je me suis fait « coiffer au poteau ». D'autres se sont mis à écrire sur le sujet. De plus, il existait réellement des textes ; simplement, je ne les avais pas trouvés.

Plus tard, je me suis donné une autre raison d'écrire ce livre. Je ne voulais pas seulement soulager les souffrances des autres, mais aussi racheter la mienne. Il s'agissait d'une espèce de marché que j'essayais de conclure sur la longue route qui mène à l'acceptation : si j'écris un livre sur le sujet, alors cette période de ma vie n'aura pas été vécu en pure perte.

Mais, là encore, la motivation n'a pas duré longtemps : j'avais accepté ce qui m'était arrivé avant même de me mettre à écrire. Que je prenne ou non la plume n'avait plus d'importance par rapport à ma codépendance. Je me suis également rendu compte que mes gains étaient plus nombreux que mes pertes. A travers mon expérience de la codépendance, j'avais trouvé mon *moi.* Tout ce qui fait notre passé nous a préparé à cet instant et nous propulse vers lui ; aujourd'hui nous prépare à demain. Et il en sort toujours quelque chose de bon. Rien n'est jamais en pure perte.

Au moment où je me suis matériellement attaquée à la rédaction de ce livre, ma motivation était redevenue à peu de chose près ce qu'elle était au départ. Je voulais écrire pour aider les codépendants, et je pensais avoir quelques notions utiles à leur communiquer. Toutefois, cet ouvrage ne fait qu'exprimer une opinion ; mes réflexions, mes idées ne sont que réflexions et idées. Pour illustrer cela, je citerai un passage de Garrison Keillor ; il concerne les ouvrages de fiction, mais je pense qu'il s'applique également aux essais tels que le mien :

« C'est une rude tâche que de dire la vérité, surtout quand [...] on n'est pas absolument certain de la détenir. On cherche la vérité, et on ne fait qu'en éveiller des accents[1]. »

J'espère que ce livre aura eu pour vous des accents de vérité. J'espère que j'aurai contribué à vous éveiller à votre *moi.*

---

1. Michael Schumacher. « Sharing the Laughter with Garrison Keillor. » *Writer's Digest,* janvier 1986, p. 33.

Bibliographie

OUVRAGES

Al-Anon Faces Alcoholism, New York : Al-Anon Family Group Headquarters, Inc., 1977. Disponible par l'intermédiaire de Hazelden Educational Materials.

Al-Anon, Is It for You ?, New York : Al-Anon Family Group Headquarters, Inc., 1983. Disponible par l'intermédiaire de Hazelden Educational Materials.

Al-Anon's Twelve Steps and Twelve Traditions, New York : Al-Anon Family Group Headquarters, Inc., 1981. Disponible par l'intermédiaire de Hazelden Educational Materials.

Alcoholics Anonymous (« Big Book », 3e édition), New York : Alcoholics Anonymous World Services, Inc., 1976. Disponible par l'intermédiaire de Hazelden Educational Materials.

Anderson, Donald L. *Better Than Blessed*, Wheaton (Il.) : Tyndale House Publishers, 1981.

Backus, William et Marie Chapian. *Telling Yourself the Truth*, Minneapolis (Mn.) : Bethany Fellowship, 1980.

Baer, Jean. *How to Be an Assertive (Not Aggressive) Woman in Life, in Love, and on the Job*, New York : New American Library, 1976. Disponible par l'intermédiaire de Hazelden Educational Materials.

Berne, Eric. *What Do You Say After You Say Hello ?*, New York, Grove Press, 1972 ; *Que dites-vous après avoir dit bonjour ?*, Paris : Tchou, 1972.

Bible (la) : Nouveau Testament; traduction Louis Segond.

Branden, Nathaniel. *Honoring the Self (Personal Integrity and the Heroic Potentials of Human Nature)*, Boston (Ma.) : Houghton Mifflin Company, 1983.

Co-Dependency, An Emerging Issue, U.S. Journal of Drug and Alcohol Dependency and Health Communications, Inc., Hollywood (Fl.) : Health Communications, Inc., 1984.

Day by Day. Center City (Mn.) : Hazelden Educational Materials, 1974.

DeRosis, Helen A. et Victoria Y. Pellegrino. *The Book of Hope (How Women Can Overcome Depression)*, New York : MacMillan Publishing Co., 1976.

Dilemma of the Alcoholic Marriage (The), New York : Al-Anon Family Group Headquarters, Inc., 1971. Disponible par l'intermédiaire de Hazelden Educational Materials.

Dowling, Colette. *The Cinderella Complex – Women's Hidden Fear of Independence*, New York : Pocket Books, 1981; *le Complexe de Cendrillon*, Paris : Grasset-Fasquelle, 1985.

Drews, Toby Rice. *Getting Them Sober*, volumes I et II, South Plainfield (NJ) : Bridge Publishing, Inc., 1980. Disponibles par l'intermédiaire de Hazelden Educational Materials.

Dyer, Wayne W. *Your Erroneous Zones*, New York : Funk and Wagnalls, 1976. Disponible par l'intermédiaire de Hazelden Educational Materials.

Ellis, Albert et Robert A. Harper. *A New Guide To Rational Living*, Hollywood (Ca.) : Wilshire Book Co., 1975. Disponible par l'intermédiaire de Hazelden Educational Materials.

Fort, Joel. *The Addicted Society – Pleasure-Seeking and Punishment Revisited*, New York : Grove Press, 1981.

Hafe, Brent Q. avec Kathryn J. Frandsen. *The Crisis Intervention Handbook*, Englewood Cliffs (NJ) : Prentice-Hall, 1982.

Hollis, Judi. *Fat Is a Family Affair*, Center City (Mn.) : Hazelden Educational Materials, 1985; *Maigrir, une affaire de famille*, Paris : J.-Cl. Lattès, 1991.

Hornik-Beer, Edith Lynn. *A Teenager's Guide to Living with an Alcoholic Parent*, Center City (Mn.) : Hazelden Educational Materials, 1984.

Jewett, Claudia L. *Helping Children Cope With Separation and Loss*, Harvard (Ma.) : The Harvard Common Press, 1982.

Johnson, Lois Walfrid. *Either Way I Win : A Guide to Growth in the Power of Prayer*, Minneapolis (Mn.) : Augsburg Publishing House, 1979.

Kimball, Bonnie-Jean. *The Alcoholic Woman's Mad, Mad World of Denial and Mind Games*, Center City (Mn.) : Hazelden Educational Materials, 1978.

Kübler-Ross, Elisabeth. *On Death and Dying*, New York : MacMillan Publishing Co., 1969. *Les Derniers Instants de la vie*, Genève : Éditions Labor et Fides.

Landorf, Joyce. *Irregular People*, Waco (Tx.) : Word, Inc., 1982.

Lee, Wayne, *Formulating and Reaching Goals*, Champaign (Il.) : Research Press Company, 1978.

Maslow, Abraham H., éd. *Motivation and Personality* (2e édition), New York : Harper and Row, 1970.

Maxwell, Ruth. *The Booze Battle*, New York : Ballantine Books, 1976. Disponible par l'intermédiaire de Hazelden Educational Materials.

McCabe, Thomas R. *Victims No More*, Center City (Mn.) : Hazelden Educational Materials, 1978.

One Day at a Time at Al-Anon, New York : Al-Anon Family Group Headquarters, Inc., 1974. Disponible par l'intermédiaire de Hazelden Educational Materials.

Perls, Frederick S. *Gestalt Therapy Verbatim*, New York : Bantam Books, 1969.

Pickens, Roy W. et Dace S. Svikis. *Alcoholic Family Disorders: More than Statistics*, Center City (Mn.) : Hazelden Educational Materials, 1985.

Powell, John S.J. *Why Am I Afraid to Tell You Who I Am ?*, Allen (Tx.) : Argus Communications, 1969. Disponible par l'intermédiaire de Hazelden Educational Materials.

Restak, Richard M. *The Self Seekers*, Garden City (NY) : Doubleday & Co., 1982.

Rosellini, Gayle et Mark Worden. *Of Course You're Angry*, Center City (Mn.) : Hazelden Educational Materials, 1985.

Rubin, Theodore I. *Reconciliations (Inner Peace in an Age of Anxiety)*, New York : The Viking Press, 1980.

Rubin, Theodore I. avec Eleanor Rubin. *Compassion and Self-Hate–An Alternative to Despair*, New York : David McKay Company, 1975.

Russianoff, Penelope. *Why Do I Think I Am Nothing Without A Man ?*, New York : Bantam Books, 1982.

Schwartz, David J. *The Magic of Thinking Big*, New York : Cornerstone Library, 1959.

Steiner, Claude M. *Games Alcoholics Play–The Analysis of Life Scripts*, New York : Grove Press, 1971.

Steiner, Claude M. *Healing Alcoholism*, New York : Grove Press, 1979.

Steiner, Claude M. *Scripts People Live*, New York : Grove Press, 1974.

Twenty-Four Hours A Day, Center City (Mn.) : Hazelden Educational Materials, 1975.

Vaillant, George E. *The Natural History of Alcoholism: Causes, Patterns and Paths to Recovery*, Cambridge (Ma.) : Harvard University Press, 1982.

Vine, Phyllis. *Families in Pain: Children, Siblings, Spouses and Parents of the Mentally Ill Speak Out*, New York : Pantheon Books, 1982.

Wallis, Charles L., éd. *The Treasure Chest*, New York : Harper and Row, 1965.

Wholey, Dennis. *The Courage to Change*, Boston (Ma.) : Houghton Mifflin Company, 1984. Disponible par l'intermédiaire de Hazelden Educational Materials.

Woitiz, Janet Geringer. *Adult Children of Alcoholics*, Hollywood (Fl.) : Health Communications, Inc., 1983. Disponible par l'intermédiaire de Hazelden Educational Materials.

Wolman, Benjamin B., éd. *International Encyclopedia of Psychiatry, Psychology, Psychoanalysis & Neurology*, volume 7, New York : Æsculapius Publishers, Inc., 1977.

York, Phyllis et David, et Ted Wachtel. *Toughlove*, Garden City (NY) : Doubleday and Co., 1982.

OPUSCULES

Beattie, Melody. *Denial*, Center City (Mn.) : Hazelden Educational Materials, 1986.

Burgin, James E. *Help for the Marriage Partner of an Alcoholic*, Center City (Mn.) : Hazelden Educational Materials, 1976.

Enormity of Emotional Illness–The Hope Emotions Anonymous Has to Offer (The), St. Paul (Mn.) : Emotions Anonymous International Services, 1973.

Guidelines for AIDS Risk Reduction, Scientific Affairs Committee of the Bay Aera Physicians for Human Rights, San Francisco (Ca.) : The San Francisco AIDS Foundation, 1984.

H., Barbara. *Untying the Knots : One Parent's View*, Center City (Mn.) : Hazelden Educational Materials, 1984.

Kellerman, Rév. Joseph L. *A Guide for the Family of the Alcoholic*, New York : Al-Anon Family Group Headquarters, Inc., 1984. Disponible par l'intermédiaire de Hazelden Educational Materials.

Kellerman, Rév. Joseph L. *The Family and Alcoholism, A Move From Pathology to Process*, Center City (Mn.) : Hazelden Educational Materials, 1984.

Learn about Families and Chemical Dependency, Center City (Mn.) : Hazelden Educational Materials, 1985.

Nakken, Jane. *Enabling Change : When Your Child Returns Home from Treatment*, Center City (Mn.) : Hazelden Educational Materials, 1985.

Schroeder, Melvin. *Hope for Relationships*, Center City (Mn.) : Hazelden Educational Materials, 1980.

Step Four, Guide to Fourth Step Inventory for the Spouse, Center City (Mn.) : Hazelden Educational Materials, 1976.

Swift, Harold A. et Terence Williams, *Recovery for the Whole Family*, Center City (Mn.) : Hazelden Educational Materials, 1975.

Teen Drug Use : What Can Parents Do ?, Center City (Mn.) : Hazelden Educational Materials (réimprimé par autorisation du Département de l'Instruction publique, Bismark (Nd.) : « Drug Abuse Education Act », 1970).

Timmerman, Nancy G. *Step One for Family and Friends*, Center City (Mn.) : Hazelden Educational Materials, 1985.

Timmerman, Nancy G. *Step Two for Family and Friends*, Center City (Mn.) : Hazelden Educational Materials, 1985.

W., Carolyn. *Detaching with Love*, Center City (Mn.) : Hazelden Educational Materials, 1984.

Williams, Terence. *Free to Care–Therapy for the Whole Family of Concerned Persons*, Center City (Mn.) : Hazelden Educational Materials, 1975.

ARTICLES

Anderson, Eileen. « When Therapists are Hooked on Power ». *The Phœnix*, volume 5, n° 7, juillet 1985.

« Author's Study Says CoAs Can't Identify Their Needs ». *The Phœnix* (tiré de *Family Focus*, publié par le U.S. Journal of Drug and Alcohol Dependence), volume 4, n° 11, novembre 1984.

Bartell, Jim. « Family Illness Needs Family Treatment, Experts Say ». *The Phœnix*, volume 4, n° 11, novembre 1984.

Black, Claudia. « Parental Alcoholism Leaves Most Kids Without Information, Feelings, Hope ». *The Phœnix*, volume 4, n° 11, novembre 1984.

Hamburg, Jay. « Student of Depression Sights a Silver Lining ». *St. Paul Pioneer Press and Dispatch (Orlando Sentinel)*, 23 septembre 1985.

Jeffris, Maxine. « About the Word Co-Dependency ». *The Phœnix*, volume 5, n° 7, juillet 1985.

Kahn, Aron. « Indecision Decidedly in Vogue ». *St. Paul Pioneer Press and Dispatch*, 1er avril 1986.

Kalbrener, John. « We Better Believe that Our Children Are People, Says Children Are People ». *The Phœnix*, volume 4, n° 11, novembre 1984.

LeShan, Eda. « Beware the Helpless ». *Woman's Day*, 26 avril 1983.

Ross, Walter S. « Stress : It's Not Worth Dying For ». *Reader's Digest*, janvier 1985, p. 76.

Schumacher, Michael. « Sharing the Laughter with Garrison Keillor ». *Writer's Digest*, janvier 1986, p. 33.

Strick, Lisa Wilson. « What's So Bad About Being So-So? » *Reader's Digest*, août 1984, p. 78 (paru dans *Woman's Day*, 3 avril 1984).

AUTRES

« Adult Children of Alcoholics ». Brochure, auteur inconnu.

« Detachment ». Brochure rédigée par plusieurs membres anonymes des Al-Anon.

Jourard, Sidney, avec Ardis Whitman. « The Fear that Cheats Us of Love ». Brochure.

Larsen, Earnie. « Co-Dependency Seminar ». Stillwater (Mn.), 1985.

Wright, Thomas. « Profile of a Professional Caretaker ». Brochure.

Être soi

Découvrez dans les pages qui suivent des livres qui aident la vie au quotidien : des solutions pour surmonter les difficultés du moment et pour se connaître mieux !

Être soi

Le diagnostic Feng Shui
Astrid SCHILLING
Pocket n° 12494

La valorisation de votre habitat ou de votre environnement professionnel est source de bienfaits insoupçonnés. Vous pouvez en bénéficier aussi bien pour faire avancer votre carrière, améliorer vos rapports amoureux, amicaux ou votre état général de santé. Une merveilleuse initiation au Feng Shui, art millénaire asiatique, autrefois jalousement gardé par les empereurs, désormais à portée de main.

Ces gestes qui manipulent, ces mots qui influencent
Joseph MESSINGER
Pocket n° 12947

Découvrez dans ce livre comment on vous influence ; apprenez à décoder les attitudes et les expressions de la manipulation sous tous ses aspects. Grâce à cet ouvrage, vous serez armés pour jouer de votre force de persuasion, en toutes circonstances.

Pour en savoir plus : www.pocket.fr

Comment je me suis débarrassé de moi-même ▸
Patrick ESTRADE
Pocket n° 12467

Peut-on vraiment changer ? Oui, affirme le psychologue Patrick Estrade, pour peu que nous prenions conscience des résistances et des systèmes de défense que nous mettons en place. L'auteur nous donne des clés pour oser nous libérer.

◂ Dire non, ça s'apprend !
Dominique FROMM
Pocket n° 12975

Il est très difficile de dire non, de s'opposer lors d'une situation donnée, à un point de vue ou face à un comportement qui nous déplaît. Et pourtant, cela s'apprend. Nous possédons tous une force à laquelle nous pouvons faire confiance. Cet ouvrage nous apprend à envisager nos choix avec plus de lucidité et d'assurance.

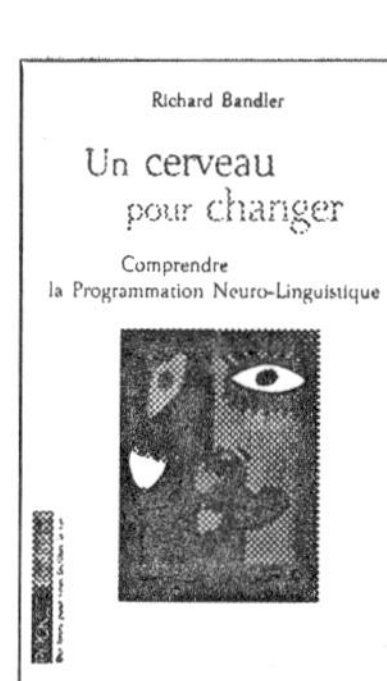

Un cerveau pour changer ▸
Richard BANDLER
Pocket n° 13444

Voici le livre qu'il vous faut : un véritable guide d'introduction à la programmation neuro-linguistique pour comprendre le fonctionnement de vos méninges, influer sur votre perception des événements et modifier votre vie. Dans un langage accessible, l'auteur vous invite, avec son enthousiasme communicatif, sur la voie d'une existence tournée vers l'efficacité et le succès.

Pour en savoir plus : www.pocket.fr

Imprimé en France par

à La Flèche (Sarthe)
en janvier 2011

POCKET – 12, avenue d'Italie - 75627 Paris cedex 13

N° d'impression : 61916
Dépôt légal : janvier 1993
Suite du premier tirage : janvier 2011
S21704/01